예진표를 활용한 한방 처방

이것만 알면 할 수 있는

齒科

치과

한방 치료

漢 | 方 | 治 | 療

군자출판사

이것만 알면 할 수 있는 **치과한방치료**

첫째판 인쇄 | 2016년 8월 10일
첫째판 발행 | 2016년 8월 25일

지 은 이   세키구치 젠타(関口善太) 후쿠시마 아츠시(福島 厚)
발 행 인   장주연
출 판 기 획   조은희
표지디자인   김재욱
발 행 처   군자출판사
　　　　　 등록 제 4-139호(1991. 6. 24)
　　　　　 본사 (10881) **파주출판단지** 경기도 파주시 서패동 474-1
　　　　　 Tel. (031) 943-1888   Fax. (031) 955-9545

KORENARA DEKIRU SIKA KANPO CHIRYO
-Chart Siki Yoshinhyo De Kantan · Ansinna Shoho by Zenta SEKIGUCHI / Atsusi FUKUSHIMA

Copyright ⓒ2012 by Zenta SEKIGUCHI/ Atsusi FUKUSHIMA, All rights Reserved.
　　　　　Originally published in Japan by SUNA SHOBO Publishing Co., Ltd. Tokyo
　　　　　Korean translation rights arranged with SUNA SHOBO Publishing Co., Ltd.
　　　　　through A.F.C. Literary Agency.

ISBN 979-11-5955-076-8
정가 38,000원

이 것 만 알 면 할 수 있 는

치 齒科 과

한방 치료

漢 | 方 | 治 | 療

감수자의 글

치과 임상의가 바쁜 일상 속에서 비교적 쉽게 치과 한방 의학을 습득하여 치과 치료 상의 어려운 증례에 도움을 줄 수 있도록 「치과 한방약의 학습서」를 이번에 출간하게 되었습니다. 환자가 작성한 설문지에 의해 한방약을 투약할 수 있으므로 초보자도 간단하게 이용할 수 있는 흥미로운 책입니다.

한방에서 치료하기 어려운 질환을 현대 치과 의학으로 치료 가능한 경우가 있는 것처럼, 현대 치과 의학에서의 난치성 질환을 한방으로 쉽게 치료할 수 있는 경우도 있습니다. 치과 치료를 완벽하게 해내기 위해서 치과 임상의는 한방 치과 의학과 현대 치과 의학의 치료 특징과 그 한계를 알고, 나아가 그 이점을 잘 활용할 수 있도록 노력해야 할 것입니다.

이런 목적을 가지고 이번에 출판된 본서의 특징은 초심자인 한방임상의도 비교적 쉽게 치료에 임할 수 있도록 편집되어 있습니다.

A. 본서에 관련된 병증 타입의 해설

B. 환자로부터의 정보 수집

 ① 환자의 증상을 질환별 설문지를 통해 알아내기.

 ② 설문지의 결과로부터 예진표를 작성하기.

 ③ 예진표로부터 타입별 분류와 수반되는 증상을 결정하고 한방 처방을 선정하기.

C. B- 의 각 타입별 분류, 수반 증상, 그리고 한방 처방 지식을 찾아내고 또한 치료에 도움이 되는 항목

 ① 증례의 형(型)과 병증 타입

 ② 증후 정리 및 처방 포인트

 ③ 증례별 주소(主訴)

 ④ 각 타입의 기본적인 증후와 처방 정리

 ⑤ 질병의 병리 기전과 증례의 분석과 처방

이상의 A~C 항목 중에서 급할 때는 B 항목부터 시작해도 환자에게 투약할 수 있습니다만, A와 C 항목을 잘 이해하면 치료를 기다리는 환자에 대한 투약 지도를 잘 할 수 있게 됩니다.

본서의 주된 내용은 앞으로 충분히 긴 시간을 들여 정독하면 잘 이해할 수 있겠습니다만, 우리들의 경험이나 수준에 한계가 있으므로 잘못되거나 미숙한 점도 섞여 들어갔을 수 있습니다. 더 높은 수준의 저술이 새롭게 연구되어 나와서 현대 한방 치과 의학에 기여할 수 있게 되기를 마음속 깊이 기대해 봅니다.

상병증 타입이 복잡하여 해결하기가 어려운 경우에는 E-Mail로 문의 주시기 바랍니다(20 페이지 참조).

마지막으로 이 글에서 치험과 집필을 맡아준 후쿠시마 아츠시(福島 厚) 선생님과 세키구치 젠타(関口善太) 선생님에게 감사와 경의를 표합니다.

2012년 1월

이가라시 하루요시(五十嵐治義)

이케다 마사히로(池田正弘)

저자의 글

이 글을 집필하게 된 동기는 치과 현장에 최적화된 한방약에 대한 책을 만들어 제공하고 싶다는 감수자 이가라시 하루요시(五十嵐治義) 선생님의 요청 때문이었습니다. 한방약을 어떤 형태로든 환자에게 처방하는 의사의 비율은 내과의를 중심으로 크게 늘고 있습니다. 이에 비해 치과 의사 중에 한방약을 사용하고 있는 의사의 비율은 매우 낮은 것이 현실입니다. 이는 치과 영역에서 보험 적용이 되는 한방약의 수가 적다는 이유도 있겠지만, 실제로 임상에 적용이 가능한 한방 서적의 수가 적은 것도 하나의 원인이라고 생각합니다.

이가라시 선생님의 제안은 처음 한방약을 이용해 보고자 하는 치과의에게 그다지 어렵지 않게 사용 방법을 잘 알려줄 수 있는 길잡이 책을 만들어보자는 것이었습니다. 그 의향을 받아들여 독자 여러분에게 후쿠시마 아츠시(福島 厚, 치과 의사, 침구사) 선생이 증례를 소개하고, 세키구치 젠타(関口善太, 약제사, 침구사)가 한방약 해설을 더하는 형태로 집필한 것이 이 책입니다.

초심자라도 간단히 사용할 수 있지만, 실제로 효과가 높지 않다면 환자들의 지지는 얻기 힘듭니다. 우리는 두 명 모두 중의학을 기반으로 하여 중국 현지의 임상 현장에서 사용되고 있는 한방약을 참고할 수 있다는 공통점을 가지고 있으므로 그 지식을 활용하기 위해 팀을 이루었습니다.

단, 중국에서 사용하고 있다는 이유로 현대 의학의 치료에 대처할 수 있도록 경험이 적은 한방약으로 일부러 바꿀 필요는 없습니다. 그래서 이 책에서 소개한 질환들은 현장의 요구를 참고하여 현대의학으로 대응하기 어려운 경우로 한정하였습니다.

다음으로 초심자인 의사 선생님 여러분이라도 사용할 수 있도록 문진표에 정성을 들였으며 한방약의 선택도 차트 방식으로 했습니다. 한방의 이론적인 소개 부분도 있습니다만 그 부분은 굳이 보지 않더라도 한방약을 선택할 수 있게끔 했습니다.

마지막으로 사용하는 한방약에 대해서는 시판되고 있는 단독 생약을 포함하여 (부록에 입수처도 소개되어 있습니다.) 일본에서 입수할 수 있는 모든 약을 대상으로 하여 선별하였습니다. 유효성을 추구하기 위해 이런 약들을 몇 가지 조합해야 하는 경우도 많으며, 실제 증례에 따라 과감하게 실제 쓰이는 약들을 소개하였습니다.

집필을 시작하고 7년 사이에 시행착오를 더해가며 겨우 이번에 출판을 할 수 있게 되었습니다. 그러나 시간을 들인 만큼 자신을 가지고 여러분에게 소개할 수 있는 책을 만들었다고 자부합니다. 아직 한방약을 사용해 보지 못한 여러 치과 의사 선생님들도 많이 계실 것으로 생각합니다만 더욱 많은 치과의사 선생님들이 임상에 적용하시어 한방약의 장점을 실감해 보실 수 있게 되기를 기원합니다.

2012년 1월
세키구치 젠타(関口善太)
후쿠시마 아츠시(福島 厚)

역자의 글

이 책은 일본에서 한방약에 대해 잘 모르는 치과 의사가 치료 과정에서 환자에게 한방약을 처방할 수 있게끔 어려운 내용을 쉽게 풀어서 설명하고 있는 책입니다. 일본은 한국과는 달리 독립된 한의사 제도가 없으며, 서양의학을 배운 의사 또는 치과 의사들이 한방약을 처방할 수 있는 구조를 가지고 있습니다. 따라서 이 책은 우리나라의 치과 의사가 바로 사용할 수 있는 책은 아닙니다.

제가 이 책을 번역하기로 마음먹은 것은 우리나라의 치과 의사를 대상으로 한 것이 아니라 오히려 현재 한의학을 공부하고 있는 한의학도들과, 실제 임상에서 활약하고 계시는 많은 한의사 선생님 여러분에게 이 책을 소개해 드리고 싶었던 것이 주된 이유였습니다. 저는 현재 부산대학교 한의학 전문 대학원에 재학 중인 학생입니다[1]. 부산대학교 한의학 전문 대학원은 본과[2] 2학년 시기에 한의학 진단과 변증 등을 배웁니다. 이 책은 치과 관련 주소증을 가지고 내원한 환자들을 한의학적으로 어떻게 진단 및 변증을 하고, 그에 따라 처방을 하는 지 잘 보여주는 많은 증례들을 소개하고 있습니다. 또한 이 책에서는 「예진표」라고 하는 일종의 문진표와 분석표를 제공하여 쉽게 환자 개개인에 대한 변증과 처방을 할 수 있도록 돕고 있습니다. 이런 내용은 현재 한의대 및 한의학전문대학원에서 변증과 진단을 공부하고 있는 학생들에게 유용한 학습 자료가 될 수 있을 것입니다.

일본에서 사용하는 방제 및 처방 중에는 우리나라의 그것과 약간 다른 부분들이 존재합니다. 그리고 당연하겠지만 이 책에서 소개되고 있는 엑스제나 환제 중 일부는 우리나라에서 판매되고 있지 않습니다. 하지만 많은 한방병원이나 한의원에서 일본의 여러 제약 회사에서 나온 다양한 과립제들을 들여와서 사용하고 있으며 특히 한방 병원의 안이비인후과에서 관련 질환을 호소하는 환자들의 치료에 이 책의 내용을 참고한다면 좋겠다는 생각을 해 봅니다. 또한 본문의 내용을 천천히 정독하면서 우리나라의 한의학 내용들과 비교해 보는 것도 매우 흥미롭고 유용한 일일 것입니다. 한편 이 책을 읽으실 한의사 및 한의대 학생들은 증후에 의한 변증 뿐 아니라 병명에 의한 진단도 한의사에게 중요하다는 것을 생각하시면서 읽으시면 더욱 도움이 될 것 같습니다.

이 책을 번역하면서 많은 내용들을 익히고 배울 수 있었습니다. 하지만 한편으로는 최대한 노력 한다고는 했지만 어색한 부분이나 잘못된 부분이 있지 않을까 조마조마한 마음도 있습니다. 모쪼록 이 책이 독자 여러분에게 작은 도움이 되었으면 좋겠습니다.

책의 번역에는 다음 같은 자료들을 참고하였음을 밝힙니다.

1) 전국한의과대학 생리학교수 편저. 동의생리학. 집문당. 2010.
2) 영림사 편집실 편저. 한의학용어대사전. 영림사. 2007.
3) 동양의학대사전 편찬위원회. 동양의학대사전. 경희대학교 출판부. 1999.
4) 전국한의과대학 본초학공동교재 편찬위원회 편저. 본초학. 영림사. 2012.

마지막으로 이 책의 번역 과정에서 많은 조언과 격려를 해 준 부산대학교 한의학전문대학원의 교수님들과 오탈자를 꼼꼼히 살펴봐준 김연학 동기를 비롯한 5기 학우 여러분에게 감사의 말씀을 드리며 맺고자 합니다.

2015년 5월
이채원

---

1) 이 책을 번역하던 당시의 신분이다.
2) 원래 부산대학교 한의학전문대학원은 예과가 없는 4년제였으나 2015년부터 7년제의 학-석사 통합 과정이 신설되면서 3년의 예과 과정이 생겼으므로 본과로 구분하였다.

추천사

　현대 의학의 발전과 생활양식의 개선으로 다양한 난치성 질환들이 치료되고 평균수명이 늘어 100세 시대가 되었다. 그럼에도 불구하고 여전히 난치성 만성질환을 중심으로 삶의 질은 여전히 떨어져있으며 이런 대안으로 한방치료에 대한 수요는 꾸준히 증가하고 있다.

　치과 영역 질환에서 한방치료를 적용하고 그 임상례를 중심으로 편리하게 접근할 수 있는 방법을 소개한 책이 일본에서 출판되었고 부산대한의학전문대학원에 재학 중인 한의학도가 번역을 하여 한국에 소개를 하는 것은 매우 의미 있는 일이라고 생각한다[3].

　이 책은 일본에서 치과치료의 영역에 해당하는 구강건조증, 악관절증, 혀통증, 재발성 구내염, 이갈이, 점액낭포, 구각염에 대한 한방진단과 치료에 대한 내용으로 구성되어 있다. 이들 질환들은 저자가 밝혔듯이 만성적이고 재발이 잘 되는 질환으로 현대 의학으로는 치료하기 어려우나 한방 치료로 좋은 효과를 나타내고 있다. 따라서 저자의 많은 임상례를 바탕으로 정리한 한방 진단과 복합변증 및 치료 방법을 살펴보는 것은 상기 질환 치료 뿐 만 아니라 다양한 내과 질환 치료에서도 응용 가능하리라 생각한다.

　따라서 질환별 예진표, 증례의 형태과 병증 타입, 처방 포인트, 증례의 분석과 처방 해설 등 상세하고 쉬운 설명은 한의사 및 한의학도의 구강질환에 대한 접근뿐만 아니라 변증시치의 이해와 응용에 도움이 되므로 한의학도 및 한의학 이론에 관심이 있는 의사 및 치과의사에게도 한의학적 치료관점을 이해하는데 도움이 되리라 생각한다.

　또한 여기 제시된 처방들은 대부분 추출된 복합제제약 또는 단미제로 시중에 유통이 되면서 사용하기 편리하기 때문에 신속하게 치과 진료 및 구강 질환 환자들에게 응용할 수 있는 장점이 있다.

　한의학도로서 아직 학교 수업과 시험 등 매우 바쁜 일정 중에도 보다 학업에 충실하고 동료 학우 및 한의사들에게 도움이 되고자 이러한 책을 번역한 역자(譯者)의 노고에 감사드리며 치과 영역의 질환에 대한 한의학적 치료가 보다 활발히 이루어지기를 기대한다.

2015년 5월
부산대학교 한의학전문대학원 교수 권정남

---

3) 이 책을 번역하던 당시의 신분이다.

목 차

1 구강건조증(口腔乾燥症) …………… 54

한방 치료란

한방 치료란 한방(漢方) 의학 체계에 의한 치료를 말하며 그 주된 방법으로 한방약 치료와 침구 치료가 있다.

중의학의 의학 체계 전체를 보면 현대 의학과 마찬가지로 기초의학, 진단학, 치료학 등의 분야로 나누어진다.

기초의학에는 「기혈진액학설(氣血津液學說)」, 「장부학설(臟腑學說)」, 「경락학설(經絡學說)」이 있으며, 현대의학의 생리학이나 해부학과 상당한 위치를 차지하고 있다.

진단학의 내용으로는 진찰 방법인 「사진(四診)」, 발병 기전을 분석하는 「병인병기학(病因病機學)」, 질병을 판단하는 「변증(辨證)」이 있다.

치료학에는 치료 총론이나 각종 임상 각론 이외에도 경락이나 경혈의 효능을 다루는 「경락경혈학(經絡經穴學)」, 침구의 조작을 다루는 「침구수기학(鍼灸手技學)」, 각각의 약초(중약(中藥)을 의미)의 효능을 다루는 「중약학(中藥學)」, 처방의 원형(복수의 중약들을 조합한 것)의 효능을 다루는 「방제학(方劑學)」등이 포함되어있다.

중의학은 3,000년 동안의 긴 중국 역사 속에서 수많은 사람들을 치료하면서 진보해 왔다. 그동안 한방약이나 혈 자리의 사용법이 확립되어 왔으며 인체에 해가 없는 조합들이 점차 늘어났다. 그러므로 한방치료를 적은 부작용으로 더 효과적으로 행하기 위해서는 중의학 이론에 의거해서 사용하는 것이 바람직할 것이다.

이제 구강 질환에서 한방약을 어떤 식으로 사용하는 것이 좋을까에 대해 다음의 2가지 점을 살펴보고자 한다.

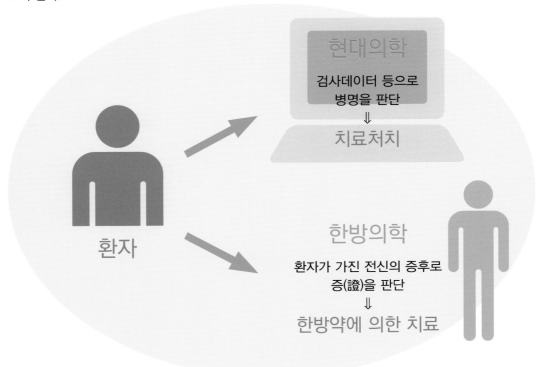

(1) 증후(症候)와 변증(辨證)

중의학에서 진단 시에 추구하는 것은 현대 의학의 병명이 아니라 각각의 환자가 호소하는 증후(症候)를 분석하여 얻어지는 「증(證), 병증(病證)이라고도 함」이다. 그리고 그 증(證)을 감별하는 것을 「변증(辨證)」이라고 한다. 이때의 증후(症候)에는 구강의 국소적인 상태 뿐 아니라 대소변이나 맥(脈) 등의 전신 상태를 포괄한다.

이는 중의학이 인체 전신을 유기적인 관계를 가진 「하나의 통합체」라고 생각하는 것에 그 유래가 있다. 즉, 구강(口腔)은 그 자체가 독자적인 생리활동을 이어나가는 게 아니라 어디까지나 전체 몸의 일부분이며, 전신의 각 부분과 관련을 가지면서 존재하고, 그것들과 협조해가며 생리활동을 이어나간다고 생각하기 때문이다. 따라서 치과 영역의 변증에 있어서도 대소변 등 전신 각 부분에 걸친 증상(症狀)을 증후(症候) 속에 포함하고, 그것들을 종합적으로 판단하는 것이 필요하다.

(2) 「동병이치(同病異治)」와 「이병동치(異病同治)」

중의학의 진단에서는 환자 개개인이 호소하는 증후(症候)를 분석해 얻은 「증(證)」이 필요하다고 앞서 이야기하였는데, 이는 예를 들어 동일한 현대 의학의 병명에 해당하는 병에 걸린 환자가 있더라도 병증(病證) 타입이 다르면 서로 다른 치료(즉, 한방약 처방)가 필요하다는 것을 의미한다. 중의학에서는 이를 「동병이치(同病異治)」라 한다.

이에 대해 병명이 서로 다른 환자라 할지라도 병증(病證) 타입이 서로 같다면 같은 치료(한방약)가 효과가 있다는 것을 「이병동치(異病同治)」라는 말로 강조하고 있다.

이 책에서 나오는 질환으로 설명하자면 구강건조증에는 「자음강화탕(滋陰降火湯)」이 효과가 있다는 것이 잘 알려져 있다. 구강건조증에는 음허(陰虛) 타입인 사람의 비율이 비교적 많으므로 이런 인식이 생겨나는데, 「습열(濕熱)」이라는 병증 타입도 있어서 여기에는 「자음강화탕(滋陰降火湯)」보다는 「황련해독탕(黃連解毒湯)」과 「평위산(平胃散)」을 합한 것이 더 효과가 있다. 그리고 또한 이 둘을 합치면 구강건조증 외에 재발성 구창(口瘡)등에서도 동일한 습열(濕熱) 타입이라면 효과가 있다. 즉, 병명(病名)보다도 병증(病證) 타입을 중심으로 하여 그에 효과가 있는 한방약(漢方藥)을 알아두는 것이 더 효과적인 치료를 할 수 있다.

이 책에 나오는 주된 병증(病證) 타입

외사형(外邪型) (관련 질환은 악관절증, 허피스(Herpes)성 구내염 등.)

기후의 변화나 냉난방 등 바깥 공기의 변화가 인체에 미치는 영향이나, 외부로부터 인체로 침입해 들어오는 바이러스 등의 병사(病邪)를 중의학에서는 외사(外邪)라고 부른다.

이 외사(外邪) 중 이 책에서 소개된 질병과 관계가 깊은 것은 냉(冷)한 성질의 병사인 「한사(寒邪)」와, 열(熱)한 성질의 병사인 「열사(熱邪)」(풍열, 風熱)이며 각각 「한사(寒邪) 타입」, 「열사(熱邪) 타입」이라고 부른다.

이 2개의 타입은 증(症)의 시작이 비교적 급격하고 초기에는 감기처럼 차가우며, 한기(寒氣)와 발열을 동반하는 등의 공통된 특징이 있다. 두 타입이 서로 다른 점은 환부가 차가운지, 아니면 열감이나 발적(發赤)이 있는지의 여부이다.

실열형(實熱型) (관련 질환은 구강건조증, 혀의 통증, 아프타성 구내염 등.)

몸속에 열이 가득해지며 증(症)이 시작되는 병증(病證) 타입을 총칭하여 실열형(實熱型)이라 한다.

실열형(實熱型)의 열은 반드시 발열을 의미하지는 않는다. 또한 중의학에서 말하는 열에는 허(虛)와 실(實)의 차이가 있다. 이 중 체력이 저하되어 미열(微熱)이 나는 경우에는 허성(虛性)의 열(熱)이라 하며, 여기서 말하는 실열(實熱)에 속하는 게 아니라 뒤에 나오는 「허열형(虛熱型)」에 속한다.

실열형은 그 열이 뭉쳐있는 중심 부위(장부 등)에 의해 다시 분류된다. 구강 내의 질환에 관련되는 것으로는 폐의 열(肺熱), 기분(氣分)의 열(氣分熱), 영혈분열(營血分熱), 위장의 열(위화(胃火) 또는 위장적열(胃腸積熱)), 심(心)의 열(심화, 心火), 간의 열(간화, 肝火) 등이 있으며 이 책에서는 각각을 폐 타입(폐위(肺胃) 타입), 기분(氣分) 타입, 영혈(營血) 타입, 위장(胃腸) 타입(위(胃) 타입), 심(心) 타입, 간(肝) 타입이라고 부르겠다.

이외에 위장의 열에 수분의 정체(停滯)가 더해진 습열(濕熱) 타입이 있으나 이 타입은 조체형(阻滯型)에도 속하므로 뒤의 조체형(阻滯型) 항목에서 설명하겠다.

폐(肺) 타입(또는 폐위(肺胃) 타입), 기분(氣分) 타입

폐(肺)를 중심으로 한 실열(實熱)의 대다수는 폐(肺) 타입이라고 불리나, 열이 폐(肺)에서 위(胃)로 퍼지는 경우도 있으며 이 경우에는 폐위(肺胃) 타입이 된다. 이 타입의 특징은 감기의 초기부터 중기에 걸쳐 증(症)이 나타나거나 재발한다는 점이다. 그러나 감기를 일으키는 열사(熱邪) 쪽의 요소가 강한 경우에는 전신의 기분(氣分)이라는 부위로도 퍼지는 것을 볼 수 있으며 이 때는 기분(氣分) 타입이라고 부른다.

영혈(營血) 타입

기분(氣分)에 있던 열사가 더 깊은 부분인 영분(營分)이나 혈분(血分)에 침입한 것을 영혈(營血) 타입이라 부른다. 이 타입은 밤에 열감이 강해지며 번조감(煩燥感), 반진(斑疹), 설질(舌質, 혀)의 색이 심홍색[4]이 되는 특징을 볼 수 있다.

위장 타입 (또는 위 타입)

이 타입은 매운 음식이나 맛이 자극적인 음식을 편식했을 때 일어나기 쉽다. 구갈(口渴), 변비(便秘), 구취(口臭) 등의 증상을 동반하기 쉬우며 혀 위에 황색의 건조한 설태(舌苔)가 잘 나타난다. 위장 타입은 위 타입과 비교하여 장(腸)의 증상이 현저하며, 배가 부풀고, 변비가 잘 나타난다.

심(心) 타입

감정의 고조에 의해 생겨난 열이 심(心)에 영향을 주어 나타나는 타입이다. 동계(動悸), 흉부의 번민(煩悶) 그리고 불면(不眠) 등의 증상을 잘 동반하며 혀끝이 붉어지는 특징이 있다.

간(肝) 타입

스트레스에 의한 기분의 울적(鬱積)이나 노(怒)에 의한 흥분이 열이 되고 간에 영향을 미쳐서 나타난다. 안절부절 못하고, 쉽게 화를 내며, 정신 억울, 협복(脇腹)이나 계륵(季肋)부에 당기는 통증, 즉, 장통(張痛)이 있고, 입이 쓰게 느껴지며, 목구멍이 답답한 감이 있고, 월경불순, 현훈(眩暈), 눈의 충혈, 불면 등의 증상이 특징적이다.

조체형(阻滯型) (관련 질환은 구강건조증, 혀의 통증, 아프타성 구내염 등)

중의학에서는 몸속을 흐르며 각 조직을 형성하는 물질을 「기(氣)」, 「혈(血)」, 「진액(津液)」이라고 부른다. 이들의 흐름에 장해가 생겨 조체(阻滯)되면 이들은 각각 「기체(氣滯)」, 「어혈(瘀血)」, 「습(濕)」이라고 하는 인체에 악영향을 주는 물질로 변화하게 된다.

이 가운데 습(濕)은 일반적으로 「담습(痰濕) 또는 수정(水停)」과 울(鬱)이 쌓여 열(熱)이 된 「습열(濕熱) 또는 담화(痰火)」로 나눌 수 있다. 치과 질환에서 볼 수 있는 조체형 타입에는 기체(氣滯) 타입, 담습(痰濕) 타입(수정(水停) 타입), 습열(濕熱) 타입, 어혈(瘀血) 타입이 있다. 단, 습열(濕熱) 타입은 열(熱)이 강한 질환에 한하여 실열형(實熱型)으로 분류된다.

기체(氣滯) 타입

기체(氣滯)는 스트레스에 의해 기분의 울적(鬱積)이 생기거나, 긴장이나 화가 기(氣)의 흐름을 막아서 형성된다. 기체(氣滯) 타입에서는 국부적으로 창통(脹痛)이라고 하는 당기는 느낌이

---

4) 강설(絳舌)이라고도 한다.

강하게 나타날 뿐 아니라, 특징적인 증상으로서 일반적으로 안절부절 못하거나, 화를 잘 내거나, 정신 억울, 협복(脇腹)이나 계륵(季肋) 부위가 당기는 통증, 입이 마르고, 목이 답답하고, 월경 불순 등이 나타난다. 기체가 울적(鬱積)되어 열이 되면 실열형의 간(肝) 타입으로 변화한다.

담습(痰濕) 타입 (수정(水停) 타입)

담습(痰濕)은 날 음식이나 찬 음식을 편식하거나, 위장이나 비뇨기의 만성 질환으로 수분 대사가 실조(失調)됨으로서 형성된다.

담습(痰濕) 타입에서는 부종, 몸이 무거움, 니상변(泥狀便, 진흙 모양의 대변), 그리고 담(痰)이 나오기 쉬우며 여성은 대하(帶下)가 많다. 혀에 백니태(白膩苔)[5]가 나타나는 것이 특징적인 증상으로 나타난다. 비만 경향이 있는 사람들 중 많은 이들은 체질적으로 이 타입에 속한다.

습열 타입 (담화(痰火) 타입)

습열은 기름에 튀긴 음식이나 맛이 자극적인 음식을 편식하거나, 과한 음주를 하거나, 위장이나 비뇨기의 만성 질환 등에 의해 수분 대사가 실조되어 있는 사람이 매운 음식을 편식하거나 하면 생긴다. 습열의 조체(阻滯)가 강해지고 굳어진 것을 담화(痰火) 타입이라고 한다.

습열 타입이나 담화 타입에서는 부종, 몸이 무거움, 담이 잘 나오는 등의 증상이 있으며, 여성은 대하(帶下)가 많고, 담습 타입과 동일한 증상을 관찰할 수 있다. 또한 열(熱)에 의한 영향이 색으로 나타나며, 담이나 대하, 그리고 혀 위의 니태(膩苔)는 모두 황색이 된다. 변(便)은 습과 열의 요소로 나누어 생각해 볼 수 있는데, 습이 강하면 니상변(泥狀便, 진흙 모양의 대변), 열이 강하면 변비가 되고, 구갈(口渴) 증상도 나타난다.

어혈(瘀血) 타입

어혈은 찬 것에 의해 혈행(血行)이 저해되어 생기기도 하고, 그 외에도 기체(氣滯)나 담습(痰濕)이 오래되면 조체(阻滯)가 기(氣)나 습(濕)으로부터 혈(血)에 다다르게 되어 형성된다. 또한 여러 가지 병증(病證)의 만성화에 의해서도 형성된다.

어혈 타입에서 볼 수 있는 일반적인 증상에는 입술이 어두운 자색이 되고, 눈 밑이 거뭇해지고, 월경통이 생기고, 월경혈에 핏덩이(혈괴, 血塊)가 섞여 있고, 설질(舌質, 혀)은 짙은 자색이고, 설하정맥노장(舌下靜脈怒張)[6]의 증상이 나타난다.

허약형(虛弱型) (관련 질환은 점액낭포, 혀 통증, 악관절증, 이갈기, 아프타성 구내염 등)

중의학에서 말하는 허약(虛弱)이라는 것은 몸 속을 흐르며 각 조직을 형성하는 물질인 「기(氣)」, 「혈(血)」, 「진액(津液)」이나 발육과 노화에 관여하는 「정(精)」이 부족한 것을 말한다.

---

5) 흰색의 기름진 설태
6) 혀 아래 정맥이 확장된 것.

허약에 의해 각각의 물질이 부족해지고 이에 의해 관련된 기능의 저하나 면역력 저하를 일으키고, 허약이 병태(病態)의 중핵을 수행하도록 한 변증을 허증(虛證)이라 한다. 이에 본 책에서는 그 타입을 총칭하여 허약형(虛弱型)이라 한다.

치과 질환에서 볼 수 있는 허약형에는 비(脾)에서 기(氣)의 부족이 일어난 비(脾)타입, 기(氣)와 혈(血)이 동시에 부족한 기혈(氣血) 타입 (이 경우의 대부분은 기(氣)는 비(脾)에서 부족하고 혈(血)은 심(心)에서 부족하므로 심비(心脾) 타입이라고도 함), 정(精)과 혈(血)의 부족이 간(肝)과 신(腎)에서 일어난 간신(肝腎) 타입이 있다.

또한 정(精)이나 혈(血)이 더 부족해지면 허(虛)한 성질의 열(熱)을 동반하게 되는 경우가 있다. 이 경우에는 이후에 나오는 허열형(虛熱型) 타입에 속하게 된다.

비허(脾虛)타입

중의학에서 말하는 비(脾)는 현대 의학에서 말하는 비장(脾臟, spleen)과는 다른 기능을 가진 장기로서, 그 중심적인 기능은 음식물을 소화시키고, 영양분을 흡수하여 전신에 운반하는 것이다. 이때 음식물 중에 있는 수분의 흡수 운반에도 관여하기 위해 온몸의 수분 대사에 크게 관여하고 있다. 그 외에도 흡수한 영양분으로부터 기혈(氣血)을 생성하는 기능도 가진다.

비허(脾虛)는 비(脾)의 기(氣)가 부족한 병증(病證)으로서 소화기계에 만성 질환을 가진 환자에게서 볼 수 있을 뿐 아니라 노동을 심하게 하여 기(氣)를 소모한 경우에도 나타난다. 또한 수분 대사에 관여하므로 조체형(阻滯型)의 담습(痰濕) 타입인 사람이 만성화되면 이 타입으로 바뀌게 되는 경우가 있다. 비허(脾虛) 타입에서 볼 수 있는 일반적인 증상에는 권태, 무력감, 숨참, 식욕부진, 복부 팽만감, 무른 대변에 설사하기 쉬우며, 입술색이 담백(淡白)하고, 설질(舌質, 혀)는 반대(胖大, 부풀어 큼)하며 그 색은 엷다.

기혈(氣血)타입 (심비(心脾) 타입)

기(氣)와 혈(血)의 둘 모두가 부족해진 경우 볼 수 있는 병증(病證) 타입을 기혈부족이라 한다. 단, 구강 질환에서 볼 수 있는 기혈 타입의 대부분은 기(氣)의 부족이 비(脾)에 영향을 끼쳐 비(脾)가 가지고 있는 혈(血)을 생성하는 기능이 저하되어 일어나게 되는 혈(血)의 공급 부족이 주로 심(心)에 파급된 것이다. 그 때문에 심비(心脾)의 허약이라고도 한다.

증후(症候)로서는 비(脾) 타입에서 볼 수 있는 권태, 무력감, 숨참, 식욕부진, 복부 팽만감, 입술색이 담백해지는 것 이외에도 혈(血)의 부족에 의한 심계(心悸), 불면(眠), 다몽(多夢, 꿈이 많고 숙면감이 없음), 건망, 현훈(眩暈)등의 증상이 더 있다.

비허(脾虛)의 비중이 더 커지면 무른 대변에 설사하기 쉬워지며, 혈(血) 부족의 비중이 더 커지면 변비가 일어나는 경우도 있다.

간신(肝腎)타입

중의학에서는 간(肝)은 혈(血)을 저장하고 신(腎)은 정(精)을 저장한다고 하지만, 간이 저장하는 혈(간혈(肝血))과 신이 저장하는 정(신정(腎精))은 서로 바뀌어 보(補)하는 관계이다. 그러나 서로 보충하는 관계일지라도 도움이 되지 못할 정도로 어느 한쪽이 심하게 부족해지면 둘 다 부족한 간신부족(肝腎不足)이라는 병증(病證)이 된다.

간신부족의 원인은 신정부족(腎精不足)을 일으키는 선천적인 허약이나 과도한 성행위, 그리고 노화 뿐 아니라 간혈 부족을 일으키는 중노동이나 여성의 부정출혈(不正出血)로 대표되는 출혈성 질환 등을 들 수 있겠다. 이 타입에서 볼 수 있는 증상으로는 머리의 흔들림, 현훈(眩暈), 눈의 피로, 월경주기 지연 등의 간혈부족에 의한 증상과 이명, 청각감퇴, 무릎의 권태(倦怠)와 통증 등의 신정 부족에 의한 증상이 있다. 설질(혀)의 색은 담홍색이며 설태는 적다. 단, 이 타입은 허열형의 음허 타입으로 발전될 수 있으며 그 경우엔 불면이나 목의 건조 등 허열 증상이 더해지며 설질의 색은 홍색이 된다.

허열형(虛熱型) (관련 질환은 혀의 통증, 악관절증, 이갈기, Herpes성 구내염 등)

실열형의 환자가 만성화되어 체내의 진액이 소모되어 윤기가 손상받고 또한 냉각 능력이 저하되고, 미열과 같은 허한 성질의 열(허열, 虛熱)을 동반하는 것을 허열형(虛熱型)이라고 한다. 허열형은 정(精)이나 혈이 부족한 허약형 중의 간신 타입이 더욱 진행되어도 나타나는 경우가 있다.

치과 질환에서 볼 수 있는 허열형에는 전신성의 음허 타입 이외에도 허열이 특정 장부(臟腑)에 집중되어 나타나는 폐위(肺胃) 타입과 신(腎) 타입이 있다.

음허(陰虛) 타입

혈(血), 진액(津液), 정(精) 등 인체를 적시며 흐르는 물질은 더욱 차가움을 보존하여 인체의 가열상태를 막는 작용도 하므로 혈이나 진액 그리고 정 부족이 더욱 진행되면 허(虛)한 성질의 열을 동반하게 되는 경우가 있다. 이를 음허라 한다. 음허가 온 몸에서 일어나는 상태를 이 책에서는 「음허(陰虛)」타입이라고 한다.

이 타입에서 볼 수 있는 증상으로는 목의 건조감, 야간조열(夜間潮熱, 밤에 주기적으로 열이 올랐다 내렸다를 반복하는 증상), 오심번열(五心煩熱, 가슴과 손발바닥의 열), 뺨이 붉어짐, 불면, 설질(혀)이 붉어짐, 설체(舌體, 혀)의 소수(消瘦, 혀가 홀쭉한 것을 이른다. 한의학에서는 수박설(瘦薄舌) 또는 수형설(瘦形舌)이라고 한다.), 설태는 적으며, 일반적으로 허열(虛熱) 증상이라고 일컬어지고, 마른 사람에게 잘 나타나는 특징이다.

폐위(肺胃) 타입

진액의 소모가 더욱 진전되어 허열이 폐와 위에 편재하여 발생된 경우를 이 책에서는 폐위 타입이라고 한다. 이 타입에서는 음허 타입에서 볼 수 있는 허열 증상에 더해 담(痰)이 적은 마른기침이 나타나며 가슴이 번조(煩燥)하면서 아프고 피부 건조, 변비 등이 나타난다.

신(腎) 타입

진액이나 정의 소모가 진전되어 허열이 신(腎)에 편재하여 발생한 것을 이 책에서는 신(腎) 타입이라고 한다. 이 타입에서는 음허 타입에서 볼 수 있는 허열 증상에 더해 현훈(眩暈), 이명(耳鳴), 난청(難聽), 하반신의 권태(倦怠)와 통증 등이 있다.

병증(病證) 타입의 색에 따른 일람표

외사형 (外邪型)	한사(寒邪) 타입 열사(熱邪) 또는 풍열(風熱) 타입
실열형 (實熱型)	폐 타입(폐위 타입) 기분(氣分) 타입 영혈(營血) 타입 위장(胃腸) 타입 (위 타입) 심(心) 타입 간(肝) 타입
조체형 (阻滯型)	기체(氣滯) 타입 담습(痰濕) 타입 (수정(水停) 타입) 습열(濕熱) 타입 (담화(痰火) 타입) 어혈(瘀血) 타입
허약형 (虛弱型)	비허(脾虛) 타입 기혈(氣血) 타입 (심비(心脾) 타입) 간신(肝腎) 타입
허열형 (虛熱型)	음허(陰虛) 타입 폐위(肺胃) 타입 신(腎) 타입

예진표(豫診表)를 활용하여
치과 한방 치료를 쉽게

이 책은 한방 이론에 정통하지 않은 의사 선생님들도 병증(病證) 타입을 나누고 그것에 맞는 한방약을 처방할 수 있도록 연구하여 만든 책입니다.

우선 처음에는 병증(病證) 타입의 감별을 합니다. 질환별로 만든 예진표 「질환별 앙케트 용지」을 환자에게 기입해 달라고 부탁하고, 문진(問診)으로 예진표 「타입 분류 체크 용지」와 비교하여 점수화해서 병증 타입의 감별을 용이하게 하였습니다.

그리고 한방약을 처방하는 단계에서는 점수화된 병증 타입의 감별을 기반으로 예진표 「예진표 감별에 따른 한방약의 선택법」의 수반 증상의 차이를 참조하여 개인별로 체질에 맞는 약을 선택할 수 있도록 되어 있습니다. 여기에서는 전형적인 처방이 소개되어 있습니다.

전형적인 처방 예로 해결되지 않는 경우에는 책의 본문에서 실제 치료 증례를 여러 개 소개하였으므로 이를 참조해 주십시오. 이 중에는 병증(病證) 타입이 복잡한 것을 응용한 예도 있습니다.

또한 해결이 어려운 경우에는 아래 이메일 주소로 연락해 주시기 바랍니다.

치료에 관하여: 후쿠시마 아츠시(福島 厚) info@fdc-toyo.jp
처방에 관하여: 세키구치 젠타(関口善太) zenta-chuuido@dtn.ne.jp

「예진표」① ~ ③의 사용법 해설과 질환별 용지는 p22~p51 사이에 실려 있습니다.

본문에는 각 증례별로 각각 중의학적인 분석과 처방 해설이 들어있습니다. 내용은 조금 전문적이라 어려울 수 있으나 이 부분은 굳이 읽지 않더라도 치료를 하는 데는 문제없습니다. 또한 한방 전문 지식에 더 깊은 관심이 있는 경우에는 각 장의 끝에 「기본적인 증후와 처방의 종합」, 「병리기전」이 소개되어 있으므로 그곳을 읽어주십시오.

한방 용어의 해설, 설진 해설, 맥진 해설도 책 뒷부분에 추가되어 있으니 참조해 주십시오.

예진표 ① (p20~)
질환별 앙케트 용지

구강 건조 증상에 대해 답해주세요.	
구강의 건조에 관해	· 목마름이 건조감보다 강하다. · 건조감이 목마름보다 강하다. · 목마름이나 건조감이 급격하게 시작되었다. · 서서히 목마름이나 건조감을 느끼게 되었다. · 고열이 난 후에 증상이 나타났다. · 증상이 나타날 때 몸에도 습진이나 반점이 나타났다. · 찬 물을 많이 마신다. ·따뜻한 물을 마신다. · 건조한 감은 있으나 물을 그리 많이 마시지는 않는다. · 밤에 악화된다. ·오후에 악화된다. · 가을과 겨울에 악화된다. ·스트레스로 악화된다. · 매운 것을 먹으면 악화된다.
기타 구강 증상	· 입 냄새가 강하다. ·입이 쓰다. · 턱에 붓기가 있거나 당기는 감이 있다.
심리적 증상	· 안절부절 못하거나 우울하다. ·무력감 (의욕이 안 생긴다.)
머리와 안면 부위 증상	· 어지러움 · 이명, 난청 ·눈 충혈 · 눈 주위가 거무스름하다. · 코, 목, 입술, 피부 등이 건조하다.
흉복부 증상	· 가슴이나 위가 답답하고 팽팽하다. ·열구리가 팽창하고 아프다. · 노란 가래가 나온다. ·목에 답답한 느낌이 있다. · 기침이 나온다. · 식욕부진 ·공복감이 있어도 먹을 수가 없다. · 변비 · 무른 변 ·복부에 두근거림을 느낀다. · 가슴이 두근거리고 안절부절 느낀다.
부인과 증상	· 월경불순 ·월경통이 심하다.
기타 증상	· 소변색이 진하다 ·소변이 잘 안 나온다. · 소변 색이 투명하고 양이 많다. · 권태감이 강하다. ·피로감이 강하다. · 땀이 많다. ·밤이 되면 미열이 난다. · 손발이 달아오른다. ·장작대 같은 말을 할 때가 있다. · 몸 속에 열이 가득 찬 느낌이 있다. · 하반신이 차고 아프다. ● 부종이 있다.
위 내용 이외에 다른 증상이 있다면 적어주세요.	

환자의 주소증에 맞추어 「질환별 앙케트 용지」를 선택하여 기입을 부탁한다.

예진표 ② (p30~)
타입 분류 체크 용지

병증타입 분류 A B C D E F G	증상
구강 건조에 대하여	· 목마름이 건조감보다 강하다. (A B C) · 건조감이 목마름보다 강하다. (D E F G) · 목마름이나 건조감이 급격하게 시작되었다. (A B C) · 서서히 목마름이나 건조감을 느끼게 되었다. (D E F G) · 고열이 난 후에 증상이 나타났다. (A) · 증상이 나타날 때 몸에도 습진이나 반점이 나타났다. (B) · 찬 물을 많이 마신다. (A) ·따뜻한 물을 마신다. (B) · 건조한 감은 있으나 물을 많이 마시지는 않는다. (B C E) · 밤에 악화된다. (B E) ·오후에 악화된다. (C) · 가을과 겨울에 악화된다. (D) ·스트레스로 악화된다. (G) · 매운 것을 먹으면 악화된다. (C)
그 외의 구강 증상	· 입 냄새가 강하다. (A C) ·입이 쓰다. (G) · 턱에 붓기가 있거나 당기는 감이 있다. (G)
심리적 증상	· 안절부절 못하거나 우울하다. (G) ·무력감 (F)
머리와 안면 부위 증상	· 어지러움 (E F G) · 이명, 난청 ·눈 충혈 (G) · 눈 주위가 거무스름하다. (D) · 코, 목, 입술, 피부 등이 건조하다. (D)
흉복부 증상	· 가슴이나 위가 답답하고 팽만감이 있다. (C F) · 열구리가 팽창하고 아프다. (G) · 노란 가래가 나온다. (C) ·목에 답답한 느낌이 있다. (G) · 기침이 나온다. (D) · 식욕 부진 (C) ·공복감이 있어도 먹지를 못한다. (D) · 변비 (A C D) ·무른 변 (C F) · 가슴이 두근거린다. · 마음이 울적하고 초조하다. (B C)
부인과 증상	· 월경불순 (G) ·월경통이 심하다. (G)
기타 증상	· 소변이 진하다. (A B C D E) ·소변이 잘 안나온다. (F) · 소변 색이 투명하고 양이 많다. (E) · 권태감이 강하다. (F) ·피로감이 강하다. (F) · 땀이 많다. (A) ·밤이 되면 미열이 난다. (E) · 발이 달아오른다. (E) · 장작대 같은 말을 할 때가 있다.(B) · 몸 속에 열이 가득 찬 느낌이 있다. (C) · 하반신이 차고 아프다. (E) ·부종이 있다. (F)
합계	

「질환별 앙케트 용지」를 기반으로 문진(問診)하면서 「타입 분류 체크 용지」 증상(症狀)란으로부터 맞는 기호를 골라 좌측의 타입 분류란에 체크한다. 그리고 타입 분류의 합계 수를 계산한다.

예진표 ③ (p40~)
예진표 감별에 따른 한방약의 선택법 용지

타입분류 합계수	병증 타입	수반 증상	한방 처방
	실열형(實熱型) A. 기분(氣分) 타입	고열이 난다. 땀이 많이 난다. 소변은 소량이고 색이 붉다. 설질은 홍색, 설태는 황색, 망재(芒刺)	일반적인 경우 백호가인삼탕(白虎加人蔘湯) / 변비나 복부 팽만 등 위열(胃熱) 증상이 강한 경우 황련해독탕(黃連解毒湯) + 조위승기탕(調胃承氣湯) / 기침이나 흉통 등 폐열(肺熱)의 증상이 강한 경우 마행감석탕(麻杏甘石湯), 또는 길경석고탕(桔梗石膏湯)
	실열형(實熱型) B. 영혈(營血) 타입	번조감(煩燥感) 심하게 헛소리를 함 반진(斑疹), 설질(舌質)은 심홍색, 혀 끝에 망자(芒刺)	천왕보심단(天王補心丹) + 황련(黃連) 또는 천왕보심단(天王補心丹) + 육신환(六神丸)
	실열형(實熱型) C. 습열(濕熱) 타입	가슴이나 위(胃)에 그득하고 답답함이 있고, 번조(煩燥)감이 있으며, 몸이 무겁다. 몸에 열이 쌓여있는 느낌이고, 식욕감퇴, 소변은 황색, 설질은 홍색이고, 설태는 황니태(黃膩苔)	무른 변이 나오는 경우 황련해독탕(黃連解毒湯) + 오령산(五苓散) 또는 황련해독탕(黃連解毒湯) + 평위산(平胃散) / 변비가 나오는 경우 황련해독탕(黃連解毒湯) + 인진호탕(茵蔯蒿湯)
	허열형(虛熱型) D. 폐위(肺胃) 타입	설질(舌質)은 홍색이고, 설태는 황색에 건조하고, 변비가 있다.	코, 목, 피부가 건조, 헛기침, 가슴이 번조(煩燥)하고 아픈 등의 폐음(肺陰) 부족 증상을 동반하는 경우 청폐탕(淸肺湯) 또는 신이청폐탕(辛夷淸肺湯) / 입술 건조, 가슴이 쓰리고, 위胃에 통증이 있어도 먹을 수 없는 등 위음(胃陰) 부족 증상을 동반하는 경우 맥문동탕(麥門冬湯) 또는 맥미지황환(麥味地黃丸) 또는 자음강화탕(滋陰降火湯)
	허열형(虛熱型) D. 폐위(肺胃) 타입	밤에 미열이 생기고, 손발이 달아오르며, 만성적으로 입 주위 잘 찬다. 빰이 붉고, 이명(耳鳴), 난청(難聽), 어지럼, 혀는 수박설(瘰瘰舌), 설질은 심홍색, 설태는...	일반적인 경우 육미지황환(六味地黃丸) + 자음강화탕(滋陰降火湯) 또는 맥미지황환(麥味地黃丸) + 천왕보심단(天王補心丹) / 따뜻한 것을 좋아하고, 허리와 무릎에 냉통(冷痛)이 있으며, 소변은 투명하고 양이 많고, 혀 뿌리의 백태(白苔)가 있는 등 양허(陽虛) 증상을 동반하는 경우 팔미지황환(八味地黃丸) 또는 우차신기환(牛車腎氣丸)
	조체형(阻滯型) F. 수정(水停) 타입	심하부(心下部)나 복부에 팽만감이 있고, 무겁고, 부종, 소변이 잘 안나오고, 어지럽고, 상복부나 배꼽 아래 부분에 동계(動悸)	설태가 백활태(白滑苔) 또는 백니태(白膩苔)인 경우 영계출감탕(苓桂朮甘湯) 또는 오령산(五苓散) / 설질(舌質)이 홍색, 설태는 황니태(黃膩苔)인 경우 인진호탕(茵蔯蒿湯) / 식욕결핍, 권태, 무력, 무른 변 반대설색소 치肥(治肥)... 삼령백출산(蔘苓白朮散)+계비탕(啓脾湯) + 보중익기탕(補中益氣湯)
	조체형(阻滯型) G. 기체(氣滯) 타입	초조하고, 잘 화내고, 정신억울(精神抑鬱), 협부(脇部)... 목이 답답하고, 입이 쓰고, 어지럽고, 눈이 붉어지고, 상기됨, 눈이 침침해지고, 월경 불순	설태가 박백태(薄白苔)인 경우 가미소요산(加味逍遙散) / 눈 주위가 거무칙칙하고, 피부가 거칠어지고, 월경통, 설질(舌質)이 청자색이 되고, 설하정맥노창 등 정류어혈(停瘀血) 증상이 동반되는 경우 가미소요산(加味逍遙散) + 사물탕(四物湯)

타입 분류 합계수를 「예진표 감별에 따른 한방약의 선택법」 좌측의 타입 분류 합계수 란에 기입하고 가장 많은 병증(病證) 타입을 골라 수반 증상의 차이를 참조하고 각 개인의 체질에 맞춘 한방약을 골라 이를 제1후보로 선택해 처방한다.

예 진 표 ①

질환별 앙케트 용지

환자 내원

접수 시에 환자의 주소증을 묻고 예진표①의 「질환별 앙케트 용지」로부터 주소증에 있던 것을 골라 기입해 달라고 합니다.

예진표①
「질환별 앙케트 용지」 (p24~30)

예진표① 질환별 앙케트 용지

구강 건조 증상에 대해 답해주세요.	
구강의 건조에 관해	• 목마름이 건조감보다 강하다. • 건조감이 목마름보다 강하다.
	• 목마름이나 건조감이 급격하게 시작되었다. • 서서히 목마름이나 건조감을 느끼게 되었다.
	• 고열이 난 후에 증상이 나타났다. • 증상이 나타날 때 몸에도 습진이나 반점이 나타났다.
	• 찬 물을 많이 마신다. • 따뜻한 물을 마신다.
	• 건조한 감은 있으나 물을 그리 많이 마시지는 않는다.
	• 밤에 악화된다. • 오후에 악화된다.
	• 가을과 겨울에 악화된다. • 스트레스로 악화된다.
	• 매운 것을 먹으면 악화된다.
기타 구강 증상	• 입 냄새가 강하다. • 입이 쓰다. • 턱에 붓기가 있거나 당기는 감이 있다.
심리적 증상	• 안절부절 못하거나 우울하다. • 무력감 (의욕이 안 생긴다.)
머리와 안면 부위 증상	• 어지러움. • 이명. 난청 • 눈 충혈 • 눈 주위가 거무스름하다. • 코, 목, 입술, 피부 등이 건조하다.
흉복부 증상	• 가슴이나 위가 답답하고 팽만감이 있다. • 옆구리가 팽팽하고 아프다. • 노란 가래가 나온다. • 목에 답답한 느낌이 있다. • 기침이 나온다. • 식욕부진 • 공복감이 있어도 먹을 수가 없다. • 변비 • 무른 변 • 복부에 두근거림을 느낀다. • 가슴이 두근거리고 안절부절 못한다.
부인과 증상	• 월경불순 • 월경통이 심하다.
기타 증상	• 소변색이 진하다 • 소변이 잘 안 나온다. • 소변 색이 투명하고 양이 많다. • 권태감이 강하다. • 피로감이 강하다. • 땀이 많다. • 밤이 되면 미열이 난다. • 손발이 달아오른다. • 잠꼬대 같은 말을 할 때가 있다. • 몸 속에 열이 가득 찬 느낌이 있다. • 하반신이 차고 아프다. • 부종이 있다.
위 내용 이외에 다른 증상이 있다면 적어주세요.	

구강 건조 증상에 대해 답해주세요.	
구강의 건조에 관해	• 목마름이 건조감보다 강하다. • 건조감이 목마름보다 강하다.
	• 목마름이나 건조감이 급격하게 시작되었다. • 서서히 목마름이나 건조감을 느끼게 되었다.
	• 고열이 난 후에 증상이 나타났다. • 증상이 나타날 때 몸에도 습진이나 반점이 나타났다.
	• 찬 물을 많이 마신다.　• 따뜻한 물을 마신다.
	• 건조한 감은 있으나 물을 그리 많이 마시지는 않는다.
	• 밤에 악화된다.　• 오후에 악화된다.
	• 가을과 겨울에 악화된다.　• 스트레스로 악화된다.
	• 매운 것을 먹으면 악화된다.
기타 구강 증상	• 입 냄새가 강하다.　• 입이 쓰다.
	• 턱에 붓기가 있거나 당기는 감이 있다.
심리적 증상	• 안절부절 못하거나 우울하다.　• 무력감 (의욕이 안 생긴다.)
머리와 안면 부위 증상	• 어지러움.
	• 이명, 난청　• 눈 충혈
	• 눈 주위가 거무스름하다.
	• 코, 목, 입술, 피부 등이 건조하다.
흉복부 증상	• 가슴이나 위가 답답하고 팽만감이 있다.　• 옆구리가 팽팽하고 아프다.
	• 노란 가래가 나온다.　• 목에 답답한 느낌이 있다.
	• 기침이 나온다.
	• 식욕부진　• 공복감이 있어도 먹을 수가 없다.
	• 변비　• 무른 변　• 복부에 두근거림을 느낀다.
	• 가슴이 두근거리고 안절부절 못한다.
부인과 증상	• 월경불순　• 월경통이 심하다.
기타 증상	• 소변색이 진하다　• 소변이 잘 안 나온다.
	• 소변 색이 투명하고 양이 많다.
	• 권태감이 강하다.　• 피로감이 강하다.
	• 땀이 많다.　• 밤이 되면 미열이 난다.
	• 손발이 달아오른다.　• 잠꼬대 같은 말을 할 때가 있다.
	• 몸 속에 열이 가득 찬 느낌이 있다.
	• 하반신이 차고 아프다.　• 부종이 있다.
위 내용 이외에 다른 증상이 있다면 적어주세요.	

악관절 증상에 대해 답해주세요.	
악관절이나 씹기 근육에 대하여	• 이상을 느끼기 시작한 것은 ( )년 ( ) 개월 전 부터
	• 급격하게 발병하였다. • 발병 시에는 통증이 서서히 나타났다.
	• 통증이 강하다. • 그렇게 강하지 않다. (둔통(鈍痛))
	• 시린 느낌이 있고 따뜻하게 하면 통증이나 경직이 경감된다.
	• 타는 듯한 열감이 있으며 통증은 차갑게 하면 경감된다.
	• 깨물근이 긴장되어 있어 누르면 아프다.
	• 깨물근의 긴장은 덜하고 씹을 때 힘이 안들어간다.
	• 항상 같은 곳에서 찌르는 듯이 아프다.
	• 스트레스를 받으면 악화된다.
	• 수면 부족으로 악화된다.
	• 피곤하면 악화되어 입을 잘 열지 못하게 된다.
	• 나이가 들수록 악화되어 간다.
	• 이를 강하게 악문다. (무의식적으로 이를 악문다.)
기타 구강 증상	• 목이 마르다. • 입이 쓰다. • 목이 건조하다.
	• 이갈이가 심하다.
심리적 증상	• 안절부절 못하거나 우울하다. • 권태감이 있고 의욕이 안 생긴다.
머리와 안면 부위 증상	• 머리 뒤가 뻣뻣하다.
	• 이명과 난청이 있다.
	• 어지럽다.
	• 눈이 충혈된다.
	• 눈이 침침해지거나 눈이 피로함을 느낀다.
	• 눈 주위가 거무스름하다.
	• 안색이 창백하고 광택이 없다.
	• 불면
흉복부 증상	• 초조하여 가슴이 답답하다. • 숨이 잘 찬다.
	• 옆구리가 당기고 아프다.
	• 가슴이 두근거린다.
부인과 증상	• 월경통이 심하다.
기타 증상	• 소변색이 진하다.
	• 권태감이 강하다. • 피로감이 강하다.
	• 땀이 나지 않는다. • 자면서 땀이 난다.
	• 하반신이 나른하고 아프다.
	• 손발이 달아오른다.
위 내용 이외에 다른 증상이 있다면 적어주세요.	

혀의 통증에 대해 답해주세요.	
혀의 통증에 대하여	• 통증이 강하다.　• 통증은 그리 강하지 않다.
	• 통증이 급하고 강하다.　• 만성적이고 늘 아프다.
	• 열감이 강하다.　• 열감은 그다지 없다.
	• 혀 전체가 아프다.　• 혀 앞부분이 아프다. • 혀 중앙이 아프다.　• 혀 양 측면이 아프다.
	• 찌르는 듯이 아프다.　• 따끔거리며 아프다. • 건조감을 동반하며 아프다.
	• 저리면서 아프다.
	• 감정 고조나 스트레스로 악화된다.　• 감기에 걸리면 악화된다.
	• 음주 시 악화된다.
	• 매운 것을 먹으면 악화된다.　• 밤에 악화된다. • 피로나 걱정이 심하면 악화된다.
구강 내의 증상	• 목이 심하게 마르다.　• 목이 건조됨을 느낀다.
	• 입이 쓰다.　• 입 냄새가 심하다.
심리적 증상	• 초조하거나 또는 우울감이 있다.　• 무력감 (의욕이 안 생긴다.)
머리와 안면 부위 증상	• 두면부 홍조가 생긴다.　• 얼굴에 혈색이 없다.
	• 이명(耳鳴)이 있다.
	• 어지럼증이 있다.　• 갑자기 일어서면 현기증이 난다.
	• 눈이 충혈된다.　• 두통이 있다.
흉복부 증상	• 가래가 잘 나온다.　• 목이 답답하다.
	• 식욕부진　• 과식을 한다.
	• 변비　• 무른 변
	• 동계(動悸)
	• 옆구리 부위가 그득하며 통증이 있다.
기타 증상	• 소변 색이 진하다.
	• 불면
	• 손발이 달아오른다.　• 부종이 있다.
	• 권태감이 심하다.　• 피로감이 심하다.
위 내용 이외에 다른 증상이 있다면 적어주세요.	

구내염 증상에 대해 답해주세요.	
구내염의 특징	• 구내염이 혀에 생겼다.
	• 심하게 따끔거린다.　• 따끔거리는 느낌이 적다.
	• 피곤하면 잘 생긴다.
	• 감기에 걸리면 생긴다.　• 매운 음식을 먹으면 생긴다. • 자극적인 음식을 먹거나 음주를 하면 유발된다.
	• 감정 고조나 스트레스로 유발된다.
	• (여성) 생리 주기에 맞추어서 생긴다.
입과 목의 증상	• 목이 마르다.　• 목이 건조됨을 느낀다.
	• 입 냄새가 심하다.　• 입이 쓰다.　• 입이 끈적인다.
	• 목이 아프다.
심리적 증상	• 초조하거나 또는 우울감이 있다.　• 의욕이 안 생긴다.
머리와 안면 부위 증상	• 편두통이 있다.　• 머리가 무겁고 아프다.
	• 이명(耳鳴)이 있다.
	• 어지럼증이 있다.
	• 눈이 충혈된다.
흉복부 증상	• 헛기침이 잘 나온다.　• 숨이 찬다.
	• 식욕부진　• 위와 배 부위에 타는 듯한 열통이 있다.
	• 변비　• 무른 변
	• 동계(動悸)
	• 옆구리 부위가 당기고 통증이 있다.
기타 증상	• 권태감이나 피로감이 심하다.
	• 소변색이 진하다.
	• 불면
	• 손발이 달아오른다.　• 몸이 붓는다.
	• 근육에 경련이 일어난다.　• 하반신이 나른하다.
부인과 증상	• 생리 불순
	• 황색의 대하(帶下)가 있다.
위 내용 이외에 다른 증상이 있다면 적어주세요.	

이갈이 증상에 대해 답해주세요.	
이갈이의 특징	• 이갈이가 매우 심하고 수면 중에 지속적으로 큰 소리를 낸다. • 간헐적이고 소리도 그리 크지 않다. • 스트레스가 심하면 이갈이도 심해진다. • 목이나 어깨의 결림이 심하면 이갈이도 심해진다. • 매운 음식을 계속 먹으면 이갈이도 심해진다. • 감정이 고조되면 이갈이도 심해진다. • 피곤하면 이갈이의 빈도가 높아진다.
그 외의 구강 증상	• 구내염이 생긴다. • 목이나 입이 마르다. • 입이 쓰게 느껴질 때가 있다.
심리적 증상	• 의욕이 안 생긴다.　• 우울한 감이 있다. • 초조하여 화가 잘 난다. • 불면 • 한숨을 쉬는 일이 많다.
위장 증상	• 평소 무른 변이나 설사가 잘 나온다.　• 변비 • 식욕부진　• 식욕이 잘 왕성해진다.
흉복부 증상	• 헛기침이 잘 나온다.　• 숨이 찬다. • 식욕부진　• 위와 배 부위에 타는 듯한 열통이 있다.
기타 증상	• 두통이 있다.　• 어지럼증이 있다. • 눈이 침침하다.　• 눈이 건조하다.　• 눈이 충혈된다. • 옆구리가 당기고 아프다.　• 동계(動悸)가 있고 숨이 차다. • 이명이나 난청이 있다.　• 어깨가 결린다. • 허리나 무릎이 나른하고 힘이 들어가지 않는다. • 잘 때 땀이 난다.
부인과 증상	• 생리 전에 초조하고 월경통이 있다. • 월경이 빠르다.　• 월경이 늦다.
위 내용 이외에 다른 증상이 있다면 적어주세요.	

낭포 증상에 대해 답해주세요.	
발병일이 언제입니까?	(　　)년 (　　)개월 (　　)주 전에 발병
낭포의 특징	• 병정(病程)이 길다.　• 병정(病程)이 짧다. • 낭포가 딱딱하다.　• 낭포가 부드럽다. • 환부의 발적(發赤)이나 열감이 강하다. • 환부의 발적(發赤)이나 열감이 약하다. • 심하면 아픈 경우가 있다. • 낭포가 터지면 황색 점액이 나온다. • 낭포가 터지면 투명한 점액이 나온다.
유발 요인	• 음주를 하거나 자극이 강한 음식을 과식하면 악화되기 쉽다. • 피로하면 악화된다.
그 외의 구강 증상	• 입 냄새가 난다.　• 목이나 입이 마르다.　• 입이 쓰다.
심리적 증상	• 무력감 (의욕이 안 생긴다.) • 초조하다.　• 화가 잘 난다.　• 우울감이 있다. • 목이 메인다.
가래나 콧물에 대하여	• 노란 가래가 잘 나온다.　• 투명한 가래가 잘 나온다. • 노란 콧물이 잘 나온다.　• 투명한 콧물이 잘 나온다.
위장 증상	• 위 부위에 답답함이 있다.　• 가슴 부위가 괴롭다. • 토할 것 같은 느낌이 잘 난다. • 식욕부진　• 평소 무른 변이나 설사가 잘 나온다. • 변비　• 니상변(泥狀便, 진흙과 같은 변)이며 냄새가 심하다.
소변	• 소변의 색이 진하다.　• 소변이 잦다. • 밤에 자다가 소변을 많이 본다.　• 소변이 잘 안 나온다.
전신 증상	• 몸이 무겁다.　• 잘 붓는다. • 권태감이나 피로감이 심하다.
부인과 증상	• 최근 투명한 대하(帶下)가 늘었다. • 최근 황색의 대하(帶下)가 늘었다. • 최근 월경혈 중에 핏덩어리가 늘었다.
위 내용 이외에 다른 증상이 있다면 적어주세요.	

구각염(口角炎) 증상에 대해 답해주세요.

구각염(口角炎)의 특징	• 입아귀의 색이 붉다. • 입아귀의 색이 붉지 않다. • 작은 알갱이 모양의 부스럼(발진)이 있다. • 부어서 부풀어 있다. • 건조해서 갈라진다.　• 환부가 습하다. • 투명한 삼출액이 나온다.　• 황색의 삼출액이 나온다. • 출혈이 생길 때가 있다.　• 잘 터지고 문드러진다. • 열감이 있는 통증이 있으며 따끔거린다. • 며칠만에 잘 낫는다.　• 한번 생기면 잘 낫지 않는다.
유발 요인	• 맵거나 자극이 강한 음식을 먹으면 악화되기 쉽다. • 음주하면 악화된다. • 찬 것을 많이 먹으면 악화되기 쉽다. • 폭음 폭식으로 위장이 지치면 잘 악화된다.
그 외의 구강 증상	• 입 냄새가 심하다. • 입 속이 끈적이는 느낌이 난다. • 입이 말라서 찬 것을 마시고 싶다.　• 미각 감퇴 • 잠을 잘 때 침을 잘 흘리고, 그것이 입아귀를 따라서 흐른다.
위장 증상	• 변비가 잘 생긴다. • 평소 무른 변이나 설사가 잘 나온다. • 식욕 항진　• 식욕 감퇴 • 위트림이 나고, 배가 당기는 느낌이 있다.
전신 증상	• 소변의 양이 적고 색이 진하다. • 몸이 무겁고 나른하며, 권태감이 있다.　• 잘 붓는다.
설진(舌診)	• 혀의 붉은 색이 진하다.　• 혀의 색이 연하다. • 혀가 크고(반대설(胖大舌)), 혀 주위에 치흔(齒痕)이 있다. • 설태가 건조하고 노랗다.　• 설태가 희고, 끈적인다. • 설태가 노랗고 끈적인다.
위 내용 이외에 다른 증상이 있다면 적어주세요.	

예 진 표 ②

타입 분류 체크 용지 (치과 의사 용)

환자가 기입한 「예진표① 질환별 앙케트」를 기반으로 문진(問診)하여 예진표② 「타입 분류 체크 용지」의 증상란으로부터 맞는 기호를 골라 타입 분류란에 체크를 해나갑니다. 마지막으로 하단의 분류 합계 수를 계산하고 예진표③으로 넘어갑니다.

예진표②
「타입 앙케트 용지」 (p34~40)

아래의 그림으로부터 해당 증상과 ( ) 속의 기호를 골라 좌측 타입 분류란의 해당하는 곳에 체크를 해나갑니다.

예진표② 타입 분류 체크 용지

병증타입 분류							증상
A	B	C	D	E	F	G	
구강 건조에 대하여							• 목마름이 건조감보다 강하다. 〈A B C〉
							• 건조감이 목마름보다 강하다. 〈D E F G〉
							• 목마름이나 건조감이 급격하게 시작되었다. 〈A B C〉
							• 서서히 목마름이나 건조감을 느끼게 되었다. 〈D E F G〉
							• 고열이 난 후에 증상이 나타났다. 〈A〉
							• 증상이 나타날 때 몸에도 습진이나 반점이 나타났다. 〈B〉
							• 찬 물을 많이 마신다. 〈A〉 • 따뜻한 물을 마신다. 〈B〉
							• 건조한 감은 있으나 물을 많이 마시지는 않는다. 〈B C E〉
							• 밤에 악화된다. 〈B E〉 • 오후에 악화된다. 〈C〉
							• 가을과 겨울에 악화된다. 〈D〉 • 스트레스로 악화된다. 〈G〉
							• 매운 것을 먹으면 악화된다. 〈D〉
그 외의 구강 증상							• 입 냄새가 강하다. 〈A C〉 • 입이 쓰다. 〈C〉
							• 턱에 붓기가 있거나 당기는 감이 있다. 〈G〉
심리적 증상							• 안절부절 못하거나 우울하다. 〈G〉 • 무력감 〈F〉
머리와 안면 부위 증상							• 어지러움 〈E F G〉
							• 이명, 난청 〈E〉 • 눈 충혈 〈G〉
							• 눈 주위가 거무스름하다. 〈G〉
							• 코, 목, 입술, 피부 등이 건조하다. 〈D〉
흉복부 증상							• 가슴이나 위가 답답하고 팽만감이 있다. 〈C F〉
							• 옆구리가 팽팽하고 아프다. 〈G〉
							• 노란 가래가 나온다. 〈C〉 • 목에 답답한 느낌이 있다. 〈G〉
							• 기침이 나온다. 〈B D〉
							• 식욕 부진 〈C〉 • 공복감이 있어도 먹지를 못한다. 〈D〉
							• 변비 〈A C D〉 • 무른 변 〈C F〉
							• 가슴이 두근거린다. 〈F〉
							• 마음이 울적하고 초조하다. 〈B C〉
부인과 증상							• 월경불순 〈G〉 • 월경통이 심하다. 〈G〉
기타 증상							• 소변이 진하다. 〈A B C D E〉 • 소변이 잘 안나온다. 〈F〉
							• 소변 색이 투명하고 양이 많다. 〈F〉
							• 권태감이 강하다. 〈F〉 • 피로감이 강하다. 〈F〉
							• 땀이 많다. 〈A〉 • 밤이 되면 미열이 난다. 〈E〉
							• 발이 달아오른다. 〈D E〉
							• 잠꼬대 같은 말을 할 때가 있다. 〈B〉
							• 몸 속에 열이 가득 찬 느낌이 있다. 〈C〉
							• 하반신이 차고 아프다. 〈E〉 • 부종이 있다. 〈F〉
합계							

각 기호의 합계수를 계산하고 예진표 ③으로 넘어갑니다.

예진표② 타입 분류 체크 용지

예진표② 「구강건조증」 타입 분류 체크

| 병증타입 분류 | | | | | | | 증상 |
A	B	C	D	E	F	G	
구강 건조에 대하여							• 목마름이 건조감보다 강하다. 〈A B C〉
							• 건조감이 목마름보다 강하다. 〈D E F G〉
							• 목마름이나 건조감이 급격하게 시작되었다. 〈A B C〉
							• 서서히 목마름이나 건조감을 느끼게 되었다. 〈D E F G〉
							• 고열이 난 후에 증상이 나타났다 〈A〉
							• 증상이 나타날 때 몸에도 습진이나 반점이 나타났다. 〈B〉
							• 찬 물을 많이 마신다. 〈A〉 • 따뜻한 물을 마신다. 〈B〉
							• 건조한 감은 있으나 물을 많이 마시지는 않는다. 〈B C E〉
							• 밤에 악화된다. 〈B E〉 • 오후에 악화된다. 〈C〉
							• 가을과 겨울에 악화된다. 〈D〉
							• 스트레스로 악화된다. 〈G〉
							• 매운 것을 먹으면 악화된다. 〈D〉
그 외의 구강 증상							• 입 냄새가 강하다. 〈A C〉 • 입이 쓰다. 〈G〉
							• 턱에 붓기가 있거나 당기는 감이 있다. 〈G〉
심리적 증상							• 안절부절 못하거나 우울하다. 〈G〉 • 무력감 〈F〉
머리와 안면 부위 증상							• 어지러움 〈E F G〉
							• 이명, 난청 〈E〉 • 눈 충혈 〈G〉
							• 눈 주위가 거무스름하다. 〈G〉
							• 코, 목, 입술, 피부 등이 건조하다. 〈D〉
흉복부 증상							• 가슴이나 위가 답답하고 팽만감이 있다. 〈C, F〉
							• 옆구리가 팽팽하고 아프다. 〈G〉
							• 노란 가래가 나온다. 〈C〉 • 목에 답답한 느낌이 있다. 〈G〉
							• 기침이 나온다. 〈B D〉
							• 식욕 부진 〈C〉 • 공복감이 있어도 먹지를 못한다. 〈D〉
							• 변비 〈A C D〉 • 무른 변 〈C F〉
							• 가슴이 두근거린다. 〈F〉
							• 마음이 울적하고 초조하다. 〈B, C〉
부인과 증상							• 월경불순 〈G〉 • 월경통이 심하다. 〈G〉
기타 증상							• 소변이 진하다. 〈A B C D E〉
							• 소변이 잘 안나온다. 〈F〉
							• 소변 색이 투명하고 양이 많다. 〈E〉
							• 권태감이 강하다. 〈F〉 • 피로감이 강하다. 〈F〉
							• 땀이 많다. 〈A〉 • 밤이 되면 미열이 난다. 〈E〉
							• 손발이 달아오른다. 〈D E〉 • 헛소리를 할 때가 있다. 〈B〉
							• 몸 속에 열이 가득 찬 느낌이 있다. 〈C〉
							• 하반신이 차고 아프다. 〈E〉 • 부종이 있다. 〈F〉
합계							

예진표② 「악관절증」 타입 분류 체크

병증타입 분류						증상
A	B	C	D	E	F	
						• 급격하게 발병하였다. 〈A B〉
						• 발병 시에는 통증이 서서히 나타났다. 〈D E〉
						• 통증이 강하다. 〈A B C〉 ・그렇게 강하지 않다. 〈D E〉
						• 시린 느낌. 따뜻하게 하면 통증이나 경직이 경감된다. 〈A〉
						• 타는 듯한 열감. 통증은 차갑게 하면 경감된다. 〈B〉
						• 깨물근이 긴장되어 있어 누르면 아프다. 〈A B C〉
						• 깨물근의 긴장은 덜하고 씹을 때 힘이 안들어간다. 〈D E〉
						• 항상 같은 곳에서 찌르는 듯이 아프다. 〈C〉
						• 스트레스로 악화된다. 〈C〉 ・수면 부족으로 악화된다. 〈E〉
						• 피곤하면 악화되어 입을 잘 열지 못하게 된다. 〈D E〉
						• 나이가 들수록 악화되어 간다. 〈E〉
						• 이를 강하게 악문다. (무의식적으로 이를 악문다.) 〈C〉
그 외의 구강 증상						• 목이 마르다. 〈B〉 ・입이 쓰다. 〈C〉 ・목이 건조하다. 〈E〉
						• 이갈이가 심하다. 〈C〉
심리적 증상						• 안절부절 못하거나 우울하다. 〈C〉
						• 권태감이 있고 의욕이 안 생긴다. 〈D〉
머리와 안면 부위 증상						• 머리 뒤가 뻣뻣하다. 〈A〉
						• 이명과 난청이 있다. 〈E〉
						• 어지럽다. 〈D E〉
						• 눈이 충혈된다. 〈C-울열(鬱熱)〉
						• 눈이 침침하고 눈의 피로가 있다. 〈D E〉
						• 눈 주위가 거무스름하다. 〈C〉
						• 안색이 창백하고 광택이 없다. 〈D〉
						• 불면 〈E C-울열(鬱熱)〉
흉복부 증상						• 초조하여 가슴이 답답하다. 〈B〉
						• 숨이 잘 찬다. 〈D〉
						• 옆구리가 당기고 아프다. (흉협창통(胸脇脹痛)) 〈C〉
						• 가슴이 두근거린다. 〈D〉
부인과 증상						• 월경통이 심하다. 〈C〉
기타 증상						• 소변색이 진하다. 〈B E〉
						• 권태감이 강하다. 〈D〉
						• 피로감이 강하다. 〈D〉
						• 땀이 나지 않는다. 〈A〉
						• 자면서 땀이 난다. 〈E-허열(虛熱)〉
						• 하반신이 나른하고 아프다. 〈E〉
						• 손발이 달아오른다. 〈E-허열(虛熱)〉
합계						

예진표② 「혀 통증」 타입 분류 체크

	병증타입 분류							증상
	A	B	C	D	E	F	G	
혀 통증의 특징								• 통증이 강하다. 〈A B C D E〉
								• 그리 강하지 않다. 〈F G〉
								• 통증이 급하고 강하다. 〈A B C D E〉
								• 만성적이고 늘 아프다. 〈F G〉
								• 타는 듯한 열감 〈A B C D E〉 • 열감이 없다. 〈F G〉
								• 혀 전체가 아프다. 〈E G〉 • 혀 앞부분이 아프다. 〈B C〉
								• 혀 중앙이 아프다. 〈D〉 • 혀 양 측면이 아프다. 〈A〉
								• 찌르는 듯이 아프다. 〈B〉 • 따끔거리며 아프다. 〈C〉
								• 건조감을 동반하며 아프다. 〈F〉 • 저리면서 아프다. 〈E〉
								• 감정 고조나 스트레스로 악화된다. 〈A B〉
								• 감기에 걸리면 악화된다. 〈C〉 • 음주 시 악화된다. 〈E〉
								• 매운 것을 먹으면 악화된다. 〈D〉 • 밤에 악화된다. 〈F〉
								• 피로나 걱정이 심하면 악화된다. 〈G〉
구강 증상								• 목이 심하게 마르다. 〈A B C D E〉
								• 목이 건조하다. 〈F〉
								• 입이 쓰다. 〈A〉 • 입 냄새가 심하다. 〈D〉
심리적 증상								• 초조하거나 또는 우울감이 있다. 〈A〉 • 무력감 〈G〉
머리와 안면 부위 증상								• 안면 홍조 〈A B C D E〉 • 얼굴에 혈색이 없다. 〈G〉
								• 이명(耳鳴) 〈A F〉
								• 어지러움 〈A F〉 • 기립성 현기증 〈G〉
								• 눈이 충혈 된다. 〈A〉 • 두통 〈A〉
흉복부 증상								• 가래가 잘 나온다. 〈E〉 • 목이 답답하다. 〈A〉
								• 식욕부진 〈G〉 • 과식을 한다. 〈D〉
								• 변비 〈A B C D F〉 • 무른 변 〈E G〉
								• 동계(動悸) 〈B F G〉
								• 옆구리 부위가 그득하며 통증이 있다. 〈A〉
기타 증상								• 소변 색이 진하다. 〈A B C D E F〉
								• 불면 〈A B F G〉
								• 손발이 달아오른다. 〈F〉 • 부종이 있다. 〈E G〉
								• 권태감이 심하다. 〈G〉 • 피로감이 심하다. 〈G〉
합계								

예진표② 「구내염」 타입 분류 체크

병증타입 분류							증상
A	B	C	D	E	F	G	
구내염의 특징							• 구내염이 혀에 생겼다. 〈D〉
							• 심하게 따끔거린다. 〈A B C D〉
							• 따끔거리는 느낌이 적다. 〈E G〉
							• 피곤하면 잘 생긴다. 〈A B C D 의 음허(陰虛) G〉
							• 감기에 걸리면 생긴다. 〈A〉
							• 매운 음식을 먹으면 생긴다. 〈B〉
							• 자극적인 음식을 먹거나 음주를 하면 유발된다. 〈F〉
							• 감정 고조나 스트레스로 유발된다. 〈C D〉
							• (여성) 생리 주기에 맞추어서 생긴다. 〈C〉
입과 목의 증상							• 목이 마르다. 〈A B C D〉 • 목이 건조됨을 느낀다. 〈F〉
							• 입 냄새가 심하다. 〈A B〉 • 입이 쓰다. 〈C〉
							• 입이 끈적인다. 〈E F〉
							• 목이 아프다. 〈A〉
심리적 증상							• 초조하거나 또는 우울감이 있다. 〈A〉
							• 의욕이 안 생긴다. 〈G〉
머리와 안면 부위 증상							• 편두통이 있다. 〈C〉 • 머리가 무겁고 아프다. 〈E F〉
							• 이명(耳鳴)이 있다. 〈C D의 음허(陰虛)〉
							• 어지럼증이 있다. 〈C D G〉
							• 눈이 충혈된다. 〈C〉
흉복부 증상							• 헛기침이 잘 나온다. 〈A〉
							• 숨이 찬다. 〈E의 비허약(脾虛弱) G〉
							• 식욕부진 〈E의 비허약(脾虛弱) G〉
							• 위와 배 부위에 타는 듯한 열통이 있다. 〈B〉
							• 변비 〈A B C D F〉 • 무른 변 〈E G〉
							• 동계(動悸) 〈D G〉
							• 옆구리 부위가 당기고 통증이 있다. 〈C〉
기타 증상							• 권태감이나 피로감이 심하다. 〈E의 비허약(脾虛弱) G〉
							• 소변색이 진하다. 〈A B C D〉
							• 불면 〈A B C D G〉
							• 손발이 달아오른다. 〈A B C D의 음허(陰虛)〉
							• 몸이 붓는다. 〈E F〉
							• 근육에 경련이 일어난다. 〈C의 음허(陰虛)〉
							• 하반신이 나른하다. 〈D의 음허(陰虛)〉
부인과							• 생리 불순 〈C〉
							• 황색의 대하(帶下)가 있다. 〈F〉
합계							

예진표② 「이갈이」 타입 분류 체크

병증타입 분류				증상
A	B	C	D	
구내염의 특징				• 이갈이가 매우 심하고 잘 때 계속 큰 소리를 낸다. 〈A B〉
				• 간헐적이고 소리도 그리 크지 않다. 〈C D〉
				• 스트레스가 심하면 이갈이도 심해진다. 〈A〉
				• 목이나 어깨의 결림이 심하면 이갈이도 심해진다. 〈A〉
				• 매운 음식을 계속 먹으면 이갈이도 심해진다. 〈B〉
				• 감정이 고조되면 이갈이도 심해진다. 〈B〉
				• 피곤하면 이갈이의 빈도가 높아진다. 〈C D〉
기타 구강 증상				• 구내염이 생긴다. 〈B〉
				• 목이나 입이 마르다. 〈A-간화(肝火) B D〉
				• 입이 쓰게 느껴질 때가 있다. 〈A〉
심리적 증상				• 의욕이 안 생긴다. 〈C〉 • 우울한 감이 있다. 〈A〉
				• 초조하여 화가 잘 난다. 〈A〉
				• 불면 〈A-간화(肝火) B C〉
				• 한숨을 쉬는 일이 많다. 〈A〉
위장 증상				• 평소에 무른 변이나 설사. 〈C〉 • 변비 〈A-간화(肝火) B〉
				• 식욕부진 〈C〉 • 식욕이 잘 왕성해진다. 〈B〉
기타 증상				• 두통 〈A〉 • 어지럼증 〈C D〉
				• 눈이 침침하다. 〈C〉 • 눈이 건조하다. 〈D〉
				• 눈이 충혈된다. 〈A-간화(肝火)〉
				• 옆구리가 당기고 아프다. 〈A〉 • 동계(動悸)가 있고 숨이 차다. 〈C〉
				• 이명이나 난청이 있다. 〈D〉 • 어깨가 결린다. 〈A〉
				• 허리나 무릎이 나른하고 힘이 들어가지 않는다. 〈D〉
				• 잘 때 땀이 난다. 〈D〉
부인과				• 생리 전에 초조하고 월경통이 심하다. 〈A〉
				• 월경이 빠르다. 〈A-간화(肝火)〉 • 월경이 늦다. 〈D〉
합계				

예진표② 「점액낭포」와 「설하선낭포」의 타입 분류 체크

병증타입 분류				증상
A	B	C	D	
낭포의 특징				• 병정(病程)이 길다. 〈B D〉　• 병정(病程)이 짧다. 〈A C〉
				• 낭포가 딱딱하다. 〈B D〉　• 낭포가 부드럽다. 〈A C〉
				• 환부의 발적(發赤)이나 열감(熱感)이 강하다. 〈A B〉 • 환부의 발적(發赤)이나 열감(熱感)이 약하다. 〈C D〉
				• 심하면 아픈 경우가 있다. 〈A B〉
				• 낭포가 터지면 황색 점액이 나온다. 〈A B〉 • 낭포가 터지면 투명한 점액이 나온다. 〈C D〉
유발요인				• 음주나 자극이 강한 음식을 과식하면 잘 악화된다. 〈A B〉
				• 피로하면 악화된다. 〈C D〉
기타 구강 증상				• 입 냄새가 난다. 〈A B〉　• 목이나 입이 마르다. 〈A B〉
스트레스가 강하다.				• 입이 쓰다.
심리적 증상				• 무력감 〈C D〉
스트레스가 강하다.				• 초조하다.　• 화가 잘 난다.　• 우울감이 있다.
				• 목이 메인다.
가래나 콧물에 대하여				• 노란 가래가 잘 나온다. 〈A B〉 • 투명한 가래가 잘 나온다. 〈C D〉
				• 노란 콧물이 잘 나온다. 〈A B〉 • 투명한 콧물이 잘 나온다. 〈C D〉
위장 증상	공통			• 위 부위에 답답함이 있다.　• 가슴 부위가 괴롭다. • 토할 것 같은 느낌이 잘 난다.
				• 식욕부진 〈C D〉
				• 평소 무른 변이나 설사가 잘 나온다. 〈C D〉
				• 변비　• 니상변(泥狀便)이며 냄새가 심하다. 〈A B〉
소변				• 소변의 색이 진하다. 〈A B〉
				• 소변이 잦다.　• 밤에 자다가 소변을 많이 본다. • 소변이 잘 안 나온다.
전신 증상	공통			• 몸이 무겁다.　• 잘 붓는다.
				• 권태감이나 피로감이 심하다. 〈C D〉
부인과				• 투명한 대하(帶下)가 늘었다. 〈C D〉
				• 황색의 대하(帶下)가 늘었다. 〈C D〉
				• 경혈 중에 핏덩어리가 늘었다. 〈B D〉
합계				

스트레스는 경우에 따라 열화(熱化) (A B 타입과 관련이 있음)의 원인이 되는 경우가 있다.

예진표② 「구각염」의 타입 분류 체크

	병증타입 분류			증상
	A	B	C	
구각염의 특징				• 입아귀의 색이 붉다. 〈A C〉 • 입아귀의 색이 붉지 않다. 〈B〉
				• 작은 알갱이 모양의 부스럼(발진)이 있다. 〈A〉
				• 부어서 부풀어 있다. 〈B C〉
				• 건조해서 갈라진다. 〈A〉 • 환부가 습하다. 〈B C〉
				• 투명한 삼출액이 나온다. 〈B〉 • 황색의 삼출액이 나온다. 〈A C〉
				• 출혈이 생길 때가 있다. 〈A〉 • 잘 터지고 문드러진다. 〈C〉
				• 열감이 있는 통증이 있으며 따끔거린다. 〈A C〉
				• 며칠 만에 잘 낫는다. 〈A〉
				• 한번 생기면 잘 낫지 않는다. 〈B C〉
유발요인				• 맵거나 자극이 강한 음식을 먹으면 악화되기 쉽다. 〈A〉
				• 음주하면 악화된다. 〈C〉
				• 찬 것을 많이 먹으면 악화되기 쉽다. 〈B〉
				• 폭음 폭식으로 위장이 지치면 잘 악화된다. 〈B C〉
기타 구강 증상				• 입 냄새가 심하다. 〈A〉 • 입 속이 끈적이는 느낌이 난다. 〈B C〉
				• 입이 말라서 찬 것을 마시고 싶다. 〈A C〉 • 미각 감퇴 〈B〉
				• 잠을 잘 때 침을 잘 흘리고, 침이 입아귀를 따라서 흐른다. 〈B C〉
위장 증상				• 변비가 잘 생긴다. 〈A〉 • 평소 무른 변이나 설사가 잘 나온다. 〈B C〉
				• 식욕 항진 〈A〉 • 식욕 감퇴 〈B C〉
				• 위트림이 나고, 배가 당기는 느낌이 있다. 〈B C〉
전신증상				• 소변의 양이 적고 색이 진하다. 〈A C〉
				• 몸이 무겁고 나른하며, 권태감. 〈B C〉 • 잘 붓는다. 〈B C〉
설진(舌診)				• 혀의 붉은 색이 진하다. 〈A C〉 • 혀의 색이 연하다. 〈B〉
				• 혀가 크고(반대설(胖大舌)), 혀 주위에 치흔(齒痕)이 있다. 〈B C〉
				• 설태가 건조하고 노랗다. 〈A〉 • 설태가 희고, 끈적인다. 〈B〉
				• 설태가 노랗고 끈적인다. 〈C〉
합계				

예 진 표 ③

예진표 감별에 따른 한방약의 선택 방법 용지

예진표 ②의 각 기호 합계수를 그림의 좌측
에 있는 타입 분류 합계수 란에 기입합니다.

> 예진표③
> 「예진표 감별에 따른 한방약의 선택법」
> (p44~51)

예진표③ 타입 분류 체크 용지

타입분류 합계수	병증 타입	수반 증상	한방 처방
	실열형(實熱型) A. 기분(氣分) 타입	고열이 난다. 땀이 많이 난다. 소변은 소량이고 색이 붉다. 설질은 홍색, 설태는 황색, 망재芒刺	일반적인 경우 백호가인삼탕(白虎加人蔘湯) 변비나 복부 팽만 등 위열(胃熱) 증상이 강한 경우 황련해독탕(黃連解毒湯) + 조위승기탕(調胃承氣湯) 기침이나 흉통 등 폐열(肺熱)의 증상이 강한 경우 마행감석탕(麻杏甘石湯), 또는 길경석고탕(桔梗石膏湯)
	실열형(實熱型) B. 영혈(營血) 타입	번조감(煩燥感) 심하게 헛소리를 함 반진(斑疹), 설질(舌質)은 심홍색, 허 끝에 망재芒刺	천왕보심단(天王補心丹) + 황련(黃連) 또는 천왕보심단(天王補心丹) + 육신환(六神丸)
	실열형(實熱型) C. 습열(濕熱) 타입	가슴이나 위(胃)에 그득하고 답답함이 있고, 번조(煩燥)감이 있으며, 몸이 무겁다. 몸에 열(熱)이 쌓여있는 느낌이고, 식욕감퇴, 소변은 황색, 설질(舌質)은 홍색이고, 설태는 황니태(黃膩苔)	무른 변이 나오는 경우 황련해독탕(黃連解毒湯) + 오령산(五苓散) 또는 황련해독탕(黃連解毒湯) + 평위산(平胃散) 변비가 나오는 경우 황련해독탕(黃連解毒湯) + 인진호탕(茵蔯蒿湯)
	허열형(虛熱型) D. 폐위(肺胃) 타입	설질(舌質)은 홍색이고, 설태는 황색에 건조하며, 변비가 있다.	코, 목, 피부가 건조, 헛기침, 가슴이 번조(煩燥)하고 아픈 등의 폐음(肺陰) 부족 증상을 동반하는 경우 청폐탕(淸肺湯) 또는 신이청폐탕(辛夷淸肺湯) 입술 건조, 가슴이 쓰리고, 위(胃)에 작열감, 공복감이 있어도 먹을 수 없는 등 위음(胃陰) 부족 증상을 동반하는 경우 맥문동탕(麥門冬湯) 또는 맥미지황환(麥味地黃丸) 또는 자음강화탕(滋陰降火湯)
	허열형(虛熱型) D. 폐위(肺胃) 타입	밤에 미열이 생기고, 손발이 달아오르며, 만성적으로 잠을 잘 못 잔다. 뺨이 붉고, 이명(耳鳴), 난청(難聽), 어지러움, 혀는 수박설(瘦薄舌), 설질(舌質)은 붉고, 설태는 적다.	일반적인 경우 육미지황환(六味地黃丸) + 자음강화탕(滋陰降火湯) 또는 육미지황환(六味地黃丸) + 천왕보심단(天王補心丹) 따뜻한 것을 좋아하고, 허리와 무릎에 냉증(冷症)이 있으며, 소변은 투명하고 양이 많고, 허 뿌리에 백태(白苔)가 있는 등 양허(陽虛) 증상을 동반하는 경우 팔미지황환(八味地黃丸) 또는 우차신기환(牛車腎氣丸)
	조체형(阻滯型) F. 수정(水停) 타입	심하부(心下部)나 복부에 팽만감이 있고, 몸이 무겁고, 부종, 소변이 잘 안나오고, 어지럽고, 상복부나 배꼽 아래 부분에 동계(動悸)	설태가 백활태(白滑苔)인 경우 영계출감탕(苓桂朮甘湯) 또는 오령산(五苓散) 설질(舌質)이 홍색, 설태는 황니태(黃膩苔)인 경우 인진호탕(茵蔯蒿湯)
	조체형(阻滯型) G. 기체(氣滯) 타입	초조하고, 잘 화내고, 정신 억울(精神抑鬱), 협부(脇部)나 계륵부(季肋部)에 창통(脹痛), 목이 답답하고, 입이 쓰고, 어지럽고, 눈이 붉어지고, 눈이 침침해지고, 월경 불순	설태가 박백태(薄白苔)인 경우 가미소요산(加味逍遙散) 눈 주위가 거뭇거뭇해지고, 피부가 거칠어지고, 월경통, 설질(舌質)은 청자색이 되고, 설하정맥노장(舌下靜脈怒張) 등의 어혈(瘀血) 증상이 동반되는 경우 가미소요산(加味逍遙散) + 사물탕(四物湯)

타입 분류 합계수가 가장 많은 것을 골라서, 수반 증상의 차이를 참조하고, 각 개인의 체질에 맞는 한방약을 골라 이를 제1후보로 선택해 처방합니다.

예진표③ 「구강건조증」의 한방 처방

타입분류 합계수	병증 타입	수반 증상	한방 처방
	실열형(實熱型) A. 기분(氣分) 타입	고열이 난다. 땀이 많이 난다. 소변은 소량이고 색이 붉다. 설질은 홍색, 설태는 황색, 망자(芒刺)	일반적인 경우 백호가인삼탕(白虎加人蔘湯) 변비나 복부 팽만 등 위열(胃熱) 증상이 강한 경우 황련해독탕(黃連解毒湯) + 조위승기탕(調胃承氣湯) 기침이나 흉통 등 폐열(肺熱)의 증상이 강한 경우 마행감석탕(麻杏甘石湯), 또는 길경석고탕(桔梗石膏湯)
	실열형(實熱型) B. 영혈(營血) 타입	번조감(煩燥感) 심하게 헛소리를 함 반진(斑疹), 설질(舌質)은 심홍색, 혀 끝에 망자(芒刺)	천왕보심단(天王補心丹) + 황련(黃連)* 또는 천왕보심단(天王補心丹) + 육신환(六神丸)
	실열형(實熱型) C. 습열(濕熱) 타입	가슴이나 위(胃)에 그득하고 답답함이 있고, 번조(煩燥)감이 있으며, 몸이 무겁다. 몸에 열(熱)이 쌓여있는 느낌이고, 식욕감퇴, 소변은 황색, 설질(舌質)은 홍색이고, 설태는 황니태(黃膩苔)	무른 변이 나오는 경우 황련해독탕(黃連解毒湯) + 오령산(五苓散) 또는 황련해독탕(黃連解毒湯) + 평위산(平胃散) 변비가 나오는 경우 황련해독탕(黃連解毒湯) + 인진호탕(茵陳蒿湯)
	허열형(虛熱型) D. 폐위(肺胃) 타입	설질(舌質)은 홍색이고, 설태는 황색에 건조하며, 변비가 있다.	코, 목, 피부가 건조, 헛기침, 가슴이 번조(煩燥)하고 아픈 등의 폐음(肺陰) 부족 증상을 동반하는 경우 청폐탕(淸肺湯) 또는 신이청폐탕(辛夷淸肺湯) 입술 건조, 가슴이 쓰리고, 위(胃)에 작열감, 공복감이 있어도 먹을 수 없는 등 위음(胃陰) 부족 증상을 동반하는 경우 맥문동탕(麥門冬湯) 또는 맥미지황환(麥味地黃丸) 또는 자음강화탕(滋陰降火湯)
	허열형(虛熱型) E. 신(腎) 타입	밤에 미열이 생기고, 손발이 달아오르며, 만성적으로 잠을 잘 못 잔다. 뺨이 붉고, 이명(耳鳴), 난청(難聽), 어지러움, 혀는 수박설(瘦薄舌), 설질(舌質)은 붉고, 설태는 적다.	일반적인 경우 육미지황환(六味地黃丸) + 자음강화탕(滋陰降火湯) 또는 육미지황환(六味地黃丸) + 천왕보심단(天王補心丹) 따뜻한 것을 좋아하고, 허리와 무릎에 냉통(冷痛)이 있으며, 소변은 투명하고 양이 많고, 혀 뿌리에 백태(白苔)가 있는 등 양허(陽虛) 증상을 동반하는 경우 팔미지황환(八味地黃丸) 또는 우차신기환(牛車腎氣丸)
	조체형(阻滯型) F. 수정(水停) 타입	심하부(心下部)나 복부에 팽만감이 있고, 몸이 무겁고, 부종, 소변이 잘 안나오고, 어지럽고, 상복부나 배꼽 아래 부분에 동계(動悸)	설태가 백활태(白滑苔) 또는 백니태(白膩苔)인 경우 영계출감탕(苓桂朮甘湯) 또는 오령산(五苓散) 설질(舌質)이 홍색, 설태는 황니태(黃膩苔)인 경우 인진호탕(茵陳蒿湯) 식욕감퇴, 권태, 무력감, 무른 변, 반대설(胖大舌), 치흔(齒痕), 설담(舌淡) 등 기허(氣虛) 증상을 동반하는 경우 삼령백출산(蔘苓白朮散)(또는 계비탕(啓脾湯)) + 보중익기탕(補中益氣湯)
	조체형(阻滯型) G. 기체(氣滯) 타입	초조하고, 잘 화내고, 정신억울(精神抑鬱), 협부(脇部)나 계륵부(季肋部)에 창통(脹痛), 목이 답답하고, 입이 쓰고, 어지럽고, 눈이 붉어지고, 눈이 침침해지고, 월결 불순	설태가 박백태(薄白苔)인 경우 가미소요산(加味逍遙散) 눈 주위가 거뭇거뭇해지고, 피부가 거칠어지고, 월경통, 설질(舌質)은 청자색이 되고, 설하정맥노장(舌下靜脈怒張) 등의 어혈(瘀血) 증상이 동반되는 경우 가미소요산(加味逍遙散) + 사물탕(四物湯)

예진표③ 「악관절증」의 한방 처방

타입분류 합계수	병증 타입	수반 증상	한방 처방
	외사형(外邪型) A. 한사(寒邪) 타입	땀이 나지 않는다. 뒷목 부위 경직 또는 두통 혀는 크게 부풀고 색은 담 (淡)하다. 땀이 나지 않는다. 뒷목 부위 경직 또는 두통 혀는 크게 부풀고 색은 담 (淡)하다.	한기가 있으며 설태가 박백(薄白)한 경우 갈근탕(葛根湯), 소경활혈탕(疏經活血湯), 계지가출부탕(桂枝加朮附湯), 마황부자세 신탕(麻黃附子細辛湯) 투명한 콧물, 얼굴에 부종, 백니태(白膩 苔)인 경우 의이인탕(薏苡仁湯) + 포부자(炮附子) 가 루(아코닌산정)
	외사형(外邪型) B. 열사(熱邪) 타입	입이 마르고 번조(煩燥) 소변색이 진하다. 설질(舌質)은 홍색이고 설태는 건조하며 황태(黃 苔) 또는 황니태(黃膩苔)	계지탕(桂枝湯) + 백호가인삼탕(白虎加 人蔘湯) 계지탕(桂枝湯) + 길경석고탕(桔梗石膏 湯) 월비가출탕(越婢加朮湯)
	조체형(阻滯型) C. 어혈(瘀血) 타입	잘 화내고, 초조하고, 억 울하며, 흉협창통(胸脇脹 痛), 입술과 혀는 어두운 보라색이며 눈 주위가 거 뭇거뭇해지고, 월경통.	일반적인 경우 시호계지탕(柴胡桂枝湯) 억간산(抑肝散) + 계지복령환(桂枝茯苓 丸) 머리에 피가 몰리고 눈이 충혈된 경우 가미소요산(加味逍遙散) + 계지가작약탕 (桂枝加芍藥湯)
	허약형(虛弱型) D. 기혈(氣血) 타입	얼굴색이 희고 윤택이 없 다. 권태감이 있고, 의욕 이 없으며, 현훈(眩暈), 눈이 침침, 동계(動悸), 숨참, 설질(舌質)은 담 (淡)하고, 설태는 박백태 (薄白苔)이다.	사군자탕(四君子湯) + 계지가작약탕(桂 枝加芍藥湯) 삼령백출산(蔘苓白朮散) + 계지가작약탕 (桂枝加芍藥湯)
	허약형(虛弱型) E. 간신(肝腎) 타입	머리가 흔들리고, 현훈 (眩暈), 불면(不眠), 이명 (耳鳴), 청각감퇴, 목이 건조하고, 눈이 피로하고, 하반신이 나른하면서 아 프고, 설질(舌質)은 담홍 (淡紅)하고, 설태는 적다.	일반적인 경우 독활기생탕(獨活寄生湯) 스트레스, 초조감이 있는 경우 육미지황환(六味地黃丸) + 억간산(抑肝 散) 1/2 분량 잘 때 땀이 흐르고, 손발이 달아오르고, 설질(舌質)이 홍색(紅色)인 경우 자음강화탕(滋陰降火湯)

*표 = 단독 생약(生藥) 가루 또는 생약(生藥) 엑스제. 상품 취급에 대해서는 책의 뒷부분에 기재하였다.

예진표③ 「혀통증」의 한방 처방

타입분류 합계수	병증 타입	수반 증상		한방 처방
	실열형(實熱型) A. 간(肝) 타입	구갈(口渴) 안면홍조(顔面紅潮) 소변 황색	입이 쓰고, 현훈(眩暈) 운이 충혈되고, 두통, 이명(耳鳴), 초조감, 잘 화내고, 장신억울(精神抑鬱), 흉복부(胸腹部) 가 당기면서 아프고, 월경불순과 목에 답답 한 느낌이 있다.	일반적인 경우 용담사간탕(龍膽瀉肝湯) + 사역산(四逆散) 변비가 심한 경우 용담사간탕(龍膽瀉肝湯) + 대시호탕(大柴胡湯) 설하정맥노장(舌下靜脈怒張), 월경통 등 어혈(瘀血)이 있는 경우 가미소요산합사물탕(加味逍遙散合四物湯)
	실열형(實熱型) B. 심(心) 타입		심번(心煩) 심계(心悸) 구내염 불면	일반적인 경우 황련해독탕(黃連解毒湯) + 육신환(六神丸) 변비가 심한 경우 삼황사심탕(三黃瀉心湯) + 육신환(六神丸) 설하정맥노장(舌下靜脈怒張), 월경통 등 어혈(瘀血)이 있는 경우 위 2개의 처방 + 단삼(丹參)
	실열형(實熱型) C. 폐(肺) 타입		기침, 노란 가래가 나오고, 혀끝이 붉고, 끈적한 황색의 설태(舌苔)가 있다.	신이청폐탕(辛夷清肺湯) 또는 청폐탕(清肺湯) + 길경석고탕(桔梗石膏湯)
	실열형(實熱型) D. 위(胃) 타입		혀는 전체적으로 붉고, 중앙에 건조한 황색의 설태(舌苔)가 있으며, 변비, 구취, 공복감이 심하고, 과식을 잘 한다.	일반적인 경우 백호가인삼탕(白虎加人蔘湯) + 승마갈근탕(升麻葛根湯) 변비가 심한 경우 조위승기탕(調胃承氣湯) + 승마갈근탕(升麻葛根湯)
	조체형(阻滯型) E. 담화(痰火) 타입		혀는 붉고, 끈적한 황색의 설태(舌苔)가 있다. 가슴이 쓰리고, 오심과 구토가 있으며, 위가 그득하면서 답답하고, 니상변(泥狀便)이 있으며, 평소 가래가 많다. 몸이 무거우면서 나른하고, 부종과 현훈(眩暈)이 있다.	평위산(平胃散) + 황련해독탕(黃連解毒湯) 또는 이진탕(二陳湯) + 황련해독탕(黃連解毒湯)
	허열형(虛熱型) F. 음허(陰虛) 타입		혀는 붉고, 표면에 열문(裂紋)이 있으며, 설태가 없고, 손발바닥이 달아오르고, 목에 건조감이 있으며, 빰이 붉고, 자면서 땀이 나고, 불면, 몸이 야위고, 동계(動悸) 증상이 있다.	일반적인 경우 지백지황환(知栢地黃丸) 또는 자음강화탕(滋陰降火湯) 또는 천왕보심단(天王補心丹) 통증이 심한 경우 위 처방 + 육신환(六神丸) 권태, 무력감, 숨참 등 기허(氣虛)를 동반하는 경우 청심연자음(清心蓮子飮)
	허약형(虛弱型) G. 비허(脾虛) 타입		권태(倦怠), 무력감, 숨참, 식욕부진, 무른 변, 부종, 현훈(眩暈), 불면, 동계(動悸), 혀의 색이 담(淡)하다.	일반적인 경우 십전대보탕(十全大補湯) 또는 귀비탕(歸脾湯) 또는 가미귀비탕(加味歸脾湯) 불면, 동계(動悸)가 심한 경우 위 처방 + 육신환(六神丸)

예진표③ 「아프타성 구내염」의 한방 처방

타입분류 합계수	병증 타입	수반 증상		한방 처방
	실열형(實熱型) A. 폐위(肺胃) 타입	신열(身熱), 구취 (口臭), 인두통 (咽頭痛), 변비, 소변 색이 진하 고, 설질(舌質)은 홍색(紅色).	설태박황(舌苔薄黃)	감기 초기인 경우 은교산(銀翹散) 감기 중기인 경우 형개연교탕(荊芥連翹湯)
			음허(陰虛)가 현저: 목의 건조, 손발이 달아오르고, 자면서 땀 이 나고, 불면(不眠), 헛기침, 설태는 적다.	맥문동탕(麥門冬湯) + 온청 음(溫淸飮)
	실열형(實熱型) B. 위장(胃腸) 타입	치은종창(齒齦 腫脹), 목이 말 라 찬물을 마시 고 싶어하 며, 구취(口臭) 가 있고, 위 (胃)나 복부의 작열감이나 통 증이 있고, 변 비, 소변색이 진하고, 설질 (舌質)은 홍강 색(紅絳色).	설태황니(舌苔黃膩)	통상적인 경우 황련해독탕(黃連解毒湯) + 생지황(生地 黃), 목단피(牧丹皮) 또는 백호가인삼탕(白 虎加人蔘湯) + 황련해독탕(黃連解毒湯) 변비가 심한 경우 황련해독탕(黃連解毒湯) + 조위승기탕(調 胃承氣湯) 백호가인삼탕(白虎加人蔘湯) + 삼황사심 탕(三黃瀉心湯)
			음허(陰虛)가 현저: 목의 건조, 손발이 달아오르고, 현 훈(眩暈), 토끼똥 모양의 변, 가슴 이 타는 듯 쓰리고, 설태는 적다.	맥문동탕(麥門冬湯) + 온청 음(溫淸飮)
	실열형(實熱型) C. 간(肝) 타입	초조하고, 잘 화내고, 정신억울(精神抑鬱), 눈에 충혈, 입이 쓰 고, 두통, 이명(耳鳴), 흉협창통(胸脇脹痛), 생리 불순, 설질(舌 質)은 홍색(紅色).	설태박황(舌苔薄黃)	가미소요산(加味逍遙散) + 황련해독탕(黃連解毒湯) 또는 형개연교탕(荊芥連翹湯) + 판람근(板藍根)
			음허(陰虛)가 현저: 목이 건조하고, 손발이 달아오르고, 현훈(眩暈), 눈이 침침하고, 근육 경 련, 설질(舌質)은 홍색(紅色)이고 열문(裂紋)이 있으며, 설태는 적다.	기국지황환(杞菊地黃丸) + 온청음(溫淸飮)
	실열형(實熱型) D. 심(心) 타입	심번(心煩), 구 갈(口渴), 불면 (不眠), 동계 (動悸), 소변색 이 진하고, 혀 끝이 붉다.	설태박황(舌苔薄黃)	용담사간탕(龍膽瀉肝湯) + 육신환(六神丸)
			음허(陰虛)가 현저: 목이 건조하고, 손발이 달아오르고, 하반신 이 나른하고, 만성 요통, 현훈 (眩暈), 이명 (耳鳴), 난청(難聽), 설질(舌質)은 홍색(紅 色)이고 열문(裂紋)이 있으며, 설태는 적다.	지백지황환(知栢地黃丸) 또 는 자음강화탕(滋陰降火湯)
	조체형(阻滯型) E. 담습(痰濕) 타입	입이 끈적이 고, 머리가 무 겁고 아프며, 무른 변이고, 설사가 잘 나 오며, 몸이 무 겁고, 부종(浮 腫)이 있으며, 가래가 잘 나 온다.	설질(舌質)은 담(淡)하고 혀 주변에 치흔(齒痕)이 있으 며, 설태는 백니태(白膩苔) 이다.	설사나 복창(腹脹)이 심한 경우 평위산(平胃散) + 산귀래(山歸來)* 비(脾)의 허약(虛弱), 즉, 권태감, 숨참, 피로감, 식욕 감퇴 등을 동반하는 경우 육군자탕(六君子湯) + 황기(黃芪)*, 산귀래(山歸來)* 또는 보중익기탕(補中益氣湯) + 산귀래(山歸來)*
	조체형(阻滯型) F. 습열(濕熱) 타입		가래의 색은 황색이고, 소변색이 진하 고, 황색의 대하(帶下)가 나오며, 설태 는 황니태(黃膩苔)이고, 구갈(口渴)	평위산(平胃散) + 황련해독 탕(黃連解毒湯) 또는 반하사 심탕(半夏瀉心湯)
	허약형(虛弱型) G. 심비(心脾) 타입	권태감이 있고, 숨이 차고, 의욕이 안 생기며, 잘 지치고, 식욕부진, 동계(動悸), 현훈(眩暈), 불면(不眠)이 있고, 설질(舌質)은 담(淡)하다.		가미귀비탕(加味歸脾湯) 입의 건조를 동반하는 경우 가미귀비탕(加味歸脾湯) + 맥 문동탕(맥門冬湯)

*표 = 단독 생약(生藥) 가루 또는 생약(生藥) 엑스제. 상품 취급에 대해서는 책의 뒷부분에 기재하였다.

예진표③ 「허피스성 구내염」의 한방 처방

타입분류 합계수	병증 타입	수반 증상	한방 처방
	외사형(外邪型) **A. 풍열(風熱) 타입**	발열(發熱), 오한(惡寒), 입이 건조하고 번민감(煩悶感), 혀끝이 붉고, 설태는 박황색(薄黃色)	은교해독산(銀翹解毒散) 또는 판람근(板藍根)*
	조체형(阻滯型) **B. 습열(濕熱) 타입**	위트림, 무른 변, 입이 끈적이고, 부종(浮腫)이 있으며, 몸이 무겁고, 설질(舌質)은 홍색(紅色)이고, 설태는 황니태(黃膩苔).	통상적인 증상이 나타날 때 황련해독탕(黃連解毒湯) + 생지황(生地黃)* · 목단피(牧丹皮)*
			위트림 · 무른 변이 심한 경우의 증상이 나타날 때 반하사심탕(半夏瀉心湯), 또는 + 판람근(板藍根)*
			재발 예방 보기제(補氣劑) + 황기(黃芪)
	허열형(虛熱型) **C. 음허(陰虛) 타입**	현훈(眩暈), 이명(耳鳴), 손발바닥과 가슴에 열감(熱感)이 있고 불면(不眠), 목이 건조하고, 정신피로(精神疲勞)가 있으며, 설질(舌質)은 홍색(紅色)이고, 설태는 적다.	지백지황환(知栢地黃丸) (육미지황환(六味地黃丸) + 지모(知母)* · 황백(黃柏)*)

예진표③ 「이갈이」의 한방 처방

타입분류 합계수	병증 타입	수반 증상		한방 처방
	실열형(實熱型) A. 간(肝) 타입	깨 물 근 이 나 측두근의 긴장이나 압통(壓痛)이 심하다. 초조하고, 잘 화내고, 억울감이 있으며, 협복부(脇腹部)가 그득하면서 아프고, 두통(頭痛)이 있으며, 어깨가 결리고, 입이 쓰고, 한숨을 잘 쉬며, 월경 불순이 있다.	설태는 박백태(薄白苔)	일반적인 경우 사역산(四逆散)
				떨림이나 흔들림, 틱 증상을 동반하는 경우 억간산(抑肝散) 또는 조등산(釣藤散)
				권태, 부종, 무른 변, 식욕 감퇴를 동반하는 경우 억간산(抑肝散)
				목과 어깨와 팔 부위에 통증이나 저림을 동반하는 경우 시호계지탕(柴胡桂枝湯)
			간화(肝火) 혀끝이 붉고, 설태는 박황색(薄黃色)이고 이명(耳鳴)이 있으며, 눈이 충혈되고, 구갈(口渴)과 불면(不眠)이 있다.	일반적인 경우 용담사간탕(龍膽瀉肝湯) + 사역산(四逆散)
				어지럽고, 눈이 침침하고, 빈혈을 동반하는 경우 가미소요산(加味逍遙散)
				변비를 동반하는 경우 시호가용골모려탕(柴胡加龍骨牡蠣湯)
	실열형(實熱型) B. 심위(心胃) 타입	식욕항진(食慾亢進), 입이 말라서 찬 것을 마시며, 구내염이 있고, 불면(不眠)이 있으며, 가슴이 뜨거우면서 괴롭고, 혀는 붉고, 설태는 황태(黃苔)		목마름이 심하지 않은 경우 황련해독탕(黃連解毒湯)
				목마름이 심한 경우 황련해독탕(黃連解毒湯) + 생지황(生地黃)* · 목단피(牧丹皮)*
				변비를 동반하는 경우 삼황사심탕(三黃瀉心湯) + 생지황(生地黃)* · 목단피(牧丹皮)*
	허약형(虛弱型) C. 기혈(氣血) 타입	얼굴색이 희고 윤택이 없으며, 권태감이 있고, 의욕이 없으며, 현훈(眩暈) 증상이 있고, 눈이 침침하고, 동계(動悸)가 있으며, 숨이 차고, 설질(舌質)은 담(淡)하고, 설태는 박백태(薄白苔)이다.		일반적인 경우 십전대보탕(十全大補湯)
				가벼운 스트레스 또는 심신피로(心身疲勞)가 있는 경우 가미귀비탕(加味歸脾湯)
	허열형(虛熱型) D. 음허(陰虛) 타입	머리가 흔들리고, 현훈(眩暈), 건망(健忘), 불면(不眠), 이명(耳鳴)이 있고, 목과 눈이 건조하고, 허리나 무릎이 나른하고 힘이 들어가지 않으며, 뺨이 붉고, 자면서 땀이 나고, 손발이 달아오르며, 설질(舌質)은 홍색(紅色)이고, 설태는 적다.		기국지황환(杞菊地黃丸)
				스트레스를 동반하는 경우 육미지황환(六味地黃丸) + 억간산(抑肝散) 절반 분량

*표 = 단독 생약(生藥) 가루 또는 생약(生藥) 엑스제. 상품 취급에 대해서는 책의 뒷부분에 기재하였다.

예진표③ 「점액 낭포, 설하선 낭포」의 한방 처방

타입분류 합계수	병증 타입	수반 증상	한방 처방
	조체형(阻滯型) A. 담화(痰火) 타입	몸이 무겁고 나른하며, 부종이 잘 생기고, 가슴이 괴롭다. 구역감이 잘 생기고, 위(胃)가 그득하면서 답답한 감이 있고, 설체(舌體)는 반대설(胖大舌)이고, 혀의 주변에는 치흔(齒痕)이 있다.	노란 가래나 콧물이 흐른다. 니상변(泥狀便)이 나오고 냄새가 심하다. 소변은 황색이고, 목이 잘 마른다. 황색의 대하(帶下)가 늘어난다. 설태는 황니태(黃膩苔)이다.	설질(舌質)이 홍색(紅色)인 경우 이진탕(二陳湯) + 황련해독탕(黃連解毒湯)
	조체형(阻滯型) B. 담화(痰火) + 어혈(瘀血) 타입			설질(舌質)이 어두운 자색(紫色)이고, 설하정맥노장(舌下靜脈怒張)이 있으며, 월경혈(月經血) 중에 덩어리가 섞여 있는 경우 이진탕(二陳湯) + 황련해독탕(黃連解毒湯) + 활혈약(活血藥)*
	허약형(虛弱型) C. 비허(脾虛) 타입	권태감, 숨참이 있고, 의욕이 없으며, 잘 지친다. 식욕 감퇴, 무른 변과 설사가 잘 나오고, 투명한 가래나 콧물이 나온다. 투명한 대하(帶下)가 늘어난다. 설태는 백니태(白膩苔)	설질(舌質)이 담(淡)한 경우 육군자탕(六君子湯)
	허약형(虛弱型) D. 비허(脾虛) + 어혈(瘀血) 타입			설질(舌質)이 어두운 자색(紫色)이고, 설하정맥노장(舌下靜脈怒張)이 있으며, 월경혈(月經血) 중에 덩어리가 섞여 있는 경우 육군자탕(六君子湯) + 활혈약(活血藥)*

* 표는 단삼 (丹參) 가루 , 천궁 (川芎) 엑스제 , 홍화 (紅花) 가루 , 도인 (桃仁) 가루 등이 있다 . 상품 취급에 대해서는 책의 뒷부분에 기재하였다 . 스트레스가 심한 경우에는 이진탕 (二陳湯) 을 온담탕 (溫膽湯) 으로 바꿀 수 있다 .

한방약명(漢方藥名)

구강건조증	육미지황환(六味地黃丸)	계지탕(桂枝湯)	대시호탕(大柴胡湯)
백호가인삼탕(白虎加人蔘湯)	팔미지황환(八味地黃丸)	백호가인삼탕(白虎加人蔘湯)	가미소요산(加味逍遙散)
황련해독탕(黃連解毒湯)	우차신기환(牛車腎氣丸)	길경석고탕(桔梗石膏湯)	사물탕(四物湯)
조위승기탕(調胃承氣湯)	영계출감탕(苓桂朮甘湯)	월비가출탕(越婢加朮湯)	황련해독탕(黃連解毒湯)
대황감초탕(大黃甘草湯)	삼령백출산(蔘苓白朮散)	시호계지탕(柴胡桂枝湯)	육신환(六神丸)
마행감석탕(麻杏甘石湯)	계비탕(啓脾湯)	억간산(抑肝散)	삼황사심탕(三黃瀉心湯)
길경석고탕(桔梗石膏湯)	보중익기탕(補中益氣湯)	계지복령환(桂枝茯苓丸)	단삼(丹參)
천왕보심단(天王補心丹)	가미소요산(加味逍遙散)	가미소요산(加味逍遙散)	신이청폐탕(辛夷淸肺湯)
육신환(六神丸)	사물탕(四物湯)	계지가작약탕(桂枝加芍藥湯)	길경석고탕(桔梗石膏湯)
오령환(五苓散)	악관절증	사군자탕(四君子湯)	백호가인삼탕(白虎加人蔘湯)
평위산(平胃散)	갈근탕(葛根湯)	삼령백출산(蔘苓白朮散)	승마갈근탕(升麻葛根湯)
인진호탕(茵蔯蒿湯)	소경활혈탕(疏經活血湯)	독활기생탕(獨活寄生湯)	조위승기탕(調胃承氣湯)
청폐탕(淸肺湯)	계지가출부탕(桂枝加朮附湯)	육미지황환(六味地黃丸)	평위산(平胃散)
신이청폐탕(辛夷淸肺湯)	마황부자세신탕(麻黃附子細辛湯)	자음강화탕(滋陰降火湯)	이진탕(二陳湯)
맥문동탕(麥門冬湯)	의이인탕(薏苡仁湯)	허통증	지백지황환(知栢地黃丸)
맥미지황환(麥味地黃丸)	포부자(炮附子)	용담사간탕(龍膽瀉肝湯)	자음강화탕(滋陰降火湯)
자음강화탕(滋陰降火湯)	이출탕(二朮湯)	사역산(四逆散)	천왕보심단(天王補心丹)

예진표③ 「구각염」의 한방 처방

타입분류 합계수	병증 타입	수반 증상	한방 처방
	실열형(實熱型) A. 위장(胃腸) 타입	구취(口臭)가 있고, 입이 마르며, 찬 것을 마시고 싶어 하고, 소변 양이 적고, 소변 색이 진하며, 공복감이 심하고, 잘 과식(過食)한다. 설질(舌質)은 홍색(紅色)이고, 설태는 황색(黃色)이다.	변비가 없고 일반적인 경우 길경석고탕(桔梗石膏湯) + 황련해독탕(黃連解毒湯) 출혈(出血)이 생겨 부스럼 딱지가 생긴 경우 길경석고탕(桔梗石膏湯) + 삼물황금탕(三物黃芩湯) 구각(口角), 즉, 입아귀가 심하게 건조된 경우 백호가인삼탕(白虎加人蔘湯) + 삼물황금탕(三物黃芩湯)<hr>변비가 심하면서 일반적인 경우 길경석고탕(桔梗石膏湯) + 삼황사심탕(三黃瀉心湯) 구각(口角), 즉, 입아귀가 심하게 건조된 경우 백호가인삼탕(白虎加人蔘湯) + 삼황사심탕(三黃瀉心湯)
	조체형(阻滯型) B. 담화(痰火) 타입	입이 끈적이고, 미각과 식욕이 감퇴하고, 복부가 당기거나 위트림이 있고, 무른 변과 설사가 잘 나오고, 몸이 무거우면서 나른하고, 권태감과 부종이 있으며, 혀는 반대설(胖大舌)이고, 치흔(齒痕)이 있다.	설질(舌質)이 담(淡)하고, 설태는 백니태(白膩苔)인 경우 평위산(平胃散) + 삼령백출산(蔘苓白朮散) (보험약인 경우에는 계비탕(啓脾湯)을 사용한다.)
	조체형(阻滯型) C. 습열(濕熱) 타입		입이 마르고, 설질(舌質)이 홍색(紅色)이고, 설태(舌苔)가 황니태(黃膩苔)인 경우 평위산(平胃散) + 황련해독탕(黃連解毒湯) 위(胃)가 그득하면서 답답하고 오심(惡心)을 동반하는 경우 평위산(平胃散) + 반하사심탕(半夏瀉心湯)

청심연자음(淸心蓮子飮)	육신환(六神丸)	지백지황환(知栢地黃丸)	육미지황환(六味地黃丸)
십전대보탕(十全大補湯)	지백지황환(知栢地黃丸)	육미지황환(六味地黃丸)	**점액낭포, 설하선낭포**
귀비탕(歸脾湯)	자음강화탕(滋陰降火湯)	지모(知母)	이진탕(二陳湯)
가미귀비탕(加味歸脾湯)	평위산(平胃散)	황백(黃柏)	황련해독탕(黃連解毒湯)
아프타성 구내염	산귀래(山歸來) = 토복령(土茯苓)	**이갈이**	활혈약(活血藥)
은교산(銀翹散)	육군자탕(六君子湯)	사역산(四逆散)	육군자탕(六君子湯)
형개연교탕(荊芥連翹湯)	황기(黃芪)	억간산(抑肝散)	**구각염**
맥문동탕(麥門冬湯)	보중익기탕(補中益氣湯)	조등산(釣藤散)	길경석고탕(桔梗石膏湯)
온청음(溫淸飮)	반하사심탕(半夏瀉心湯)	시호계지탕(柴胡桂枝湯)	황련해독탕(黃連解毒湯)
황련해독탕(黃連解毒湯)	가미귀비탕(加味歸脾湯)	용담사간탕(龍膽瀉肝湯)	백호가인삼탕(白虎加人蔘湯)
생지황(生地黃)	**허피스성 구내염**	가미소요산(加味逍遙散)	삼물황금탕(三物黃芩湯)
목단피(牧丹皮)	은교해독산(銀翹解毒散)	시호가용골모려탕(柴胡加龍骨牡蠣湯)	삼황사심탕(三黃瀉心湯)
백호가인삼탕(白虎加人蔘湯)	판람근(板藍根)	황련해독탕(黃連解毒湯)	평위산(平胃散)
조위승기탕(調胃承氣湯)	황련해독탕(黃連解毒湯)	생지황(生地黃)	삼령백출산(蔘苓白朮散)
삼황사심탕(三黃瀉心湯)	생지황(生地黃)	목단피(牧丹皮)	계비탕(啓脾湯)
가미소요산(加味逍遙散)	목단피(牧丹皮)	삼황사심탕(三黃瀉心湯)	반하사심탕(半夏瀉心湯)
판람근(板藍根)	반하사심탕(半夏瀉心湯)	십전대보탕(十全大補湯)	
기국지황환(杞菊地黃丸)	보기제(補氣劑)	가미귀비탕(加味歸脾湯)	
용담사간탕(龍膽瀉肝湯)	황기(黃芪)	기국지황환(杞菊地黃丸)	

치과 증례
의
한방 치료

구강건조증(口腔乾燥症)

● 구강의 건조에 관한 중의학의 임상 표현에는 「구갈(口渴)」, 「구건(口乾)」, 「구조(口燥)」, 「구설건조(口舌乾燥)」 등이 있다.

● 「구갈(口渴)」은 목이 말라 수분을 마시고 싶어 하는 상태를 이르는데 현대적인 질환에서는 소갈(消渴)의 상소(上消) 따위가 있다. 소갈이란 현대 의학의 당뇨병에 상당한 것이며 상소(上消), 중소(中消), 하소(下消)의 분류가 있다.

● 「구건(口乾)」, 「구조(口燥)」는 구강 내의 진액이 부족하여 건조한 감각을 느끼는 증상이므로 반드시 수분을 원한다고 단정 지을 수는 없다.

● 중의학에서는 「구건(口乾)」, 「구조(口燥)」에 상당한 특정한 질환이 없으며 쇼그렌 증후군(Sjögren syndrome)도 포함하여 다종의 병증(病證) 중에서 볼 수 있는 증후(症候) 중하나로 다루어지는 경우가 많다. 그래서 한방약을 사용하는 경우에는 한 종류의 특정한 약으로 대처하는 것은 불가능하다.

● 그래서 3가지의 형(型)으로 크게 나눈 7개의 병증(病證) 타입으로 증후(症候)를 감별하고 각각에 맞는 한방약을 가려 쓰는 것으로 대처한다.

구강건조증의 형(型)과 병증(病證) 타입

실열형(實熱型)

・구갈(口渴)이 심하다.
・급격하게 증상이 나타난다.

기분(氣分) 타입
☆찬 물을 많이 마심

A

영혈(營血) 타입
☆ 야간에 열감이 강해진다.
☆ 수분은 그다지 많이 당기지 않는다.
☆ 마셔도 소량이다.

B

습열(濕熱) 타입
☆ 오후에 열감이 강해진다.
☆ 수분은 그다지 많이 당기지 않는다.
☆ 마셔도 소량이다.

C

허열형(虛熱型)

・건조한 느낌이 강하다.

폐위(肺胃) 타입
☆ 만성적 또는 반복성
☆ 가을과 겨울 사이에 악화된다.
☆ 매운 음식물로 악화된다.

D

신(腎) 타입
☆ 만성적 또는 반복성
☆ 야간에 더 심해진다.

E

조체형(阻滯型)

수정(水停) 타입
☆물을 마시고 싶어 하지 않는다.

F

기체(氣滯) 타입
☆ 물을 마셔도 건조한 것이 낫지 않는다.
☆ 양악 부위의 종창(腫脹)을 동반한다.
☆ 정신적인 요인으로 악화되기 쉽다.

G

구강건조증 ① 증후(症候)의 정리와 처방 포인트

「입이 심하게 마르다.」

구갈(口渴)이 심해지고 설태(舌苔)가 검어지고 악하부에 열감(熱感)	실열형(實熱型) 기분(氣分) 타입의 특성
밤에 목이 마르고 맥문동탕(麥門冬湯)으로 효과가 없으며 음허(陰虛)의 증후(症候)가 없다.	음허형(陰虛型)의 특징에 가까우나 음허라고는 말하기 어렵다.
안절부절 못하고, 스트레스 감 목적(目赤), 흉협 압통(胸脇 壓痛)	조체형(阻滯型) 기체(氣滯) 타입의 증후(症候)

【증례1】환자: 남성 연령: 61세 신장: 168cm 체중 66kg

[초 진] 2004년 3월 31일

현병력: 3개월 전에 인두암(咽頭癌) 진료로 턱 아래쪽으로부터 목 부위에 방사선 치료를 한 이래 구강이 건조해지기 시작하였다. 그 후 백호가인삼탕(白虎加人蔘湯) 엑스제나 맥문동탕(麥門冬湯) 엑스제를 처방받았으나 전혀 효과가 없었다.

과거력: 인두암

현재의 증(症): 입이 매우 마르고 밤중에 입이 말라 눈이 떠지는 경우가 있었다. 턱 아래쪽은 종창(腫脹)으로 열감이 있다. 스트레스 감이 있으며, 안절부절 못하고, 흉협부(胸脇部)에 압통(壓痛)이 있다. 눈이 붉고 눈이 피로하다.

설진(舌診) 소견: 설질(舌質, 혀)의 색은 어두운 홍색이고 설태(舌苔)는 검은 색이었다.

맥진(脈診) 소견: 맥현(脈弦)[7]

변증(辨證): 실열형의 기분 타입과 조체형의 기체 타입의 혼합형(간화범폐, 肝火犯肺)

처방: 소시호탕(小柴胡湯) 엑스제 7.5g/3번 나누어, 길경석고탕(桔梗石膏湯) 엑스제 7.5g/3번 나누어, 투여 7일분.

[재 진] 2004년 4월 7일

갈증은 조금 경감되었다. 밤중에 작열감으로 눈이 떠지는 일은 없어졌다.

처방: 초진 때와 동일. 투여 7일분.

[3 진] 2004년 4월 14일

턱 아래쪽의 종창과 열감은 확실히 경감되었다. 구강 건조 증상도 전보다 나아졌다.

처방: 소시호탕 엑스제 7.5g/3번 나누어, 당귀작약산(當歸芍藥散) 엑스제 7.5g/3번 나누어, 투여 14일분

[4 진] 2004년 5월 7일

건조감은 있으나 그다지 신경 쓰지 않을 정도이다.

---

7) 저항감이 있으면서 단직(端直)하고 장(長)한 맥. 주로 간(肝)의 이상과 내풍증(內風證)의 지표이다.

실열형—A. 기분(氣分) 타입
조체형—G. 기체(氣滯) 타입의 혼합형

 처방 ## 소시호탕(小柴胡湯) + 길경석고탕(桔梗石膏湯)

증례1의 처방 해설

석고(石膏)는 기분(氣分)의 열(熱)을 없애고 구갈(口渴) 증상에 효과가 있으며, 길경(桔梗)은 이인(利咽)[8] 작용이 있다. 그래서 초진과 재진 때는 「길경석고탕」을 폐열감(肺熱感)에 의한 구갈(口渴) 치료의 중심으로 하였다. 여기에 소양(少陽)의 울열(鬱熱)을 없애고 소간해울(疏肝解鬱)을 할 수 있는 「소시호탕(小柴胡湯)」을 합방(合方)하여 좋은 결과를 볼 수 있었다.

이 환자의 기체(氣滯)에 대해 기본 처방으로 소개한 가미소요산(加味逍遙散)을 쓰지 않고 소시호탕(小柴胡湯)을 처방한 것은 방사선이 조사된 침샘 부위는 소양경(少陽經)[9]이 주행하는 부위이며 소시호탕(小柴胡湯)은 소양경에 귀경(歸經)하여 그 울체된 열을 해소시킬 수 있기 때문이다. 3진에서는 열사(熱邪)가 잡혀 구갈 증상은 감소하였으므로 열사(熱邪)에 의해 손모(損耗)되기 쉬운 음혈(陰血)의 회복과, 기체(氣滯)가 오래되어 생기는 혈어(血瘀)를 고려하여 활혈(活血)과 양혈(養血) 작용을 가진 「당귀작약산」을 합방(合方)하였다.

【조성】
소시호탕(小柴胡湯)　시호(柴胡), 반하(半夏), 황금(黃芩), 대조(大棗, 대추), 인삼(人蔘), 감초(甘草), 생강(生薑)
길경석고탕(桔梗石膏湯)　길경(桔梗), 석고(石膏)

증례1의 분석

방사선은 중의학에서 강력한 열사(熱邪)로 생각한다. 구갈(口渴) 증상이 심하고 또한 설질(舌質)이 어두운 홍색이고, 설태(舌苔)는 검고, 턱 아래 부위의 열감이 있는 것을 고려하면 열사(熱邪)가 기분(氣分)에 침입한 폐위열성(肺胃熱盛)이라고 생각된다. 그러나 백호가인삼탕(白虎加人蔘湯)은 소용이 없었던 병력을 고려했을 때 병위(病位)는 위(胃)가 아니라 폐(肺)이다. 목구멍은 「폐의 입구」라고 일컬어지므로 인후부에 방사선을 쐬어 폐열(肺熱)이 왕성해졌다고 판단할 수 있겠다.

일반적으로 이런 열증(熱證)은 오래되면 병위(病位)가 깊어지거나 또는 폐음(肺陰)을 손모(損耗)하여 허열형(虛熱型)의 폐위(肺胃) 타입으로 바뀌는 경향이 있으나 치료력에 있는 바와 같이 폐음(肺陰)을 보(補)하는 맥문동탕(麥門冬湯)으로는 효과를 보지 못하였다. 그로부터 3개월이 흘렀지만 여전히 병증(病證)은 실열형의 기분(氣分) 타입일 가능성이 높다.

다음으로 수반 증상을 보면 턱 아래 부위의 종창(腫脹)에 더하여 스트레스, 안절부절 못함, 흉협부(胸脇部)의 압통, 목적(目赤, 눈이 붉어짐) 등과 같이 기체(氣滯) 타입에서 볼 수 있는 증후(症候)가 많다. 중의학적으로 2~3월의 봄은 습열병(濕熱病)이 일어나기 쉽고, 또한 간양(肝陽)이 항성(亢盛)하기 쉬운 계절이다. 따라서 봄이라는 시기적인 요소에 더하여 병기(病氣)나 치료에 따른 스트레스가 기울화화(氣鬱化火)를 유발하여 간화(肝火)를 상염(上炎)시키고 그 열이 폐에 미치는 「간화범폐(肝火犯肺)」를 일으켜서 3개월이 지난 지금도 폐에 기분(氣分)의 열이 남아 있는 것이라고 판단된다.

---

8) 인후를 통하게 하는 것을 말한다.
9) 12정경 중 족소양담경(足少陽膽經)은 귀밑샘(Parotid gland)이 있는 부위를 지난다.

「입이 마르다.」

구갈감(口渴感)이 심하지 않고 물을 마셔도 나아지지 않는다.	조체형(阻滯型) 수정(水停) 타입의 특성
입 속이 끈적거리고 다리에 부종이 생긴다.	수정(水停) 타입의 특성
소변색은 황색이고, 양이 적으며, 설질(舌質)은 홍색이고, 설태는 황니태(黃膩苔)이며, 대하(帶下, 여성 질의 분비물)는 황색이다.	습열(濕熱) 타입의 증후(症候)

【증례2】환자: 여성 연령: 40세 미혼 회사원 신장: 162cm 체중 73kg

[초 진] 2006년 7월 20일

현병력: 2006년부터 건강 정보를 보고 매일 2리터의 생수를 마셨다. 그러자 얼마 후 입이 마르기 시작하였다.

과거력: 공황 장해

현 증상: 입이 마른 감은 심하지 않으나 물을 마셔도 나아지지 않고 입안이 끈적이는 감이 있다. 머리에 피가 몰리고 땀이 많이 나서 물을 마시는 것에 비해 소변색이 진하고 소변량은 적다. 다리에 부종이 있고 황색의 대하(帶下)가 나온다. 하복부로부터 흉부에 걸쳐 치밀어 오르는 것 같은 동계(動悸)[10]를 느낀다. 예전부터 안절부절 못하고 번조(煩燥)와 불면(不眠) 증상이 있었다.

설진(舌診) 소견: 설질(舌質, 혀)의 색은 홍색의 반대설(胖大舌). 설태(舌苔)는 조금 황색이며 건조하다.

맥진(脈診) 소견: 맥활(脈滑)[11]

변증(辨證): 조체형(阻滯型)의 수정(水停) 타입(단, 담음(痰飮)이 하초(下焦)에 다다르고, 또한 조금 열화(熱化)된 타입).

처방: 인진오령산(茵蔯五苓散) 엑스제 7.5g/3번 나누어, 투여 14일분

[재 진] 2006년 8월 3일

구강건조증은 현저하게 개선되었다. 소변량이 늘고 부종은 조금 개선되었다. 설질(舌質, 혀)의 색은 담홍색이고 설태는 박백태(薄白苔)였다.

처방: 오령산(五苓散) 엑스제 7.5g/3번 나누어, 투여 14일분

[3 진] 2006년 8월 17일

구강건조는 더 이상 신경 쓰지 않게 되었다.

---

10) 두근거림.
11) 상승각과 하강각이 가파르며 빠르게 오르내리는 맥. 주로 담음(痰飮)의 지표이다.

조체형(阻滯型)—F. 수정(水停) 타입 (열화(熱化)를 동반)

인진오령산(茵蔯五苓散)
오령산(五苓散)

증례2의 처방 해설

　　조체형의 수정(水停) 타입에 속하며 담음(痰飮)이 하초(下焦)에도 이를 때에는「오령산(五苓散)」을 사용하는 것이 일반적이지만, 초진에서는 열화(熱化)가 관찰되었으므로 인진오령산(茵蔯五苓散)을 처방하였고, 열을 잡은 재진부터는「오령산(五苓散)」을 처방하여 좋은 결과를 보았다.

【조성】
인진오령산(茵蔯五苓散) 택사(澤瀉), 백출(白朮), 저령(猪苓), 복령(茯苓), 계피(桂皮), 인진호(茵蔯蒿)
오령산(五苓散) 택사(澤瀉), 백출(白朮), 저령(猪苓), 복령(茯苓), 계피(桂皮)

증례2의 분석

　　원인은 분명히 수분의 과도한 섭취이다. 입의 마른 감이 심하지 않은 것은 열사(熱邪)가 음진(陰津)을 소모시키는 실열형(實熱型)이 아니라는 것을 나타낸다. 입속의 끈적이는 감은 비(脾)의 운화(運化)가 실조된 탓으로 소변량 감소나 하지의 부종, 그리고 하복부로부터 흉부에 걸친 치밀어 오르는 듯한 동계(動悸)는 담음(痰飮)이 하초(下焦)에 있는 증후(症候)이다. 그 중에서도 이와 같은 동계는「분돈(奔豚)」[12]이라고 불리며 하초(下焦)의 신(腎)이 실조하면 발생하는 특징적인 증상이다. 또한 체형이 비만인 사람은 체질적으로 담음이 정체되어 있는 경우가 많으며, 활맥(滑脈)과 반대설(胖大舌)도 담음(痰飮)에 의해 일어나는 일반적인 증후이다. 그 외에도 머리에 피가 몰림, 발한(發汗), 안절부절 못함, 번조(煩燥), 불면(不眠), 맥현(脈弦) 등의 울열(鬱熱) 증상도 보이며 기체(氣滯) 타입과 착각하기 쉽지만 과거력에 공황장해가 있다는 점으로부터 이러한 것들은 구강건조가 시작되기 이전부터 가지고 있던 증상이라고 생각되어 변증에서는 제외하였다. 이상의 내용으로부터 조체형의 수정(水停) 타입에 속하고, 담음이 하초(下焦)에도 미치며, 또한 열화(熱化)된 타입이라고 판단하였다.

---

12) 마치 새끼돼지가 뛰어다니는 듯한 증상

구강건조증 **3** 증후(症候)의 정리와 처방 포인트

「구강이 건조하고 혀가 따끔거린다.」

구강 건조 특히 밤에 심해진다.	→ 허열형(虛熱型) 신(腎) 타입의 특성
매운 음식 때문에 혀가 따끔거린다.	→ 허열형(虛熱型) 폐위(肺胃) 타입의 특성
밤중에 소변을 보며, 만성 요통이 있고, 설태는 적으며, 설체(舌體, 혀)는 열문설(裂紋舌, 갈라진 혀)	→ 신음허(腎陰虛)의 증후(症候)

【증례3】 환자: 여성 연령: 67세 기혼 전업주부 신장: 154cm 체중 54kg

[초 진] 2006년 2월 17일

현병력: 2년 전에 좌골신경통(坐骨神經痛) 치료로 진통제를 3개월 복용한 후 구강건조증이 나타났다. 그 후 음식(뜨거운 것이나 매운 것)에 따라 혀가 화끈거리거나 따끔따끔한 느낌이 난다.

과거력: 좌골신경통, 기관지 확장증, 대상포진

현 증상: 구강이 건조하고, 특히 밤에 입안이 칼칼하고, 물을 마시지 않으면 잠이 오지 않는다. 기단(氣短)[13], 자한(自汗)[14] 증상이 있으며, 밤중에 2번 소변을 보고, 요통이 있다.

설진(舌診) 소견: 설질은 어두운 강설(絳舌)이고 열문(裂紋)[15]이 있다. 설태는 적었다.

맥진(脈診) 소견: 맥침세(脈沈細)[16]

변증(辨證): 허열형(虛熱型)의 신(腎) 타입(신음허(腎陰虛)에 위음허(胃陰虛)를 동반함. 그 외에 혈열(血熱)과 혈어(血瘀)가 있다).

처방: 육미지황환(六味地黃丸) 엑스제 7.5g/3번 나누어, 맥문동탕(麥門冬湯) 엑스제 7.5g/3번 나누어, 사삼(沙參) 가루 1g/3번 나누어, 투여 7일분

[재 진] 2006년 2월 24일
　　　밤에 건조증상이 좀 나아졌다.

처방: 이전과 동일. 투여 7일분

[3 진] 2006년 3월 2일
　　　밤에 물을 마시지 않게 되었다. 혀가 따가운 증상은 계속 남아 있다.

처방: 이전 처방에 당귀(當歸) 가루, 단삼(丹參) 가루 각 1g/3번 나눈 것을 더함. 투여 7일분.

[4 진] 2006년 3월 9일
　　　혀의 화끈거리는 증상이 경감되었다.

처방: 이전과 동일. 투여 7일분

[5 진] 2006년 3월 16일
　　　따끔거리는 증상이 사라졌다.

---

13) 숨찬 증상
14) 특별한 이유 없이 땀이 저절로 흐르는 것
15) 갈라짐
16) 맥의 깊이가 깊고 폭이 작은 맥

허열형(虛熱型)—E. 신(腎) 타입 (위음허(胃陰虛)를 동반)

 처방 **육미지황환(六味地黃丸) + 맥문동탕(麥門冬湯)**

증례3의 처방 해설

「맥문동탕(麥門冬湯)」은 위(胃)와 폐(肺)의 음액(陰液)[17]을 보(補)한다. 일본의 육미지황환(味地黃丸)은 재료인 지황(地黃)으로 생지황(生地黃)을 사용하므로 신음(腎陰)을 자양(滋養)하는 작용 이외에도 양혈활혈(凉血活血)하는 작용을 함께 가진다. 사삼(沙參) 가루는 자음약(滋陰藥)[18]이다. 이 셋을 합방(合方)한 처방을 하니 야간의 구강건조가 조금씩 개선되었다. 그러나 혀가 화끈거리는 느낌의 개선은 시원찮았으며 그래서 활혈약(活血藥)인 당귀와 단삼을 더해서 어혈(瘀血)에 대처하여서 좋은 결과를 보았다.

【조성】
육미지황환(六味地黃丸) 지황(地黃), 산수유(山茱萸), 산약(山藥), 택사(澤瀉), 복령(茯苓), 목단피(牧丹皮)
맥문동탕(麥門冬湯) 맥문동(麥門冬), 반하(半夏), 대조(大棗), 감초(甘草), 인삼(人蔘), 갱미(粳米)

증례3의 분석

나이를 먹어 신음허(腎陰虛)가 진행되어 있는데 좌골신경통의 치료를 위해 진통제를 계속 복용하여 위음(胃陰)이 손상되고, 허화(虛火)가 상염(上炎)하여 일어난 구강건조이다. 구강 건조증은 야간에 심해지며 또한 설체(舌體, 혀)의 열문(裂紋)과 적은 설태 등은 음허(陰虛)의 증후이다. 뜨겁고 매운 음식으로 증세가 더욱 악화되는 것은 이것이 위열(胃熱)을 성(盛)하게 하여 위음(胃陰)을 손상시키기 때문이다. 또한 진통제 복용을 멈추어도 구강 건조가 낫지 않는 것은 한밤중에 소변을 보거나 요통이 있는 경우로부터 그 바탕에 신음허(腎陰虛)가 있기 때문이라고 추측할 수 있다. 신음(腎陰)은 원음(元陰)이라고도 불리우며, 인체의 근본에 있는 진액(津液)이면서 각 장부의 진액을 자윤(滋潤)하는 움직임이 있으나 이것이 노화와 함께 편쇠(偏衰)해지므로, 위음(胃陰)을 자윤하여 회복시킬 수 없다. 그 외에 이 환자에게는 폐기허(肺氣虛)의 증후인 기관지 확장증, 기단(氣短), 자한(自汗) 등이 관찰된다. 이는 진통제를 투약 받기 이전부터 있던 것으로 일반적으로 폐기허(肺氣虛)가 위음허(胃陰虛)로 발전하는 일은 매우 드물기에 변증(辨證)에 역중할 필요는 없다. 마지막으로 혀의 모습을 보면 설질은 「홍색(紅色)」보다 열이 더 강한 「강설(絳舌)」이며, 어혈의 징후인 「어두운 색」도 보인다. 이는 열이 만성화하여 「혈열혈어(血熱血瘀)」를 형성한 것으로서 혀가 화끈거리는 감각은 이것에 의한 것이 크다고 판단된다.

---

17) 음액(陰液)은 인체내외의 진, 액, 정, 혈(津, 液, 精, 血)을 총칭하는 말이다. 혈액, 정액, 림프액, 땀, 수액(髓液), 눈물, 소변 등이 모두 포함된다.
18) 한의학에서는 보익약(補益藥)의 4가지 종류 가운데 보음약(補陰藥)을 일컫는다. 보음약, 자음약 이외에도 양음약(養陰藥), 육음약(育陰藥), 익음약(益陰藥) 등으로도 불린다.

「입안이 마르고 입 냄새가 신경쓰인다.」

입이 마르며, 물을 많이 마시고, 입이 끈적인다.	➜	조체형(阻滯型) 수정(水停) 타입의 특성
위통(胃痛), 위(胃)트림, 심하비(心下痞), 식욕감퇴, 무른 대변, 피로권태감	➜	비위기허(脾胃氣虛)에 의한 수음 정체(水飮停滯)의 증후(症候)
구취(口臭)가 나고, 설질(舌質)은 홍설(紅舌)이고 설태(舌苔)는 황니태(黃膩苔)	➜	위열(胃熱)의 증후(症候)
소변은 황색이고 둔뇨(鈍尿)	➜	하초습열(下焦濕熱)의 증상(症狀)

【증례4】환자: 여성 연령: 43세 미혼 회사원 신장: 161cm 체중 54kg

[초　진] 2006년 7월 2일

현병력: 2006년 5월에 위궤양 치료를 위해 파일로리균[19] 제거제를 복용한 후부터 입이 마르고 입 냄새가 나기 시작했다.

과거력: 특별히 없음.

현 증상: 입이 건조하고 목이 말라서 물을 자주 마신다. 입 속에 끈적거리는 감이 있고 입이 쓰게 느껴진다. 심하비(心下痞)[20]가 느껴지고, 위통과 위 트림이 있으며 식욕 감퇴가 있다. 무른 변을 보며 피로 권태감도 강하다. 체질적으로 냉(冷)한 편이며 안절부절 못하고 불면증도 있다.

설진(舌診) 소견: 설질은 홍설(紅舌)이고 설태는 약간 황니태(黃膩苔)

변증(辨證): 조체형(阻滯型)의 수정(水停) 타입(단, 수음(水飮)[21]의 열화(熱化)와 비위기허(脾胃氣虛)가 보이는 타입).

처방: 황련탕(黃連湯) 엑스제 7.5g/3번 나누어, 평위산(平胃散) 엑스제 7.5g/3번 나누어, 투여 7일분

[재　진] 2006년 7월 9일

입의 끈적임과 입이 쓴 증상은 개선되었으나 갈증과 구취는 아직 그대로다. 소변이 잘 안나오고 색은 황색이다.

처방: 황련탕(黃連湯) 엑스제 7.5g/3번 나누어, 저령탕(猪苓湯) 엑스제 7.5g/3번 나누어. 투여 7일분

[3　진] 2006년 7월 17일

입의 건조는 개선되었다.

---

19) 헬리코박터 파일로리(Helicobacter pylori)균을 이른다.
20) 명치께가 그득하고 답답한데 눌러 보면 부드러우면서 아프지 않은 병증
21) 담음(痰飮)을 의미한다.

조체형(阻滯型)─F. 수정(水停) 타입

(비위기허(脾胃氣虛),열화(熱化)를 동반)

처방

황련탕(黃連湯) + 평위산(平胃散)
황련탕(黃連湯) + 저령탕(猪苓湯)

증례4의 처방 해설

타입 분류에는 소개되어 있지 않은 「황련탕(黃連湯) 엑스제」를 사용한 증례이다. 「황련탕(黃連湯)」은 「반하사심탕(半夏瀉心湯)」과 같이 심하비(心下痞)와 상열하한(上熱下寒)에 더하여 비위(脾胃)의 기허(氣虛) 증상이 나타날 때 쓰는데, 「반하사심탕」이 심하비(心下痞)에 중점을 두고 있는 것에 대해 「황련탕(黃連湯)」은 상열하한(上熱下寒)의 대응에 중점을 두고 있는 처방이다. 또한 계지(桂枝)가 들어가 있어서 그만큼 온산(溫散)이나 이뇨 작용이 강하다.

이 「황련탕(黃連湯)」에 더하여 조습(燥濕)하여 비(脾)의 운화(運化)를 촉진하고 행기화위(行氣和胃) 시키는 평위산(平胃散)을 합방하여 처방함으로서 입의 끈적임과 입이 쓴 증상은 개선되었으나 목마름과 구취, 그리고 소변색이 짙고 소변이 잘 나오지 않는 상태는 그대로였다. 이때 평위산(平胃散)보다 청열(淸熱)[22]과 이뇨 작용이 강하고 성분 중의 아교에 의해 습(濕)을 조절할 수 있는 저령탕(猪苓湯)으로 바꾸어 좋은 효과를 보았다.

【조성】
황련탕(黃連湯) 반하(半夏), 황련(黃連), 감초(甘草), 계피(桂皮), 대조(大棗), 인삼(人蔘), 건강(乾薑)
평위산(平胃散) 창출(蒼朮), 후박(厚朴), 진피(陳皮), 대조(大棗), 감초(甘草), 생강(生薑)
저령탕(猪苓湯) 택사(澤瀉), 저령(猪苓), 복령(茯苓), 아교(阿膠), 활석(滑石)

증례4의 분석

이 증례는 파일로리 균 제거제를 복용한 후 비위(脾胃)의 승강(升降)이 실조되어 일어난 증례이다. 위(胃)의 화강(和降)[23]이 실조되어 정상적인 수납(受納)이 안 되어 식욕감퇴와 위트림 등이 나타나고, 위기(胃氣)가 조체(阻滯)되어 위통이나 심하비(心下痞)가 나타나며, 비(脾)가 정상적으로 진액을 승청(昇淸)하지 못해서 입의 건조 증상이 나타났고, 탁음(濁陰)[24]을 운화(運化)하지 못하여 입에 끈적임이 나타났으며, 무른 변과 소변량의 감소가 나타났다. 또한 이 상태가 조금 만성화가 되어 버려서 정체(停滯)된 위기(胃氣)나 탁음(濁陰)이 열화(熱化)되어 소변색이 짙고, 설태는 황니태(黃膩苔)[25]가 나타났으며 또한 탁음에 비기(脾氣)가 억제되어 권태, 피로감 등의 기허(氣虛) 증상을 동반하게 되었다.

---

22) 체내의 열을 내리는 것이다.
23) 소화한 음식물을 소장 등으로 내려 보내는 위(胃)의 작용 중 하나. 강탁(降濁)기능을 이른다.
24) 체내에서 아래로 내려 보내는 탁하고 걸쭉한 물질
25) 미세한 입자가 밀집되어 마치 기름을 바른 듯이 붙어서 잘 떨어지지 않는 황색의 설태를 이른다.

「입이 건조하다.」

입이 마르고, 물을 많이 마시고 입이 끈적임.		조체형(阻滯型) 수정(水停) 타입의 특성
피로권태감, 식욕 감퇴, 무른 변		비기허(脾氣虛)의 증후(症候)
신체 소수(消瘦), 안구건조, 설첨(舌尖)의 열문(裂紋)		음허(陰虛)의 증후(症候)
스트레스, 안절부절 못함, 어깨 뭉침		간울(肝鬱) 증후 (비기허(脾氣虛)를 촉진)

【증례5】환자: 여성 연령: 49세 기혼 전업주부 신장: 151cm 체중 42kg

[초 진] 2007년 8월 9일
현병력: 7~8년 전에 안과에서 안구 건조를 진단받았다. 금년 들어 구강 건조, 뺨이나 입술의 종창감 (腫脹感), 미열이 나기 시작했다. 2007년 7월에 대학병원에서 진료를 받으니 쇼그렌 증후군 (Sjögren syndrome)의 의심이 있다고 진단받아 걱정이다(SSA, SSB는 음성, 항핵 항체는 양성).
과거력: 특별히 없음.
현 증상: 평소 물을 벌컥벌컥 들이킬 정도로 구갈(口渴) 증상이 심하진 않았는데 입 안이 건조하여 식사 도중 물을 자주 마신다. 그리고 입안의 끈적임도 있다. 안구건조 때문인지 만성적인 눈의 피로 가 있으며 스트레스를 많이 받고 안절부절 못하고 어깨도 잘 뭉친다. 피로감이나 권태감도 있 으며 식욕이 감퇴하여 무른 변을 잘 본다. 폐경은 아직 시작되지 않았으며 생리통이 있다.
설진(舌診) 소견: 설질은 어두운 홍색이고 혀 앞 1/3에 열문(裂紋)이 있으며 설하정맥노장(舌下靜脈 怒張)[26]이 있다. 설태는 건조하고 약간 황색이다.
맥진(脈診) 소견: 맥침세약(脈沈細弱)
변증(辨證): 허열형(虛熱型)의 폐위(肺胃) 타입과 조체형(阻滯型)의 수정(水停) 타입(비위기허(脾 胃氣虛)를 동반하는 혼합형)
처방: 가미소요산(加味逍遙散) 엑스제 7.5g/3번 나누어, 맥문동탕(麥門冬湯) 엑스제 7.5g/3번 나 누어 투여 14일분

[재 진] 2007년 8월 24일
아침에 목이 마른 것은 현저하게 개선되었으나 낮이나 밤의 건조 증상은 그대로이고, 식욕은 회복되 었으나 피로 권태감이 강해졌다.
처방: 보중익기탕(補中益氣湯) 엑스제 7.5g / 3번 나누어, 맥문동탕(麥門冬湯) 7.5g / 3번 나누어 투여 14일간

[3 진] 2007년 9월 13일
구강 건조는 날마다 바뀌며 상태가 좋은 날도 있고 건강상태는 양호하다.
처방: 재진 때와 동일

[4 진] 2007년 9월 27일
구강 건조는 60% 개선되었고 일상생활에서의 지장은 사라졌다. 스트레스(가족들의 걱정)가 있으면 상태가 나빠진다.
처방: 가미소요산(加味逍遙散) 엑스제 7.5g/3번 나누어, 맥문동탕(麥門冬湯) 7.5g/3번 나누어, 황 기(黃芪)가루 2g/3번 나누어 투여 14일분

[5 진] 2007년 10월 11일
건조 증상은 거의 나타타지 않는다.
처방: 4진(四診)과 동일. 경과 관찰로 이행.

---

26) 혀 아래 정맥이 확장된 것.

허열형(虛熱型)—D. 폐위(肺胃) 타입
조체형(阻滯型)—F. 수정(水停) 타입의 혼합형
(비위기허(脾胃氣虛)를 동반)

맥문동탕(麥門冬湯) + 보중익기탕(補中益氣湯) (피로 권태가 강한 경우)

맥문동탕(麥門冬湯) + 가미소요산(加味逍遙散) (스트레스가 강한 경우)

증례5의 처방 해설

처방의 핵심은 폐위(肺胃)의 진조음허(津燥陰虛)에 대응하는 「맥문동탕(麥門冬湯)」이다. 초진과 4진, 5진때는 스트레스를 고려하여 「가미소요산(加味逍遙散)」을 합방하였다. 재진과 3진에서는 비위(脾胃)를 보익(補益)하는 한방방제 중 비(脾)의 승청(昇淸)을 촉진하는 황기(黃芪)와 시호(柴胡)를 포함하는 「보중익기탕(補中益氣湯)」이 가장 효과가 좋으므로 피로와 권태를 고려하여 「보중익기탕(補中益氣湯)」을 합방하였다. 4진과 5진에서 스트레스를 고려한 것은 초진에서와 같으며, 승청(昇淸)을 촉진하기 위해 황기(黃芪) 가루를 더하여 유효성이 높아졌다.

【조성】
맥문동탕(麥門冬湯) 맥문동(麥門冬), 반하(半夏), 대조(大棗), 감초(甘草), 인삼(人蔘), 갱미(粳米)
보중익기탕(補中益氣湯) 황기(黃芪), 백출(白朮), 인삼(人蔘), 당귀(當歸), 시호(柴胡), 대조(大棗), 진피(陳皮), 감초(甘草), 승마(升麻), 생강(生薑)
가미소요산(加味逍遙散) 시호(柴胡), 작약(芍藥), 백출(白朮), 당귀(當歸), 복령(茯苓), 산치자(山梔子), 목단피(牧丹皮), 감초(甘草), 생강(生薑), 박하(薄荷)

증례5의 분석

환자의 증후에는 피로, 권태, 식욕감퇴, 무른 변 등의 비기허(脾氣虛) 증상이 많으므로 그 병리기전은 만성적인 비기허(脾氣虛)가 있고, 그로 인해 진액이 승청(昇淸)되지 못하여 무른 변과 함께 아래로 내려가 버리므로 눈이나 입의 점막에 도달해 그곳을 자윤(滋潤)하지 못하는 것으로 생각된다. 병정(病程)이 짧다면 「조체형(阻滯型)-수정(水停) 타입의 비위기허(脾胃氣虛)를 동반한 것」으로 보고 치료하겠지만 안구건조가 발생하고 7년 이상 경과한 것과 몸이 말라 있는 것, 신체 상부를 반영하는 혀 끝 부분에 열문(裂紋)이 있는 것 등을 생각하면 이미 환부는 진조음허(津燥陰虛)가 진행된 상태라고 판단하였다. 그래서 「허열형(虛熱型)-폐위(肺胃) 타입」과의 혼합 타입이 되는 것이다. 본래의 정확한 변증은 「기음양허(氣陰兩虛)」이다.

안구건조에 대해서는 간(肝)은 눈에 개규(開竅)하므로 간음허(肝陰虛)도 생각할 수 있겠으나 달리 이렇다 할 증후는 보이지 않았다. 일반적으로 몸집이 작고 간혈(肝血)이 부족한 여성은 월경이 지연되거나 폐경 연령이 빨라지는 특징을 보인다. 이 환자의 경우에는 49세이고, 앞서와 같은 특징은 보이지 않아서 간음허(肝陰虛)라고 변증하기가 어렵다. 이 외에 집안일이나 병명(病名) 등에 스트레스를 받고 있으며, 스트레스에 의해 간기(肝氣)가 울결(鬱結)되면 비(脾)에 영향을 미쳐 손상시키므로 비기(脾氣)가 회복하기 어려워진다. 실제 처방 시에는 그런 정황도 고려할 필요가 있다.

「입이 건조하고 따끔거린다.」

감기에 의해 일어남. 입의 건조, 찬 물을 즐겨 마심.	➡ 실열형(實熱型) 기분(氣分) 타입의 특성
만성 위염에 의한 위트림 설질은 홍색, 열문이고, 설태는 적다.	➡ 위(胃)의 음허(陰虛) 증후
피로감, 무른 변, 식욕감퇴	➡ 비위기허(脾胃氣虛)의 증후

【증례6】환자: 여성 연령: 71세 기혼 전업주부 신장: 152cm 체중 52kg

[초 진] 2007년 6월 1일

현병력: 2007년 3월에 감기에 걸린 후부터 입속이 건조되었고 따갑고 거친 느낌이 든다.

과거력: 만성 위염

현 증상: 입이 건조하여 차가운 것을 잘 마신다. 따갑고 거친 느낌은 소금기가 많은 음식이나 뜨거운 음식에는 그다지 영향을 받지 않았다. 만성 위염이 있으므로 식욕은 그다지 없고 위트림도 잘 나오고 쉽게 지치는 체질이다.

설진(舌診) 소견: 설질은 홍색이고 열문이 있다. 설태는 적었다.

맥진(脈診) 소견: 맥침세(脈沈細)

변증(辨證): 실열형(實熱型)의 기분(氣分) 타입과 허열형(虛熱型)의 폐위(肺胃) 타입의 혼합형

처방: 맥문동탕(麥門冬湯) 엑스제 7.5g/3번 나누어, 길경석고탕(桔梗石膏湯) 엑스제 7.5g/3번 나누어 투여 14일분

[재 진] 2007년 6월 15일

따가운 느낌과 혀가 붉은 것은 경감되었다. 조금 무른 변이 나오고 식욕이 더욱 없어졌다.

처방: 삼령백출산(蔘苓白朮散) 엑스제 6.0g/3번 나누어, 맥문동탕(麥門冬湯) 엑스제 7.5g/3번 나누어 투여 14일분

[3 진] 2007년 7월 5일

위장의 상태는 개선되었으나 더위로 땀이 많이 나고 피로감이 있다.

처방: 2진의 처방에 황기(黃芪) 가루 2g을 더했다. 투여 14일간

[4 진] 2007년 7월 20일

구강 건조는 그다지 신경쓰지 않게 되었다.

처방: 3진과 동일.

실열형(實熱型)—A. 기분(氣分) 타입
허열형(虛熱型)—D. 폐위(肺胃) 타입의 혼합형
(기허(氣虛)를 동반)

맥문동탕(麥門冬湯) + 길경석고탕(桔梗石膏湯) (열이 강한 기간)

맥문동탕(麥門冬湯) + 삼령백출산(蔘苓白朮散)

(열이 잡히고 기음양허(氣陰兩虛)가 주가 된 경우)

증례6의 처방 해설

초진에서 실열형(實熱型)의 기분(氣分) 타입과 허열형(虛熱型)의 폐위(肺胃) 타입이라고 판단하였으므로 길경석고탕(桔梗石膏湯)과 맥문동탕(麥門冬湯)을 합방하여 사용하였는데 따가운 느낌과 설질이 붉게 변한 것은 경감되었으나, 자음(滋陰)[27]에 치우쳐 대변이 물러지고 식욕도 더욱 감퇴되었다. 그래서 재진 시에는 길경석고탕(桔梗石膏湯)을 삼령백출산(蔘苓白朮散)으로 바꾸어 기음(氣陰)을 둘 다 보(補)하여 입의 건조와 위장 증상 모두를 개선하였다.

【조성】
소시호탕(小柴胡湯) 맥문동(麥門冬), 반하(半夏), 대조(大棗), 감초(甘草), 인삼(人蔘), 갱미(粳米)
길경석고탕(桔梗石膏湯) 길경(桔梗), 석고(石膏)
삼령백출산(蔘苓白朮散) 인삼(人蔘), 산약(山藥), 백출(白朮), 복령(茯苓), 의이인(薏苡仁), 편두(扁豆), 연육(連肉), 길경(桔梗), 숙사(宿紗), 감초(甘草)

증례6의 분석

감기에 의해 실열형(實熱型)의 기분(氣分) 타입의 구강건조증이 생겼으나 원래부터 만성 위염이 있었고 차츰 위음(胃陰)이 손모(損耗)되어 허열(虛熱)형으로 바뀌어가는 중이었다. 입이 건조하여 차가운 것을 잘 마시는 것은 실열형(實熱型)의 기분(氣分) 타입의 특성이다. 설질은 홍색이고 열문(裂紋)이 있으며 설태가 거의 없는 것은 음허(陰虛)임을 나타내 준다. 재진에서는 식욕감퇴가 강해진 것에 더하여 무른 변이 나오고, 평소에도 비위(脾胃)는 위음허(胃陰虛) + 비기허(脾氣虛)의 기음양허(氣陰兩虛)였던 것으로 생각할 수 있다.

---

27) 보음(補陰)의 의미이다.

「입이 건조하고 입 냄새가 신경쓰인다.」

폭음폭식 후에 갑자기 발생. 입이 건조해지고 물은 많이 마시지 않는다.	➡️ 실열형(實熱型) 습열(濕熱) 타입의 특성
스트레스를 받고, 입이 쓰고, 흉협창통(胸脇脹痛), 과식, 입 냄새	➡️ 간기범위(肝氣犯胃) 증후 (간울(肝鬱)이 위(胃)에 이르러서 열화(熱化))
설질은 홍설(紅舌)이고 설태는 황니태(黃膩苔)	➡️ 습열(濕熱)의 증상

【증례7】환자: 여성 연령: 52세 기혼 전업주부 신장: 166cm 체중 68kg

[초 진] 2007년 6월 1일

현병력: 연말연시에 폭음 폭식을 한 탓인지 작년 1월부터 입이 건조해졌다. 내과나 이비인후과에 갔더니 입안에 특별한 이상은 없다고 하였으나 그 후 미란[28]성 위염(糜爛性 胃炎)이 발견되었다.

과거력: 특별히 없다.

현 증상: 입이 건조하지만 그렇게 많이 물을 마시진 않았다. 식욕은 왕성하며 조금 과식하는 듯 하다. 스트레스를 받고 있으며 입이 쓰거나 흉협(胸脇)이 창만(脹滿)함을 느낀다. 갱년기라서인지 월경은 불규칙하고 월경혈(月經血)은 적으며 그와 함께 다리는 차지만 얼굴에는 피가 몰리고 땀이 많이 나게 되었다.

설진(舌診) 소견: 설질은 홍색이고 설태는 황색의 후니태(厚膩苔)이다.

맥진(脈診) 소견: 맥현활(脈弦滑)

변증(辨證): 실열형(實熱型)의 습열(濕熱) 타입

처방: 반하사심탕(半夏瀉心湯) 엑스제 7.5g / 3번 나누어, 평위산(平胃散) 엑스제 7.5g / 3번 나누어 투여 7일분

[재 진] 2007년 6월 8일

입의 건조가 조금 경감되었다.

처방: 황련탕(黃連湯) 엑스제 7.5g/3번 나누어, 평위산(平胃散) 엑스제 7.5g/3번 나누어 투여 14일분

[3 진] 2007년 6월 26일

건조는 경감되었으나 아직 설태가 신경 쓰이며, 입이 쓰고 흉협부의 창만감이 있다. Gum Test[29]의 결과는 13.5mL였다.

처방: 죽여온담탕(竹茹溫膽湯) 엑스제 7.5g/3번 나누어 투여 7일간.

[4 진] 2007년 7월 11일

입의 건조는 개선되었고 입이 쓴 증상도 사라졌다. 그러나 혀의 위화감이 있으며 설태도 신경쓰인다.

처방: 죽여온담탕(竹茹溫膽湯) 엑스제 7.5g/3번 나누어, 평위산(平胃散) 엑스제 3.75g(1/2량)/3번 나누어 투여 14일분

[5 진] 2007년 7월 25일

혀의 위화감이 사라졌다.

---

28) 미란(糜爛, erosion)은 피부나 점막의 표층이 문드러진 것인데, 표면 상피세포가 손실되어 점막의 결손이 생겼을 때 그 깊이가 점막의 내근층을 넘지 않는 것을 의미한다.

29) Gum test. 무미(無味)의 Gum을 10분간 씹게 하고, 그 동안에 분비된 타액을 작은 용기에 모아 담아 측정한다. 모인 타액의 양이 10mL 이하이면 타액 분비가 저하되어 있는 것이며 이때 gum test 양성 판정이 내려진다.

실열형(實熱型)─C. 습열(濕熱) 타입

처방

평위산(平胃散) + 반하사심탕(半夏瀉心湯) (상열하한(上熱下寒)이 강한 경우)

평위산(平胃散) + 황련탕(黃連湯)

평위산(平胃散) + 죽여온담탕(竹茹溫膽湯) (간울(肝鬱)이 강한 경우)

증례7의 처방 해설

본래 실열형(實熱型)의 습열(濕熱) 타입은 평위산(平胃散) + 황련해독탕(黃連解毒湯)을 사용하지만 갱년기에 의한 냉증, 피 몰림 등을 생각해서 초진에서는 반하사심탕(半夏瀉心湯), 재진에서는 황련탕(黃連湯)을 합방하였다. 이 2개의 방제는 모두 심하비(心下痞)와 상열하한(上熱下寒), 그리고 비위(脾胃)의 기허(氣虛)가 나타난 경우에 사용하는데 「반하사심탕」이 「심하비」에 중점을 둔 처방이라면 「황련탕」은 「상열하한(上熱下寒)」에 중점을 두고 있다. 이 처방에 의해 입의 건조는 후에 경감되었으나 입이 쓰거나 흉협창만(胸脇脹滿) 증상은 크게 나아지지 못했다.

그래서 3진에서는 습열(濕熱) 제거와 스트레스에 효과적인 죽여온담탕(竹茹溫膽湯)과 소시호탕(小柴胡湯)을 합방하여 간울(肝鬱) 증상을 개선시킬 수 있었다. 4진에서는 동일한 처방으로는 설태가 신경쓰이므로 평위산(平胃散)을 조금 더하여 행기화위(行氣和胃)와 조습(燥濕) 작용을 강화하였다. 그러나 상용량을 사용하면 죽여온담탕에도 거담조습(去痰燥濕) 작용이 있으므로 평위산에 의한 조습(燥濕)과 더해져서 조습이 과도하게 되어 건조가 유발될 위험이 있으므로 일부러 처방량을 반으로 줄였다.

【조성】
평위산(平胃散)　창출(蒼朮), 후박(厚朴), 진피(陳皮), 대조(大棗), 감초(甘草), 생강(生薑)
반하사심탕(半夏瀉心湯)　반하(半夏), 황금(黃芩), 건강(乾薑), 인삼(人蔘), 감초(甘草), 대조(大棗), 황련(黃連)
황련탕(黃連湯)　반하(半夏), 황련(黃連), 감초(甘草), 계피(桂皮), 대추, 인삼, 건강(乾薑)
죽여온담탕(竹茹溫膽湯)　반하(半夏), 시호(柴胡), 맥문동(麥門冬), 복령(茯苓), 길경(桔梗), 지실(枳實), 향부자(香附子), 진피(陳皮), 황련(黃連), 감초(甘草), 생강(生薑), 인삼(人蔘), 죽여(竹茹)

증례7의 분석

입이 건조하지만 그렇게 많이 마시지 않는다고 하는 것을 설질이 홍색이고 설태가 황색에 후니태(厚膩苔)라는 것과 종합해보면 습열(濕熱)타입이다. 일반적으로 설태가 두꺼운 것은 습(濕)이 많거나 또는 식체(食滯)가 있는 경우이다. 수반 증상으로 무른 변이나 부종 등이 보이지 않으므로 과식에 의한 식체라고 생각할 수 있겠다. 그 과식의 원인도 갱년기에 동반되는 스트레스의 증가 때문일 것으로 추측하였다. 입이 쓰거나 흉협 창만(胸脇 脹滿), 현맥(弦脈)은 간울(肝鬱)의 증후이며, 간울에 의한 기기(氣機)의 실조가 위(胃)에 영향을 주어 간기범위(肝氣犯胃)가 되었다. 이에 의해 위기(胃氣)가 조체(阻滯)되어 열화(熱化)되면 과식, 소곡선기(消穀善飢), 입냄새 등이 나타난다. 이는 또한 작년의 미란성 위염의 방아쇠 역할을 한 게 아닌가 생각된다.

각 타입의 기본적인 증후와 처방 정리

실열형(實熱型) – A. 기분(氣分) 타입 (폐위열성(肺胃熱盛))

증후: 비교적 급격하게 시작하고, 심한 갈증이 있으며, 찬 물을 마시고 싶어 한다. 전신 소견은 열성(熱性) 병에 의한 것은 고열과 많은 땀을 흘리는 증상이 나타나며, 식사 때문에 생긴 상소(上消)[30]에 의한 것은 고열이 나지 않는 대신 오후가 되면 열감이 높아지는 일포조열(日晡潮熱)이 나타난다. 또한 안면홍조(顔面紅潮), 소변단적(小便短赤)[31] 등의 증후를 볼 수 있다. 그리고 변비와 복부 팽만을 동반하는 것은 위열(胃熱)이 강한 타입이며 해수(咳嗽)[32]나 흉통을 동반하는 것은 폐열(肺熱)이 강한 타입이다. 설질(舌質)은 적색이고 망자(芒刺)[33]가 있으며 설태(舌苔)는 황색에 건조하고 맥홍대(脈洪大)[34]의 증후를 볼 수 있다.

처방: 폐열(肺熱)이 강한 타입은 「마행감석탕(麻杏甘石湯)」이나 「길경석고탕(桔梗石膏湯)」을 사용하고, 위열이 강한 타입은 「백호가인삼탕(白虎加人蔘湯)」을 처방한다. 변비가 강한 타입에는 「황련해독탕(黃連解毒湯)」에 「조위승기탕(調胃承氣湯)」 또는 「대황감초탕(大黃甘草湯)」을 합방하여 사용한다.

실열형(實熱型) – B. 영혈(營血) 타입 (열입영혈(熱入營血))

증후: 입이 말라도 그다지 물이 당기지 않는다. 전신 소견은 야간에 열감(熱感)이 강하고 심한 섬어(譫語)[35]와 번조(煩燥)[36] 증상이 있으며 반진(斑疹)이 나타나기도 한다. 설질(舌質)은 심홍색이고 혀 끝이 특히 붉어지며 망자(芒刺)가 보인다. 맥은 세삭맥(細數脈)[37]이다.

처방: 「천왕보심단(天王補心丹)」에 황련(黃連) 가루 또는 「육신환(六神丸) - 또는 우황(牛黃) 가루도 좋다.」을 더해서 처방한다(본래는 청영탕(淸營湯)이나 서각지황탕(犀角地黃湯)을 사용한다).

실열형(實熱型) – C. 습열(濕熱) 타입

증후: 입이 말라도 물을 잘 안마시고 마셔도 소량만 마신다. 전신 소견은 가슴이나 배가 답답하고 괴롭고 번조(煩燥) 증상이 있고, 몸이 무거우며(身重), 변비 또는 무른 변이 시원하게 잘 안 나온다. 몸에는 열감이 있는데 오후에 열감이 강하고 식욕감퇴가 있으며, 소변색은 황색이고 노란색 가래가 보인다. 설질(舌質)은 붉은 홍색이며 설태(舌苔)는 황니태(黃膩苔), 맥은 유삭맥(濡數脈)[38] 또는 활삭맥(滑數脈)을 보인다.

처방: 「황련해독탕(黃連解毒湯)」에 「오령산(五苓散)」을 합방하거나 「황련해독탕(黃連解毒湯)」에 「평위

---

30) 소갈 증상 중 하나
31) 소변색이 붉고 양이 적은 증상
32) 기침
33) 혓바늘
34) 폭이 대(大)하고 실(實)한 맥이다.
35) 헛소리, 잠꼬대
36) 답답하고 열이 남
37) 폭이 좁고 주기가 빠른 맥
38) 깊이는 얕고 폭이 좁고 허하며 주기가 빠른 맥이다.

산(平胃散)」을 합방하여 사용한다. 열이 강한 경우에는 「황련해독탕(黃連解毒湯)」에 「인진오령산(茵蔯五苓散)」을 합방하여 사용하고, 변비가 있다면 「황련해독탕(黃連解毒湯)」에 「인진호탕(茵蔯蒿湯)」을 합방하여 사용한다.

허열형(虛熱型) – D. 폐위(肺胃) 타입 (폐조(肺燥) 또는 위음허(胃陰虛))

증후: 입 안이 건조하다. 폐(肺)의 건조가 강한 것은 가을과 겨울의 건조한 시기에 더 악화된다. 「실열형(實熱型) – 기분(氣分)타입」에서 만성화된 것이 위음허(胃陰虛)이며 위(胃)의 건조가 강하고 매운 것을 먹으면 악화되기 쉽다. 일반적인 소견으로는 구강 건조와 함께 코, 목, 입술도 건조되며 변비가 관찰된다. 이외에 폐조(肺燥)가 강한 것은 가래는 적고 마른기침이 나온다. 가슴이 번조(煩燥)하며 통증이 있고, 피부 건조 등이 관찰된다. 위음허(胃陰虛)가 강하면 가슴이 답답하고 쓰리며 위(胃)의 작열감이 있고, 공복감이 있어도 많이 먹지 못하는 증상 등이 보인다. 설질(舌質)은 붉은 홍색, 설태(舌苔)는 박(薄)하고 건조해 있으며 맥은 세삭맥(細數脈)이다.

처방: 「청폐탕(清肺湯)」, 「신이청폐탕(辛夷清肺湯)」, 「자음강화탕(滋陰降火湯)」, 「맥문동탕(麥門冬湯)」, 「맥미지황환(麥味地黃丸 – 중성약(中成藥)[39])」등으로부터 선택하고 경우에 따라서는 합방하여 사용한다. 이외에도 최근 제제로 만들어진 소갈(消渴)의 상소(上消)용으로 나온 「다이아베트」[40]도 효과가 있다.

허열형(虛熱型) – E. 신(腎) 타입 (음허화왕(陰虛火旺)[41])

증후: 입이나 목이 건조하고 밤에 더 심하다. 음양양허(陰陽兩虛)로 진행된 타입에서는 목은 건조하지만 따뜻한 물을 마시고 싶어 한다. 일반 소견으로는 야간조열(夜間潮熱)[42], 가슴이나 손발이 달아오르는 오심번열(五心煩熱) 증상이 생기고 잠을 이루지 못한다. 현훈(眩暈) 증상이 있고, 뺨이 붉고, 이명이나 난청 증상이 있고, 몸이 마른 사람에게서 많이 보인다. 음양양허(陰陽兩虛) 타입에서는 그에 더해서 요슬냉통(腰膝冷痛), 소변청장(小便清長)[43], 심신 피로감 등의 증상이 더해진다. 설질(舌質)은 통상적으로 붉은 홍색이고, 혀는 홀쭉하며[44], 설태는 적다. 그러나 음양양극(陰陽兩極) 타입에서는 설질의 붉은 색은 줄어들고 설근(舌根)에 백태(白苔)가 보인다. 맥은 침세삭(沈細數)[45]한데 척맥(尺脈)의 세약(細弱)이 현저하다.

처방: 「육미지황환(六味地黃丸)」에 「자음강화탕(滋陰降火湯)」 또는 「천왕보심단(天王補心丹)」을 합방하

---

39) 중성약(中成藥): 중약재를 사용하여 환제, 산제, 과립제, 캡슐제, 주사제, 도포제 등의 제제 형태로 가공한 의약품
40) 일본에서 판매하고 있는 생약제제 상품명. 혈당 강하 작용이 있는 인삼, 지황을 중심으로 당뇨 자각 증상인 구갈(口渴), 다뇨(多尿)등을 완화시켜 주는 생약으로 구성된 한방제제이다.
41) 음허(陰虛)로 인해 허열(虛熱)이 심한 증상
42) 밤에 열이 올랐다 내렸다 하는 것.
43) 맑은 소변이 자주 나오는 것
44) 수박설(瘦薄舌)을 의미한다.
45) 깊은 곳에서 좁은 폭으로 빠른 주기로 뛰는 맥

여 사용한다. 음양양허(陰陽兩虛) 타입에는 음허(陰虛)가 양허(陽虛)보다 강한 경우와 양허(陽虛)가 음허(陰虛)보다 강한 경우가 있다. 전자는 「육미지황환(六味地黃丸)」을 사용하고 후자는 「팔미지황환(八味地黃丸)」이나 「우차신기환(牛車腎氣丸)」을 사용한다.

조체형(阻滯型) – F. 수정(水停) 타입 (수음내정(水飮內停))

증후: 입이나 혀가 건조하지만 물을 많이 마시고 싶어 하지 않으며 혹 머시더라도 기분이 나빠진다. 일반 소견은 심하부나 복부의 팽만감, 몸이 무겁고 나른하며(身重), 부종이 있고, 소변이 잘 안 나오며, 소변량이 적고, 현훈(眩暈) 증상이 있고, 혹은 상복부나 제하부(臍下部)의 동계(動悸)가 관찰된다. 비위기허(脾胃氣虛)로 이행하는 경우에는 그에 더해서 식욕감퇴, 권태, 무력감, 무른 변으로 설사가 잘 나오는 등의 증후를 동반한다. 정체되어 있는 수음(水飮)[46]이 열화(熱化)되어 습열(濕熱)이 되기도 하며 그 경우에는 실열형(實熱型)의 습열(濕熱) 타입의 증후를 참조하면 된다. 설태는 백활태(白滑苔)[47] 또는 백니태(白膩苔)[48]가 보인다. 비위기허(脾胃氣虛)에는 그에 더하여 반대설(胖大舌)[49]이나 치흔(齒痕)[50]이 나타나며 설질의 색은 엷어진다. 맥은 침현맥(沈弦脈)[51]이 나타난다. 비위기허(脾胃氣虛)인 경우의 맥은 유맥(濡脈)[52]이나 완맥(緩脈)[53], 또는 세활맥(細滑脈)[54]이 관찰된다.

처방: 수음(水飮)의 정체가 심하부에 있어서 흉복부가 답답하거나 오심(惡心)이 강한 경우에는 「영계출감탕(苓桂朮甘湯)」을 처방하고, 하초(下焦)에 있어서 하지 부종이나 배뇨 감소가 강한 경우에는 「오령산(五苓散)」을 사용한다. 수음(水飮)이 열화된 경우에는 「인진오령산(茵蔯五苓散)」으로 바꾼다. 비위기허(脾胃氣虛)로 이행한 경우에는 「삼령백출산(蔘苓白朮散)」 또는 「계비탕(啓脾湯)」에 「보중익기탕(補中益氣湯)」을 합방하여 사용한다.

조체형(阻滯型) – G. 기체(氣滯) 타입

증후: 입이나 인후가 건조하고 마셔도 갈증이 나아지지 않는다. 양쪽 턱에 종창(腫脹)을 잘 동반한다. 일반 소견은 안절부절 못하고 잘 화내며 정신억울(精神抑鬱), 협복부(脇腹部)나 계륵부(季肋部)의 창통(脹痛), 목이 메이는 감, 입이 쓰게 느껴지고 (口苦), 현훈(眩暈) 증상이 있고, 눈이 쉽게 충혈되어 빨개지거나(目赤), 침침해지고, 월경불순 등의 증상이 보인다. 기체혈어(氣滯血瘀) 타입에서는

---

46) 담음(痰飮)을 의미.
47) 흰색의 끈적끈적한 점액질이 덮인 모양의 설태
48) 흰색의 기름진 듯한 설태
49) 두터운 혀
50) 혀의 가 쪽에 생기는 이빨에 눌린 자국
51) 깊은 곳에서 느껴지는 저항감 있고 장(長)하고 단직한 맥
52) 깊이가 얕고 폭이 좁으며 허한 맥
53) 저항감이 없는 맥
54) 폭이 좁고 상승각과 하강각이 가파르며 빠르게 오르내리는 맥

이에 더하여 눈 주위가 거뭇해지고 피부색은 검게 갑착(甲錯)[55]하고 굳은 살이 생기며, 월경통 등이 더해진다. 설진 소견은 일반적으로 설태는 박백태(薄白苔)가 되지만, 울열(鬱熱)이 있으면 설질은 홍색이 되고 설태는 박황(薄黃苔)가 된다. 기체혈어(氣滯血瘀) 타입으로 발전하면 설하정맥은 검게 노장(怒張)되고 설질은 청자색이 되거나 담암(淡暗)해지며 심한 경우에는 어점(瘀點)이나 어반(瘀斑)이 보이기도 한다. 맥은 현세맥(弦細脈)[56]이 나타나지만 기체혈어(氣滯血瘀) 타입에서는 현삽맥(弦澁脈)[57]이 된다.

처방:「가미소요산(加味逍遙散)」을 사용하고 어혈(瘀血)이 있을 때는「사물탕(四物湯)」을 합방한다.

---

55) 피부가 자윤하지 못하고 무석무석해진 증상
56) 저항감이 있고 단직하고 장(長)하면서 폭이 좁은 맥
57) 저항감이 있고 단직하고 장(長)하면서 느리게 수축하고 오르내림이 뻑뻑한 맥

병리 기전

타액은 구진(口津)이라고 일컬어지는데 구강 내의 진액(津液)을 가리킨다. 진액의 생성과 분포와 배설은 비(脾)의 생화(生化)와 운화(運化), 폐(肺)의 통조수도(通調水道), 신(腎)의 기화(氣化)를 중심으로 저뇨(貯尿)와 배뇨(排尿)를 행하는 방광, 수도(水道)인 삼초(三焦), 기기(氣機)를 조절하는 간(肝)이 관여하여 행해진다. 또한 오행(五行)론의 오액(五液) 중에 타액과 관계있는 것[58]으로서 연(涎)과 타(唾)가 있다. 그래서 진액 대사에 관여하는 장부 중에 연(涎)에 관여하는 비위(脾胃)와 타(唾)에 관여하는 신(腎)은 구진(口津)에 있어서 특히 큰 관련이 있다 하겠다.

입의 건조감은 진액이 구강 안을 축이지 못해서 발생하지만 이를 일으키는 메커니즘은 크게 3가지로 나누어 생각할 수 있다.

1) 화열(火熱)이 왕성해 진액이 손상된 경우. 그 대부분은 실열형(實熱型)에 속한다.
2) 본질적으로 음진(陰津)이 부족한 경우. 그 대부분은 허열형(虛熱型)에 속한다.
3) 전신의 진액 소모나 부족이 없더라도 운반과정의 문제가 생겨 구강으로 전달되지 못한 경우에는 조체형(阻滯型 - 진액운반 실조형)에 속한다.

이상의 3가지를 앞서 이야기한 장부 작용과 합하면 아래와 같은 구체적인 병증(病證) 타입이 된다.

실열형(實熱型)

봄과 가을 사이의 따뜻한 계절에는 온열성(溫熱性)의 병사(病邪)가 성한다. 이 병사의 침입을 받은 질환을 온열병(溫熱病)이라고 한다. 체내의 양명기분(陽明氣分)에 침입하여 발생되는 구강 건조는 「A. 기분(氣分) 타입 - 폐위열성(肺胃熱盛)」이 되며, 병사가 더욱 깊은 영혈분(營血分)까지 침입해 들어가 발생되는 것은 「B. 영혈(營血) 타입 - 열입영혈(熱入營血)」이 된다. 또한 고온다습한 시기가 되면 습열(濕熱)이 습(濕)을 품고 습열(濕熱)의 사기(邪氣)가 되지만 이것이 몸속에서 울증(鬱蒸)하여 구강건조를 일으키는 것이 「C. 습열(濕熱) 타입」이다.

단, 이와 같은 외감성의 것들은 대부분 일과성(一過性)인 경우가 많으므로 임상에서 치료하는 일은 거의 없다.

외감성이 아닌 병인에 의해 실열형이 발생되는 경우도 있다. 3가지 타입 가운데 「A. 기분(氣分) 타입 - 폐위열성(肺胃熱盛)」은 맵고 뜨거운 음식을 너무 편식하면 발생한다. 「C. 습열(濕熱) 타입」은 과음을 하거나, 기름진 음식을 먹거나, 맛이 자극적인 음식을 너무 많이 편식하면 발생한다. 이것들은 소갈(消渴)[59]의 상소(上消)를 잘 일으킨다. 그 메커니즘은 다리의 족양명위경(足陽明胃經)이 입을 포함하고 있고, 위(胃)의 화열(火熱)이나 습열(濕熱)이 왕성해지면 이것이 족양명위경을 통해 구강에 영향을 미쳐 구진(口津)을 마르게 해서 구강건조를 발생시키는 것이다.

허열형(虛熱型)

허열형에 속하는 것은 「D. 폐위(肺胃) 타입」과 「E. 신(腎) 타입」의 2가지로 나눌 수 있다.

「D. 폐위(肺胃) 타입」 중, 폐음(肺陰)이 건조한 것은 「폐조상진(肺燥傷津)」이라고 부르며 건조가 시작되는 가을에 감기에 걸려 조사(燥邪)가 폐의 진액을 손상시키면 발생한다. 또한 호흡기 계통의 만성 질환으로 장기간 기침을 반복해도 일어난다. 목은 폐의 입구라고 불리며 폐의 선발작용(宣發作用)에 의해 운반되는 진액으로 축여지므로 폐조(肺燥)가 있으면 건조가 발생한다.

---

58) 오행(五行)의 목(木), 화(火), 토(土), 금(金), 수(水) 순서로 루(淚), 한(汗), 연(涎), 체(涕), 타(唾)를 의미한다.
59) 현대 의학의 당뇨병에 상당한 것이며 상소(上消), 중소(中消), 하소(下消)의 분류가 있다.

다음으로 위음(胃陰)이 소모되는 타입에서는 실열형(實熱型)의 기분(氣分) 타입의 만성화로 일어나는 외에도 맵고 뜨거운 음식을 편식하는 것에 의해서도 일어난다. 입은 위(胃)의 입구이며 또한 족양명위경(足陽明胃經)은 입을 포함하므로 위음허(胃陰虛)가 있으면 허열(虛熱)이 구강에 영향을 미쳐 구진(口津)을 손상시키고 그로 인해 구강 건조 증상이 나타난다.

신(腎) 타입은 신음(腎陰) 또는 간신(肝腎)의 음(陰)이 손모(損耗)되어 심화(心火)나 간화(肝火)가 편항(偏亢)하여 일어나는 음허화왕(陰虛火旺)에 속한다. 이 타입은 실열형(實熱型)이 장기화되어 진액이 소모되어도 나타나지만 일반적인 만성 질환이나 노화에 의해 간신(肝腎)의 음(陰)의 소모가 진행되고 내열(內熱)이 발생하는 것에 의해서도 나타난다. 족소음신경(足少陰腎經)은 설근부(舌根部)로 들어가므로 신음(腎陰)이 손모(損耗)되면 오액(五液) 중 하나인 「타(唾)」가 부족하게 되어 구진(口津)을 공급하지 못하게 되고 또한 음부제양(陰不制陽)에 동반되는 화왕(火旺)이 구진(口津)을 건조시켜 구강 건조 증상이 나타난다.

신음허(腎陰虛)가 진행되면 음(陰)의 소모가 양(陽)에 이르러 냉증(冷症)을 동반하는 경우가 있다. 특히 노화에 의한 음(陰)의 소모로 증상이 발생하는 것은 노화나 쇠약이 진행된 경우에 더 잘 일어난다. 이를 「음양양허(陰陽兩虛) 타입」이라고 부른다.

조체형(阻滯型) – 진액운반 실조형

여기에 속하는 병증 타입은 수습(水濕)의 정체를 중심으로 한 것과, 간(肝)의 소설(疎泄)[60] 실조로 일어나는 기체(氣滯)에 의한 것의 2가지로 분류할 수 있다. 이 가운데 수분의 과도한 섭취나 신체의 냉증(症) 등 때문에 체내에 수습(水濕)이 정체되는 (수음내정(水飮內停))것에 의해 일어나는 것은 「F. 수정(水停) 타입」이다. 그 기전은 체내에 정체된 수음(水陰)[61]이 양기(陽氣)를 막아 그로 인해 기화(氣化)가 잘 안되고, 진액을 입으로 상승시키지 못하므로 구강 내에 건조가 일어난다. 이 타입이나 앞서 이야기 한 습열(濕熱) 타입이 만성화 되거나, 또는 이것에 피로나 과도한 걱정이 더해지거나 하면 비위(脾胃)가 쇠약해져 운화수액(運化水液) 기능이나 승강(昇降) 기능이 감퇴된 「비위기허(脾胃氣虛)」로 이행된다.

「F. 수정(水停) 타입」과 「비위기허(脾胃氣虛) 타입」은 둘 다 수음(水飮)의 사기(邪氣)와 비위기허(脾胃氣虛)와의 협잡증(挾雜證)이며, 전자는 사기(邪氣)가 중심이 된 실중협허증(實中挾虛證)에 속하고, 후자는 기허(氣虛)가 중심이 된 허중협실증(虛中挾實證)에 속한다.

다음으로 기기(氣機)의 실조를 일으키는 원인이 스트레스나 긴장, 그리고 정신억울(精神抑鬱)에 의한 것은 「G. 기체(氣滯) 타입」이다. 간(肝)은 소설(疎泄)을 주(主)하고, 족궐음간경(足厥陰肝經)의 지맥(支脈)은 「뺨 안쪽으로 하행하고 입술 내측을 돈다.」고 한다. 그래서 스트레스 등에 의해 간기(肝氣)가 울결(鬱結)되고, 이것이 삼초(三焦)의 수도(水道)나 구강 주위를 도는 경락(經絡)의 기기(氣機)에 영향을 미쳐 진액의 운행을 막으면 구건(口乾) 증상이 나타난다. 또한 기울(氣鬱)이 열화(熱化)되어 울열(鬱熱)이 되면 구진(口津)이 말라서 구건(口乾) 증상이 한층 더 심해진다. 이 외에도 기울(氣鬱)이 장기화하여 혈행(血行)에 영향을 주면 어혈(瘀血)을 동반한 기체혈어(氣滯血瘀) 타입으로 발전하는데 입 부위의 어혈(瘀血)이 영향을 주면 신선한 혈액이 흘러들어오지 못하고 국소적으로 습(濕)이 부족해져 구건(口乾) 증상이 나타난다.

---

60) 막힌 것을 소통(疏通)시키고 배설(排泄)시키는 기능을 의미한다.
61) 담음(痰飮)을 의미한다.

악관절증(顎關節症)

- 악관절증(顎關節症)은 입을 여닫거나 저작(咀嚼)을 수행할 때 악관절부에 동통(疼痛), 관절의 잡음, 개구장해를 일으키는 증후로 중의학에서는 「비증(痺證)」이라는 병태에 포함된다.
- 「비(痺)」에는 '막혀서 통하지 않는다.'는 의미가 있다.
- 「비증(痺證)」은 인체의 경근(經筋)[62]을 중심으로 기육(肌肉), 근골(筋骨), 관절(關節) 등에서 기혈(氣血)의 흐름이 막혀서 통증이나 저림, 몸이 무겁고 나른함, 운동 제한, 종창(腫脹) 등의 병증이 나타난다. 현대 의학에서의 류머티스, 만성 관절염, 경추증(頸椎症), 오십견, 신경통, 근육통 등을 포괄한다.
- 그 원인은 풍(風), 한(寒), 습(濕), 열(熱) 등의 외사(外邪)가 인체를 침범하는 것이다.
- 그 외에도 조체(阻滯)가 심해 혈어(血瘀)를 형성하고, 만성화하여 간신(肝腎)의 부족이나 기혈(氣血)의 부족으로 경근(經筋)이나 근골(筋骨)이 영양을 받지 못하는 등의 원인으로 증상이 나타나는 경우도 있다.
- 임상적으로 어혈(瘀血)을 원인으로 하는 것은 스트레스나 긴장으로 인해 나타나는 브럭시즘(Bruxism, 이갈이)에 기인하여 증상이 발생되는 경우가 많다.
- 이 책에서는 악관절증을 3가지의 형(型)으로 크게 나누고 또한 5가지의 병증(病證) 타입으로 증후를 감별하고 각각에 맞춘 한방약을 적절하게 골라 썼다.

2.

62) 경락을 구성하는 요소 중 근육 조직에 해당하는 것

악관절증(顎關節症)의 형(型)과 병증(病證) 타입

외사형(外邪型)

☆ 증상이 급하게 나타난다.

- 비교적 통증이 강하다.
- 압통(壓痛)이 강하다.
- 깨물근이 긴장

한사(寒邪) 타입

☆ 추우면 통증이 있다.
☆ 따뜻하게 하면 경감된다.
☆ 깨물근을 만지면 시리다.
☆ 뻣뻣해져서 여닫지 못한다.

A

열사(熱邪) 타입

☆ 환부에 작열감이 느껴진다.
☆ 차게 하면 증상이 경감된다.

B

조체형(阻滯型)

어혈(瘀血) 타입

☆ 이를 심하게 악문다.
☆ 긴장이나 스트레스가 세져서 이갈이가 악화
☆ 항상 같은 곳이 아프다.
☆ 자통(刺痛)

C

허약형(虛弱型)

- 통증은 가볍고 둔통(鈍痛)
- 깨물근의 긴장이 비교적 약하다.

기혈(氣血) 타입

☆ 권태(倦怠), 창통(脹痛)
☆ 근력 저하
☆ 씹을 때 힘이 들어가지 않는다.
☆ 피곤하면 악화
☆ 입이 잘 안 열린다.
☆ 만성이 되기 쉽다.

D

간신(肝腎) 타입

☆ 깨물근이 야윈다.
☆ 입을 열 때 힘이 들어가지 않는다.
☆ 피로나 잠 부족으로 악화
☆ 노화될수록 더 악화

E

「턱이 어긋나있는 느낌이 들어 씹기 어렵고 입을 열기 힘들다.」

냉방 때문에 몸이 차가워져서 병이 급격히 발생	➡ 외사형(外邪型)의 특성
깨물근[63]을 만지면 시리다.	➡ 한사(寒邪) 타입의 특성
5년간 증상이 반복해서 나타남.	➡ 혈어(血瘀)를 동반
손발이 차고, 따뜻한 물을 좋아하고 자주 소변을 봄.	➡ 한(寒)의 증후
무른 변에 설태는 백니태(白膩苔)	➡ 습(濕)의 증후

【증례1】 환자: 여성 연령: 31세 미혼 회사원 신장: 156cm 체중 42kg

[초 진] 2006년 6월 14일
현병력: 5년 전, 오른쪽 악관절에 동통(疼痛)과 관절 잡음이 생겼으나 스플린트(splint)[64] 요법으로 증상은 경감되었다. 그 후 몇 번 같은 증상이 있었다. 이번에는 한 주 전에 냉방으로 몸을 식힌 탓에 갑자기 악관절 통증이 생겼고, 전혀 입을 열지 못하게 되었다.
과거력: 특이 사항 없음.
현재의 증(症): 환부에 작열감(灼熱感)은 없으며 깨물근은 촉진해보니 시렸다. 일반 소견은 본래 감기에 잘 걸렸고, 손발이 차고, 따뜻한 물을 잘 마시며, 소변을 자주 보거나 무른 변을 본다. 그 외에 불면, 요통이 있고 눈이 피로하다.
설진(舌診) 소견: 설질(舌質, 혀)의 색은 담홍색이고(정상), 설태(舌苔)는 백니태(白膩苔)였다.
변증(辨證): 외사형(外邪型)의 한사(寒邪) 타입(습사(濕邪)가 강하고 어혈(瘀血)을 동반).
처방: 소경활혈탕(疏經活血湯) 엑스제 7.5g/3번 나누어 투여 7일분.
침구치료: 하관(下關), 협거(頰車), 합곡(合谷), 외관(外關), 족삼리(足三里) 혈에 평보평사법(平補平瀉法)[65]을 시행한 후 20분간 유침하고, 하관(下關)과 협거(頰車)는 추가로 봉구(棒灸)[66] 치료를 행하였다.

[재 진] 2006년 6월 21일
다소의 통증은 있으나 입을 열 수 있게 되었다.
처방: 한방약과 침구 치료는 이전과 동일하게 시행. 외치법(外治法)으로 열부약(熱敷藥)[67]을 병용하였다.

[3 진] 2006년 6월 28일
통증이 사라졌고, 입을 여는 것도 정상이 되었다.

---

63) 교근(咬筋, masseter muscle)을 의미한다. 씹기근육(masticatory muscle)은 4가지 근육으로 이루어지는 데 각각 깨물근(masseter muscle), 관자근(측두근, temporal muscle), 가쪽날개근(lateral pterygoid muscle), 그리고 안쪽날개근(medial pterygoid muscle)이다.
64) 악관절증 치료를 위해 사용되는 마우스피스
65) 자침 보사법(補瀉法)의 하나로서 먼저 사(瀉)하고 후에 보(補)하는 방법이다. 이는 허증과 실증이 섞여 나타나는 증상에 사법도 아니고 보법도 아닌 즉, 중간 정도의 자극을 주는 것이다.
66) 뜸동이 뜸
67) 열부지통법(熱敷止痛法)을 의미하며 외치법의 일종으로서 손상을 입었으나 터지지 않은 피부의 연조직에 약물을 뜨겁게 붙여 산어소종(散瘀消腫), 활락지통(活絡止通)하는 치법이다.

외사형(外邪型)—A. 한사(寒邪) 타입

 ## 소경활혈탕(疏經活血湯)

증례1의 처방 해설

「외사형-한사 타입」에 사용되는 방제 중 어혈에도 쓸 수 있는 소경활혈탕(疏經活血湯)을 처방.

침구는 하관혈(下關穴)과 협거혈(頰車穴)로 국소적인 산한통락(散寒通絡)을 행하고 그 작용을 강화하기 위해 같은 족양명위경(足陽明胃經)의 족삼리혈(足三里穴)과 순경배혈(循經配穴)[68]을 행한다. 또한 사총혈(四總穴)[69]의 하나이며 얼굴과 입 부위의 치료에 효과가 있는 합곡(合谷)과, 수소양경(手少陽經)과 양유맥(陽維脈)과의 교회혈(交會穴)이며 소양경근(少陽經筋)의 통창(通暢)[70]과 해표(解表) 작용이 있는 외관(外關)을 배혈한다. 재진에서는 그에 더해 열부약(熱敷藥)을 사용하여 산한활혈(散寒活血)을 강화하였다.

【조성】
소경활혈탕(疏經活血湯) 작약(芍藥), 방기(防己), 지황(地黃), 방풍(防風), 천궁(川芎), 용담(膽), 창출(蒼朮), 당귀(當歸), 감초(甘草), 백지(白芷), 도인(桃仁), 생강(生薑), 복령(茯苓), 위령선(威靈仙), 우슬(牛膝), 강활(羌活), 진피(陳皮)

증례1의 분석

냉방 때문에 몸이 차가워져서 갑자기 통증이 생긴 것은 외사형(外邪型)의 특성이다. 또한 환부에 작열감은 없고 촉진 시 시린 것은 한사(寒邪)에 의한 특징이다. 무른 변과 백니태(白膩苔)의 설태는 습사(濕邪)를 가리키므로 풍한습(風寒濕)의 외사에 기인한 「외사형-한사 타입」으로 판단하였다. 또한 최근 5년 간 계속 재발을 되풀이해 온 것은 「구병입락(久病入絡)」 이론을 생각해보면 어혈(瘀血)도 원래 가지고 있었다고 생각할 수 있겠다. 이외의 일반 증상은 손발이 차가워지고, 따뜻한 물을 잘 마시고, 요통이나 빈뇨 등의 신양허(腎陽虛)와 눈의 피로, 불면 등의 간혈부족(肝血不足)이 혼재된 간신양허(肝腎兩虛)가 체질적인 요소로서 근저(根底)에 존재하고 있음을 알 수 있다. 따라서 당시의 치료에서는 「외사형-한사 타입」에 대한 처방을 하였으며, 그 후 만약 재발의 예방을 원한다면 평소 간신양허(肝腎兩虛)에 대한 처방이 필요하다.

---

68) 치료를 위해 경락을 따라 혈자리를 배합하는 것.
69) 임상을 통해 총결한 4개의 혈(穴). 즉, 위경의 족삼리(足三里), 방광경의 위중(委中), 폐경의 열결(列缺), 대장경의 합곡(合谷) 등 4개의 혈을 이른다.
70) 기(氣)의 순행이 잘 통하고 도달하는 것.

「오른쪽 턱이 아프고, 입을 열기 힘들다.」

통증은 조금 강하다.	허형(虛型)이 아님
차가운 느낌이나 작열감은 없다.	외사형(外邪型)이 아님
8년 전부터 반복	어혈(瘀血)의 요인
초조하고, 스트레스를 받으며, 어깨가 결리고, 월경통이 있다.	기체혈어(氣滯血瘀)의 증후
마른 체형, 눈의 피로, 머리에 피가 몰림.	울혈(鬱血)과 혈허(血虛)의 증후

【증례2】환자: 여성 연령: 25세 미혼 회사원 신장: 165cm 체중 46kg

[초 진] 2006년 7월 1일

현병력: 7, 8년 전에 오른쪽 악관절이 아프고 개구 장해(開口 障害)가 일어났으며, 그 후 딱딱 소리가 계속 나고 있다. 올해 들어 관절 잡음이 신경 쓰여 치과 검진을 받았는데 악관절증으로 진단 받았다. 2주 전부터 우측 턱이 아프고 입을 열기 어려워졌다.

과거력: 22세 때 방광염.

현재의 증(症): 깨물근에 현저한 시림이나 작열감은 없다. 통증은 둔통(鈍痛)보다는 강하다. 일반 소견은 잘 초조해하고, 스트레스를 받거나 머리에 피가 잘 몰리고, 찬 것을 잘 마시며, 손발이 차갑고, 뒷목이나 어깨 결림, 눈의 피로도 느끼고 있다. 월경통이 있으며 월경 혈에 핏덩어리가 섞여 있다. 그 밖에 피로감이 있고, 땀이 잘 나며, 감기에 잘 걸리고, 부종이 잘 생기며, 대하(帶下)가 있다.

설진(舌診) 소견: 설질(舌質, 혀)의 색은 담홍색이고, 설태(舌苔)는 박백태(薄白苔)였다.

변증(辨證): 조체형(阻滯型)의 어혈(瘀血) 타입(기체 혈어 외에 기울(氣鬱)이 열이 된 울열(鬱熱)과 혈허(血虛)를 동반한다).

처방: 가미소요산(加味逍遙散) 엑스제 7.5g/3번 나누어, 계지가작약탕(桂枝加芍藥湯) 엑스제 7.5g/3번 나누어 투여 7일분.

침구치료: 하관(下關), 협거(頰車), 합곡(合谷), 외관(外關), 완골(完骨)혈에 평보평사법(平補平瀉法)을 시행한 후 20분간 유침하였다.

[재 진] 2006년 7월 15일

3~4일 간은 아프지도 않고 입도 열 수 있었으나, 후에 증상이 재발하였다. 뒷목 부위가 결리고 우측 측두부도 아프다. 따뜻하게 하면 증상은 조금 경감된다.

처방: 시호계지탕(柴胡桂枝湯) 엑스제 7.5g/3번 나누어, 당귀 가루와 작약 엑스제, 천궁 엑스제 각 1.5g / 3번 나누어 투여 7일분

침구치료: 앞서의 경혈에 솔곡(率谷), 풍지(風池), 태양(太陽)을 더해 평보평사법(平補平瀉法)을 시행한 후 20분간 유침하였다. 외치법(外治法)으로 열부약(熱敷藥)을 병용하였다.

[3 진] 2006년 7월 29일

악관절부와 측두부의 통증이 사라졌다. 입을 벌리는 것도 정상이 되었다.

조체형(阻滯型)—C. 어혈(瘀血) 타입 (울열(鬱熱)과 혈허(血虛)를 동반)

처방

가미소요산(加味逍遙散) + 계지가작약탕(桂枝加芍藥湯)

시호계지탕(柴胡桂枝湯) + 활혈약(活血藥) (울열(鬱熱)이 강한 기간)

증례2의 처방 해설

초진에서는 변증에 있는 기체혈어(氣滯血瘀), 울열(鬱熱), 혈허(血虛)를 고려하여, 혈허(血虛), 기체(氣滯), 울열(鬱熱)과 관련 있는 가미소요산(加味逍遙散)과 서근통락(舒筋通絡)[71]과 자통(刺痛)에 유효한 계지가작약탕(桂枝加芍藥湯)을 합방하여 처방하고 있다. 당초에는 효과가 좋았으나 나중에는 뒷목 결림이나 오른쪽 머리의 통증과 함께 증상이 재발하였으므로 재진에서는 시호계지탕(柴胡桂枝湯)에 당귀 가루와 작약 엑스제, 천궁 엑스제를 더한 처방으로 변경하였다. 침구는 턱 부분 치료를 위한 하관(下關), 협거(頰車), 합곡(合谷)을 자침하였고, 또한 목 뒷부분이나 측두부에 관련된 족소양담경(足少陽膽經)에 해당하는 외관(外關), 완골(完骨)혈을 자침하였다, 합곡(合谷)혈과 외관(外關)혈을 선택한 이유는 증례1과 동일하다. 또한 따뜻하게 하면 조금 완화되는 것으로부터, 열부약을 병용하여 좋은 효과를 보았다.

시호계지탕은 소시호탕(小柴胡湯)과 계지탕(桂枝湯)으로부터 만들어졌으나 추가로 작약(芍藥)을 더해 계지탕은 계지가작약탕(桂枝加芍藥湯)이 되고 서근활락(舒筋活絡)[72]이 시작된다. 가미소요산(加味逍遙散)의 청열(淸熱)[73] 성분(목단피(牧丹皮)와 산치자(山梔子))이 비교적 혈분(血分)에 적용되는 것에 비해 소시호탕(小柴胡湯) 속의 시호(柴胡)＋황금(黃芩)이라는 배합은 족소양담경의 울열(鬱熱)에 적용되므로 측두부 통증이나 족소양경근(足少陽經筋)의 조체(阻滯)가 원인인 교근통(咬筋痛)에 효과가 좋다. 양혈(養血)과 활혈(活血) 작용이 있는 당귀(當歸)와 작약(芍藥)은 초진과 재진에 모두 포함되어 있으나 재진의 처방에서는 또한 혈(血) 중에 기분(氣分)의 활혈(活血)에 효과가 있는 천궁(川芎)을 더하여 기체(氣滯)와 함께 일어나는 어혈(瘀血)에 대해 더 높은 대응력과 효과를 얻을 수 있었다.

증례2의 분석

악관절의 잡음이 계속되고 그 연장선상에서 증상이 나타나므로 증상이 급작스럽게 나타나지 않으며, 또한 깨물근에는 현저한 시림이나 작열감이 없으므로 외사형(外邪型)이 아니다. 그러나 통증은 어느 정도 강하므로 순수한 허형(虛型)은 아니다. 여기에서의 수반 증상을 보면 초조해하거나, 스트레스 등의 기울(氣鬱)에 의한 증상과 월경통, 월경혈에 핏덩어리가 섞여 나오는 등의 어혈(瘀血)에 의한 증상이 있으며, 또한 병정도 길고 목과 어깨 결림을 호소하고 있다. 이로부터 기체혈어(氣滯血瘀)에 의한 어혈형(瘀血型)이 중심이라고 판단하였다.

그러나 병정이 길다는 것은 어혈의 형성 이외에 정기를 손모(損耗)시키는 것과도 관련되므로 어느 정도의 허(虛)가 있다고 상정할 수 있겠다. 또한 수반 증상을 확인해 보면 몸이 말랐고 눈의 피로를 동반하는 등의 간혈허(肝血虛) 증상을 확인할 수 있다. 또한 기울(氣鬱)이 열(熱)이 된 울열(鬱熱) 증상인 피가 머리에 쏠리는 증상이나, 찬 물을 마시고 싶어 하는 증상 등도 확인할 수 있다(손발이 차가운 것은 기울(氣鬱)에 의해 긴장하여 기혈이 순환하지 못하여 일어나는 것으로 양허(陽虛)와는 다르다). 이상으로부터 변증은 기체혈어(氣滯血瘀)를 중심으로 한 어혈(瘀血) 타입이며 이것에 혈허(血虛)나 울열(鬱熱)이 더해진 것으로 판단하였다.

---

71) 근육을 이완시키고 경락(經絡)을 통하게 하는 효능임.
72) 근육을 이완시키고 경락(經絡)을 소통시키는 효능.
73) 열을 내리는 작용

「오른쪽 악관절 부위가 아프다.」

하루 종일 큰 통증이 있다.	→	허형(虛型)이 아님.
찌르는 듯이 아프다.	→	어혈형(瘀血型)의 특성
초조하고 스트레스가 있으며 목과 어깨가 결리고 측두부 두통과 이갈이가 있다.	→	기체혈어(氣滯血瘀)의 증후

【증례3】환자: 여성 연령: 62세 기혼 전업주부 신장: 158cm 체중 64kg

[초 진] 2007년 9월 6일
현병력: 2005년부터 일 관계, 그리고 가족의 병 등으로 걱정이 많아져 심하게 이갈이를 하게 되었다. 그 후 아래턱 우측 어금니에 교합통(咬合痛)과 우측 턱관절부의 동통이 심해져서 가까운 구강 외과에서 치료를 받았으나 아픔은 개선되지 않았다.
과거력: 충수염, 고혈압
현재의 증(症): 비교적 강한 통증이 거의 매일 있으며 특히 씹을 때 찌르는 듯이 아프다. 따뜻하게 해 보거나 차갑게 해 보아도 변화는 없었으며 날씨에도 영향 받지 않는다. 일반 소견으로 스트레스가 심하여 초조해하기 쉽고, 잠이 얕다. 목과 어깨에 결림이 있었고 어깨 결림은 추운 시기에 강하다. 결림이 강해지면 측두부 두통이 생긴다.
설진(舌診) 소견: 혀끝이 조금 붉고, 설태(舌苔)는 백니태(白膩苔)이다.
맥진(脈診) 소견: 침현세(沈弦細)
변증(辨證): 조체형(阻滯型)의 어혈(瘀血) 타입. (기체혈어(氣滯血瘀))
처방: 시호계지탕(柴胡桂枝湯) 엑스제 7.5g/3번 나누어, 천궁(川芎) 엑스제, 당귀 가루, 갈근(葛根) 가루 각 1.0g/3번 나누어 투여 7일분.
침구치료: 합곡(合谷), 외관(外關), 족임읍(足臨泣), 하관(下關), 청궁(聽宮), 예풍(翳風), 협거(頰車), 족삼리(足三里), 태충(太衝) 혈에 평보평사법(平補平瀉法)을 시행한 후 20분간 유침하였다.

[재 진] 2007년 9월 13일
　　　　통증 시간이 줄었다.
처방: 이전과 동일. 투여 14일분
침구치료: 이전과 동일
[3 진] 2007년 9월 27일
　　　　씹을 때 아플 때가 있으나 가장 아팠을 때의 1/10 정도로 줄었다.
처방: 이전과 동일. 투여 14일분
[4 진] 2007년 10월 11일
　　　　턱의 통증은 신경쓰지 않게 되었으나 아침과 저녁에 기온이 내려가면 목과 어깨의 결림이 아직 남아있다.
처방: 계지가작약탕(桂枝加芍藥湯) 엑스제 7.5g/3번 나누어 갈근(葛根) 엑스제 각 1.0g/3번 나누어 투여 7일분
[5 진] 2007년 10월 25일
　　　　증상은 거의 없어졌다.

조체형(阻滯型)—C. 어혈(瘀血) 타입 (기체혈어(氣滯血瘀))

시호계지탕(柴胡桂枝湯) + 활혈약(活血藥) (당귀(當歸), 천궁(川芎), 갈근(葛根))

증례3의 처방 해설

초진부터 3진까지는 변증에 있는 기체혈어(氣滯血瘀)에 대해 시호계지탕(柴胡桂枝湯)에 당귀가루와 천궁 엑스제를 더해 처방하였다. 또한 어깨 부위의 서근활락(舒筋活絡)을 고려하여 갈근 가루를 더했다. 시호계지탕과 당귀가루, 천궁 엑스제에 대해서는 앞서의 증례2의 처방 해설을 참조하면 된다.

침구 치료에서는 근위혈로서의 하관(下關), 협거(頰車) 외에도 청궁(聽宮)과 예풍(翳風)을 선택하여 자침했다. 여기에 족소양담경의 순경선혈(循經選穴)[74]법에 따라 외관혈(外關穴) (증례1 참조)에 더하여 족임읍(足臨泣)을 선택하였다. 스트레스에 대해서는 족궐음간경(足厥陰肝經)의 원혈(原穴)인 태충혈(太衝穴)을 선택하였다. 합곡혈(合谷穴)은 사총혈(四總穴)(증례1 참조)이면서 동시에 태충혈(太衝穴)과 함께 사관혈(四關穴)[75]이 되며 고혈압에 대해 평간식풍(平肝熄風)[76]을 기대할 수 있다.

4진에서는 주소증이었던 턱의 통증은 거의 사라졌으나 목에서 어깨에 걸친 결림이 남아 있어 재발될 수 있는 가능성이 있으므로 이에 대처하고자 처방을 변경하였다. 가을이 깊어가면서 아침과 저녁에 기온 저하와 함께 결림이 악화된다는 것을 바탕으로 처방은 온경활혈(溫經活血)[77], 서근활락(舒筋活絡)이 가능하도록 계지가작약탕(桂枝加芍藥湯)에 갈근(葛根) 엑스제를 더한 처방으로 변경하였다.

일반적으로 일본의 치과 강습회에서는 갈근탕(葛根湯)이 권해져왔으나 갈근탕은 단순히 해표제(解表劑)이며 활혈약(活血藥)도 포함되어 있지 않으므로 외사형(外邪型)에 일과성으로 사용할 수는 있겠지만 장기간 연속해서 사용할 수는 없다. 특히 고혈압 환자에 대해 마황(麻黃)제제(마황이 포함된 방제)를 장기간 연속 사용하는 것에는 주의가 필요하다.

【조성】
시호계지탕(柴胡桂枝湯) 시호(柴胡), 작약(芍藥), 반하(半夏), 대조(大棗, 대추), 황금(黃芩), 인삼(人蔘), 감초(甘草), 생강(生薑), 계피(桂皮)
평위산(平胃散) 창출(蒼朮), 후박(厚朴), 진피(陳皮), 대조(大棗), 감초(甘草), 생강(生薑)
저령탕(猪苓湯) 택사(澤瀉), 저령(猪苓), 복령(茯苓), 아교(阿膠), 활석(滑石)

증례3의 분석

전형적인 스트레스성 기체혈어(氣滯血瘀)에 의한 「어혈(瘀血) 타입」이다(이갈이 항 참조). 우선 허실(虛實)에 대해서는 발병 후 조금 시간이 경과하였으나 동통(疼痛)은 비교적 강하므로 허약형(虛弱型)이 아니라고 판단할 수 있다. 그 중에서도 찌르는 듯한 통증을 호소하고 있는데 이는 어혈(瘀血)의 특징이다. 다음으로 한열(寒熱)에 대해서는 설첨부(舌尖部)는 조금 붉지만 환부에 작열감은 없다. 그 반면에 환부는 차갑게 해도 악화되지 않으나 어깨 결림은 추울 때 더 악화되며 맥은 침(沈)하고 설태도 백니태(白膩苔)이므로 굳이 한쪽을 택하자면 한성(寒性)으로 치우친 증상이 나타나기 쉬운 타입이라 할 수 있겠다.

이 외에도 측두부의 두통은 경락적으로 소양두통(少陽頭痛)[78]으로 분류되며 현맥(弦脈), 스트레스, 초조함 등도 종합해보면 간(肝)의 소설(疏泄) 실조에 동반한 소양경(少陽經)의 기혈조체(氣血阻滯)가 원인임이 확실하다.

---

74) 순경취혈(循經取穴)법 또는 본경선혈(本經選穴)법이라고도 한다. 취혈법의 일종으로서 병이 있는 장부 및 기관 또는 부위와 직접 연계를 가지고 있는 경맥의 침혈을 선택해서 치료하는 방법이다.
75) 수양명대장경(手陽明大腸經)의 좌우 양손의 합곡혈(合谷穴) 2개와 족궐음간경(足厥陰肝經)의 태충혈(太衝穴) 2개를 더한 4개의 혈(穴)을 이르는 말이다.
76) 식풍법의 일종이다. 간양(肝陽)이 항진(上亢)하여 내풍(內風)이 동(動)하는 경우(간풍내동(肝風內動))에 사용되는 치료법이다.
77) 경락을 따뜻하게 하여 혈을 잘 돌게 만들어줌.
78) 두통 병증의 하나. 두통이 소양경의 순행경로를 따라 나타나는 증후이다. 주로 양 옆머리 또는 관자놀이 부위에 통증이 발생한다.

「턱이 무겁고 나른하며 입을 열기 힘들다.」

통증은 가볍고 깨물근이 심하게 긴장되어 있다.	➡ 허형(虛型)일수도 있고, 아닐 수도 있다.
초조함, 스트레스, 입이 쓰고(口苦), 이갈이가 있고, 어깨가 결리고, 측두부통, 생리통, 설하정맥노장(舌下靜脈怒張)[79]이 있다.	➡ 기체혈어(氣滯血瘀)의 증후
목이 마르고, 찬 물이 마시고 싶고, 입 주위에 여드름이 나고, 혀는 홍색, 설태는 황니태(黃膩苔)	➡ 위열(胃熱)의 증후

【증례4】환자: 여성　연령: 19세 미혼 학생 신장: 157cm　체중 54kg

[초　진] 2007년 9월 14일

현병력: 2007년 4월에 대학에 입학 후 도쿄에 살게 된 후부터 이갈이가 심해지고 동시에 일어날 때와 식사 중에 양쪽 턱이 무겁고 입을 열기 어려워졌다.

과거력: 특별히 없음.

현재의 증(症): 통증은 가벼우나 깨물근의 긴장은 강하고, 턱에 잡음이 있다. 작열감은 없으나 턱이 무겁고 나른하며 입을 열기 힘들고, 특히 식사중이나 아침에 일어날 때 나타난다. 일반 소견은 턱과 입 주위에 여드름이 보이며, 입과 목이 말라 찬물을 마시고 싶어한다. 위트림이 있고 스트레스가 있으며 잘 초조해하고 입이 쓰게 느껴지고 불면증이 있다. 어깨가 결리고 측두부에 두통이 생기는 경우가 있다. 그 외에도 땀이 잘 나고 때때로 이명(耳鳴)이나 생리통이 있다.

설진(舌診) 소견: 설질(舌質)은 홍색이고, 설하정맥노장(舌下靜脈怒張)이 보이며, 설태(舌苔)는 조금 황니태(黃膩苔)이다.

맥진(脈診) 소견: 침현세(沈弦細)

변증(辨證): 조체형(阻滯型)의 어혈(瘀血) 타입.

처방: 황련해독탕(黃連解毒湯) 엑스제 7.5g/3번 나누어, 평위산(平胃散) 엑스제 7.5g/3번 나누어 투여 7일분.

침구치료: 하관(下關), 협거(頰車), 합곡(合谷), 외관(外關), 완골(完骨)혈에 평보평사법(平補平瀉法)을 시행한 후 20분간 유침하였다.

[재　진] 2007년 9월 20일

이갈이가 다소 줄어든 덕인지 턱의 권태감은 경감되었다. 아직 입은 열기 어렵다.

처방: 사역산(四逆散) 엑스제 7.5g/3번 나누어, 황련해독탕(黃連解毒湯) 엑스제 7.5g/3번 나누어 투여 7일분

[3　진] 2007년 9월 27일

다소 입을 열 수 있게 되었다. 입 마름 증상이나 여드름도 개선되었다.

처방: 사역산(四逆散) 엑스제 7.5g/3번 나누어, 사물탕(四物湯) 엑스제 7.5g/3번 나누어, 도인(桃仁) 가루, 홍화(紅花) 가루 각 1g/3번 나누어 투여 7일분

[4　진] 2007년 10월 4일

입을 편하게 열 수 있게 되었다.

---

79) 혀 아래 정맥이 확장된 것.

조체형(阻滯型)—C. 어혈(瘀血) 타입

사역산(四逆散) + 황련해독탕(黃連解毒湯) (어깨 결림과 측두통이 강할 때)

사역산(四逆散) + 사물탕(四物湯) + 도인(桃仁) + 홍화(紅花) (기체(氣滯)와 어혈(瘀血)용)

증례4의 처방 해설

초진에서는 변증의 기체혈어(氣滯血瘀)와 위열(胃熱) 중 위열에 의한 영향이 더 크다는 것을 고려하여 청열해독(淸熱解毒) 작용을 하는 「황련해독탕(黃連解毒湯)」과 화위(和胃) 작용을 하는 「평위산(平胃散)」을 합방하여 처방하였다. 침구 치료는 증례2와 동일하나 합곡혈(合谷穴)은 사법(瀉法)에 의해 청열(淸熱) 작용을 할 수 있으므로 굳이 청열을 위한 경혈을 따로 추가하지는 않았다.

재진에서는 위(胃)의 화강(和降)과 이갈이, 턱의 권태감 등은 개선되었는데 입을 열기 힘든 증상은 개선되지 못하였기에 기체혈어(氣滯血瘀) 쪽의 영향이 더 크다고 판단하여 「황련해독탕(黃連解毒湯)」에 「사역산(四逆散)」을 더하였다.

3진에서는 이미 위열 증상은 나았다고 판단하였고, 더욱 어혈(瘀血)의 치료에 치중하기 위해 「황련해독탕(黃連解毒湯)」을 「도홍사물탕(桃紅四物湯)」으로 변경하여 좋은 결과를 얻었다. 「도홍사물탕(桃紅四物湯)」은 일본에서 제품화되지 않았으나 사물탕에 도인(桃仁) 가루와 홍화(紅花) 가루를 더하여 만들 수 있다.

【조성】
사역산(四逆散) 시호(柴胡), 작약(芍藥), 지실(枳實), 감초(甘草) 황련해독탕(黃連解毒湯) 황금(黃芩), 산치자(山梔子), 황련(黃連), 황백(黃栢)
사물탕(四物湯) 지황(地黃), 작약(芍藥), 천궁(川芎), 당귀(當歸)

증례4의 분석

이 증례는 통증이 가볍고 턱이 무겁고 입을 열기 힘들다는 점에서 「허약형(虛弱型)」의 특징을 가리키는 반면, 깨물근의 긴장이 강하고, 병의 원인이 환경 변화에 의한 스트레스라는 점은 「조체형(阻滯型) - C. 어혈(瘀血) 타입」의 요소도 함께 가지고 있으므로 판단하기가 어렵다. 또한 수면 중의 이갈이로 아침에 일어날 때 턱이 피곤하고 무겁고 나른하며 입을 열기 힘들다는 특징이 있으므로 이 책의 뒷부분에 나오는 「이갈이」 챕터를 찾아 참고하여 관련된 진단과 치료를 하는 것이 필요하다.

이 「악관절증」 챕터와 「이갈이」 챕터의 분류를 확인해 보면, 「악관절증」 챕터의 「조체형(阻滯型) - C. 어혈(瘀血) 타입」과 「이갈이」의 「실열형(實熱型) - 간(肝) 타입」이 서로 상응한다. 그리고 두 타입의 공통된 증후로서 간울(肝鬱)에 의한 것, 간담경(肝膽經)의 조체(阻滯)에 의한 것, 어혈(瘀血)에 의한 것이 있으나, 이 환자에게서도 스트레스, 초조, 입이 쓴 증상(口苦), 현맥(弦脈)이라는 간울(肝鬱)에 의한 증후, 어깨 결림과 편두통이라는 간담경(肝膽經)의 조체(阻滯)에 의한 증후, 그리고 어혈(瘀血)을 반영하는 설하정맥노장(舌下靜脈怒張)이 관찰된다.

다음으로 「이갈이」 항에서는 「실열형(實熱型) - 심위(心胃) 타입」이라는 것이 있는데 이 타입의 환자는 악관절 부위의 작열감조차 없지만 여드름이 탁이나 입 주위에 있고, 입이 말라서 찬 물을 마시고 싶어하고, 설질(舌質)이 홍색인 점 등, 분명하게 위(胃)와 위경(胃經)의 열(熱)을 반영한 증후를 가지고 있다. 그러나 기혈(氣血) 부족이나 음혈(陰血)[78] 부족에 의해 잘 나타나는 일반 증상은 거의 확인되지 않는다. 이상으로부터 변증은 「허약형(虛弱型)」이 아니라 「조체형(阻滯型) - 어혈(瘀血) 타입」이고 또한 위열(胃熱)을 동반한 타입이라고 판단하였다. 참고로, 그러면 어째서 악관절 부위에 「허약형(虛弱型)」의 특징을 가리키는 통증이 나타난 것일까? 우선 환경 변화에 의한 스트레스로 간기(肝氣)가 울체되어 위(胃)로 횡역(橫逆)하였다. 이로 인해 위기(胃氣)가 조체(阻滯)되어 열화(熱化)되고 그 울열(鬱熱)이 위경(胃經)을 따라 턱이나 입 주위까지 올라갔기에 이갈이가 나타났다. 이때 악관절 부위에 울체된 열에 의해 국소적으로 음혈(陰血)[80]이 말랐거나, 또는 간울(肝鬱)에 의해 소장경(小腸經)이 조체(阻滯)되어 악관절 부위까지 기혈(氣血)이 도달할 수 없거나, 국소적으로 영양 부족이 일어나 언뜻 보면 허약형의 특징을 가리키는 동통(疼痛)이 나타난 것이 아닌가 라고 생각할 수 있겠다.

단, 이 증례의 변증에서는 음혈(陰血)이나 기혈(氣血)의 부족은 국소적이고, 위열(胃熱)이나 소장경(小腸經)의 조체(阻滯)가 개선되어 음혈과 기혈이 턱 부위에 공급될 수 있게 된다면 개선된다고 생각하여 허약형에는 포함하지 않았다.

---

80) 혈액을 의미한다.

각 타입의 기본적인 증후와 처방 정리

외사형(外邪型) - A. 한사(寒邪) 타입 (風寒濕痺)

증후: 발병이 빠르고, 비교적 통증이 강하며, 깨물근의 긴장이나 압통(壓痛)도 강하다. 통증은 시린 감을 동반하며 깨물근이 경직되어 입을 여닫기 힘들지만 따뜻하게 하면 경감된다. 또한 깨물근을 촉진하면 시리다.
　　일반 소견은 가벼운 한기(寒氣)를 느끼거나 두통이나 뒷목 부위의 경직을 동반하는 경우가 있다. 또한 습사가 강한 경우에는 두면부의 부종이나 투명한 콧물이 흘러나오는 등의 증후가 보인다. 혀의 모습은, 피로가 쌓인 사람에게서는 설질(舌質)은 담백(淡白)하고 반대(胖大)[81]하며 설태는 박백태(薄白苔)가 보인다. 습사(濕邪)가 강한 경우에는 설태가 백니태(白膩苔)가 된다. 맥(脈)은 현긴맥(弦緊脈)이 된다.

처방: 시림이 강한 경우에는 갈근탕(葛根湯), 계지가출부탕(桂枝加朮附湯), 마황부자세신탕(麻黃附子細辛湯) 등 중에서 골라 사용하면 되지만 혈액 순환이 나쁘고 통증이 강한 경우에는 소경활혈탕(疎經活血湯)을 사용한다. 혹시 습사(濕邪)가 강하고 안면 부종이나 콧물 등을 동반하는 경우에는 의이인탕(薏苡仁湯) 또는 이출탕(二朮湯)에 포부자(炮附子) 가루(아코닌산정)[82]을 더한 것을 사용한다.
　　(이 타입에 사용되는 한방약은 따뜻하게 하는 작용이 강하므로 일반적인 열증(熱證)에 사용하면 오히려 악화된다. 여기에서는 외사형-열사(熱邪) 타입이나 허약형-간신(肝腎) 타입에서 음허(陰虛)-허열(虛熱)-이 강한 열증(熱證)에 속하므로 오용하지 않도록 주의가 필요하다.)

외사형(外邪型) - B. 열사(熱邪) 타입 (風熱濕痺)

증후: 발병이 빠르고, 비교적 통증이 강하며, 깨물근의 긴장이나 압통도 강하고, 작열감도 있으며, 차갑게 하면 증상이 경감된다. 일반 소견은 입이 마르고, 번조(煩燥)하며, 소변색이 진한 등의 증상을 관찰할 수 있다. 혀는 설질은 홍색이고, 설태는 황태(黃苔)를 볼 수 있는데 습사(濕邪)가 강한 경우에는 설태가 황니태(黃膩苔)가 된다. 맥(脈)은 활삭(滑數)한 맥이 나타난다.

처방: 본래는 백호계지탕(白虎桂枝湯)을 사용하지만 일본에서는 제제화된 약이 없으므로 계지탕(桂枝湯)에 백호가인삼탕(白虎加人蔘湯)이나 길경석고탕(桔梗石膏湯)을 합방하여 사용한다. 습사(濕邪)가 강하고, 설태가 황니태(黃膩苔)인 경우에는 월비가출탕(越婢加朮湯)을 사용한다.

조체형(阻滯型) - C. 어혈(瘀血) 타입

증후: 항상 같은 부위가 비교적 강하게 아프고 깨물근의 긴장이나 압통도 강하다. 경우에 따라서는 어혈(瘀血) 특유의 자통(刺痛)[83]이 나타난다. 긴장이나 스트레스가 강하면 이갈이와 동반해 악화된다.
　　일반 소견은 스트레스, 답답함, 초조하여 화가 잘 남, 흉협창통(胸脇脹痛)[84] 등의 기울(氣鬱) 증상과, 입술이 암자색이 되고, 피로로 눈 주위가 거무튀튀하게 되거나, 월경통이 생기거나, 월경혈에 핏

---

81) 크고 두터움
82) アコニンサン錠. (주)삼화생약(三和生藥)에서 부자 가루로 만든 생약제제이다.
83) 찌르는 듯한 통증
84) 가슴과 옆구리가 그득하게 부풀면서 생기는 통증

덩어리가 섞여 나오는 등의 어혈(瘀血) 증후가 관찰된다. 기울(氣鬱)이 열화(熱化)한 경우에는 피가 머리에 몰리거나, 눈이 충혈 되거나 편두통이 동반된다. 맥은 현삽맥(弦澁脈)이 나타난다.

처방: 소양(少陽)의 울체를 없애는 소시호탕(小柴胡湯)과 태양경(太陽經)의 온통(溫通)을 촉진하는 계지탕(桂枝湯)을 합한 시호계지탕(柴胡桂枝湯)을 사용하거나 또는 스트레스에 의한 기체(氣滯)에 사용하는 억간산(抑肝散)과 온경활혈(溫經活血)의 작용을 하는 계지복령환(桂枝茯苓丸)을 합방한 것을 사용한다.

허약형(虛弱型) – D. 기혈(氣血) 타입 (氣血兩虛證)

증후: 통증이 있어도 가벼운 둔통(鈍痛)이고, 나른한 창통(脹痛)이며, 깨물근이나 측두근(側頭筋)[85]의 긴장은 크지 않다. 근력이 저하되어 씹을 때 힘이 들어가지 않고, 피곤하면 악화(입을 열기 힘듦.)되는 특징을 가지며, 병의 상태가 만성화되기 쉽다.
일반 소견은 얼굴색은 희고 광택이 없으며, 권태감이 있고, 의욕이 안 생기며, 숨이 차는 등의 기허(氣虛) 증후와, 현훈(眩暈)이 생기고, 눈이 침침해지고, 동계(動悸) 등의 혈허(血虛)에 의한 증후가 관찰된다. 혀는 설질(舌質)은 담(淡)하고, 설태는 박백(薄白)하다. 맥(脈)은 세무력(細無力)한 맥이 나타난다.

처방: 기허(氣虛)의 대표 방제인 사군자탕(四君子湯) 또는 삼령백출산(蔘苓白朮散)과, 계지가작약탕(桂枝加芍藥湯)을 합방한 것을 사용하였다. 삼령백출산(蔘苓白朮散)은 계비탕(啓脾湯)으로 대용해도 좋다.

허약형(虛弱型) – E. 간신(肝腎) 타입 (간신부족증(肝腎不足證) 또는 간신음허증(肝腎陰虛證))

증후: 통증이 있어도 가벼운 둔통(鈍痛)이고, 깨물근이나 측두근의 긴장은 크지 않다. 깨물근이 위축되어 씹을 때 힘이 안 들어가고, 불면이나 수면부족으로 피로가 쌓이면 악화되며, 또한 나이가 들면서 더욱 악화된다. 일반 소견으로는 머리가 흔들리고, 현훈(眩暈)이 생기고, 눈의 피로 등의 간혈부족(肝血不足)에 의한 증후와, 이명, 청각감퇴, 허리와 무릎이 나른하고 아픈 등의 신정부족(腎精不足)에 의한 증후가 생길 뿐 아니라 불면 증상이나 목의 건조 등 음허(陰虛)의 증후도 나타난다. 혀는 설질(舌質)은 담홍색이고 설태는 적다. 맥(脈)은 침세맥(沈細脈)을 보인다. 만약 음허(陰虛)에 의한 허열(虛熱)이 강한 경우에는 뺨이 붉고, 잘 때 땀이 나며, 손발이 달아오르는 증상도 나타난다. 설질(舌質)은 홍설(紅舌), 맥(脈)은 침세삭(沈細數)이 된다.

처방: 일부 메이커에서 시판되는 독활기생탕(獨活寄生湯)이 좋다. 스트레스나 초조함 등의 기울(氣鬱) 증상이나 쥐가 나는 등의 풍(風) 증상을 동반하는 경우에는 육미지황환(六味地黃丸)에 억간산(抑肝散) 절반 분량을 합방해서 사용한다. 또한 허열이 강해 잘 때 땀이 나거나, 손발이 달아오르거나 설질(舌質)의 색이 홍색이 되는 등의 증상이 나타나는 경우에는 자음강화탕(滋陰降火湯)을 사용한다.

---

85) temporalis muscle을 의미한다.

병리 기전

중의학에서는 악관절증을 「비증(痺證)」을 포함하여 논한다. 즉, 턱 부위의 경근(經筋)과 기육(肌肉), 근골(筋骨), 관절에서 기혈(氣血)의 운행이 조체(阻滯)되어 「비(痺) - 막혀서 통하지 않음」의 상태가 되는 것에 의해 일어난다고 한다. 그리고 이 책에서는 그 「비(痺)」를 일으키는 원인으로부터 병증형(病證型)을 외사(外邪), 조체(阻滯), 허약(虛弱)으로 크게 나누었다. 또한 턱 부위에 분포하는 경근(經筋)은 소양경근(少陽經筋)과 양명경근(陽明經筋)이 중심이며, 그 외에 태양(太陽) 경근이 관여하므로 「비(痺)」는 주로 이들 부위에 일어난다고 할 수 있다.

외사형(外邪型)

외사형(外邪型)에는 풍한습사(風寒濕邪)가 침입한 「A. 한사(寒邪) 타입」과 풍열습사(風熱濕邪)가 침입한 「B. 열사(熱邪) 타입」이 있다.

외사형(外邪型) – A. 한사(寒邪) 타입

신체의 피로, 딱딱한 것을 너무 많이 씹는 것에 의한 턱의 피로 등이 있으면 방어 작용을 담당하는 위기(衛氣)가 소모된다. 이런 상황에서 입을 열고 자거나, 찬 것을 먹고 마시거나, 또는 땀을 흘린 채로 바람을 맞거나 하면 풍한습(風寒濕)의 외사(外邪)가 경근(經筋)에 침입하여 그 경기(經氣)를 조체(阻滯)시키므로 씹기근에 통증이나 운동 장해를 일으켜 악관절증을 일으킨다.

외사형(外邪型) – B. 열사(熱邪) 타입

양기(陽氣)가 항진(亢進)되는 이른 봄에는 온열성(溫熱性)의 병사(病邪)가 늘어나는데 이런 시기에 위에서 설명한 한사(寒邪) 타입처럼 위기(衛氣)가 소모되면 풍열습(風熱濕)의 외사(外邪)가 경근(經筋)에 침입하고 그 경기(經氣)를 조체(阻滯)시켜 악관절증을 일으킨다. 그 밖에 환자가 양기(陽氣)가 왕성한 체질(양성체질(陽盛體質))이라면 풍한습사(風寒濕邪)가 이환(罹患)되어도 그것이 체질(體質)에 의해 열화(熱化)되어 풍열습(風熱濕)으로 변화하므로 열사(熱邪) 타입의 악관절증을 일으킨다.

조체형 – C. 어혈(瘀血) 타입

일반적으로 스트레스나 긴장에 의해 간기(肝氣)가 울결(鬱結)되면 간(肝)의 소설(疏泄)[86] 작용이 실조되지만 그것이 경근(經筋)의 기기(氣機)에 영향을 주어 간풍(肝風)이 내동(內動)하면 떨림이나 이상 운동이 나타나며, 기혈(氣血) 운행을 조체(阻滯)시키면 동통(疼痛)이 나타난다. 이들의 실조가 턱 부위에 분포하는 소양(少陽)이나 양명(陽明) 경근(經筋)에 이르면 이갈이(Bruxism)이나 악관절증이 발생한다.

---

86) 막힌 것을 소통(疏通)시키고 배설(排泄)시키는 기능을 의미한다.

특히 기혈 운행의 조체가 장기화되어 어혈(瘀血)을 형성하는 경우에는 비교적 강한 동통(疼痛)이 나타난다. 또한 간기(肝氣)의 울결(鬱結)이 강하면 쉽게 열화(熱化)되어 (기울화(氣鬱化)라고 함) 간화(肝火)가 된다. 이 경우 내풍(內風)은 더욱 강해지고, 이갈이도 더욱 심해진다.

허약형(虛弱型)

턱 부위가 영양을 잘 공급받지 못하여 기능이 저하되어 일어나는 것이 이 허약형(虛弱型)이다. 이 형(型)은 영양물질의 차이에 의해 다시 「D. 기혈(氣血) 타입」과 「E. 간신(肝腎) 타입」으로 나뉜다.

허약형(虛弱型) – D. 기혈(氣血) 타입

체질적으로 비위(脾胃)가 허약한 사람이나, 과로로 식욕이 저하된 사람 등이 딱딱한 음식을 너무 씹거나 해서 턱에 피로가 쌓이면 비위(脾胃)에서 영양을 흡수하여 턱의 경근(經筋)으로 운반해주지 못하게 되므로 그 회복이 되지 못해 이상이 생기고 증상이 일어난다.

따라서 이 타입에서는 깨물근의 긴장은 그다지 심하지 않은 대신에 근력이 저하되어 씹을 때 힘이 들어가지 않거나, 식사 시에 입을 움직이고 있으면 피로해져서 통증이 악화된다. 그 밖에 기립성 현기증이나, 안색이 희고 광택이 없는 등의 턱 부위나 안면 부위의 영양 부족에 의한 증후를 동반하는 경우가 많다.

허약형(虛弱型) – E. 간신(肝腎) 타입

평소부터 몸이 말랐거나, 어지럼증 등의 빈혈을 잘 일으키는 사람은 간혈(肝血)이 부족한 체질인데 간은 근(筋)을 주(主)하고, 간경(肝經)은 족소양담경(足少陽膽經)과 표리 관계에 있으므로 이런 사람은 딱딱한 것을 너무 씹거나 하면 턱 부위의 경근(經筋)에도 피로가 쌓여서 악관절증을 일으키기 쉽다. 다음으로 신(腎)은 골(骨)을 주(主)하고, 이빨은 골지여(骨之餘)이다. 또한 신(腎)은 발육이나 노화에 관여하므로 나이를 먹거나 선천 부족이 있으면 신정(腎精)이 부족해져서 이빨을 자윤(滋潤)할 수 없게 되어 턱이나 이빨의 질환의 원인이 되기 쉽다. 그리고 신정(腎精)과 간혈(肝血)은 그 근원이 같으므로[87], 간혈(肝血)의 부족은 신정(腎精)의 부족을 유발하고, 반대로 신정(腎精)의 부족도 간혈(肝血)의 부족을 야기하여 둘 다 간신부족(肝腎不足)이나 간신음허(肝腎陰虛)로 발전한다. 그래서 간신부족(肝腎不足)이나 간신음허(肝腎陰虛)인 사람은 턱 부위의 뼈나 경근(經筋)의 영양이 부족한 타입의 악관절증을 일으킨다.

따라서 이 타입은 환부의 경근(經筋)이나 관절이 영양을 받지 못하므로 입을 열 때 힘이 들어가지 않거나, 피로나 잠 부족 등으로 무겁고 나른한 둔통(鈍痛)이 나타나고, 또한 어지럼증이나 떨림, 눈의 피로 등의 간혈(肝血) 부족에 의한 증후와 신(腎)이 주(主)하는 허리나 귀에 영향을 끼쳐 하반신의 나른함과 통증, 그리고 이명(耳鳴) 등의 증후가 보인다.

---

87) 간신동원(肝腎同源)을 의미한다.

혀의 통증(舌痛症)

- 중의학(中醫學)의 임상 표현 중 설체(舌體, 혀)의 일부분, 또는 전체에 자발적인 작열감, 소양감(瘙痒感), 동통(疼痛) 등의 이상 감각을 호소하는 것을 '혀통증(舌痛症)'이라고 하며 다른 이름으로는 설작통(舌灼痛)이라고 한다.
- 환자는 혀의 여러 가지 감각을 이야기 하지만, 국소 부위를 검사해도 명확한 점막의 손상이나 운동 장해는 확인되지 않는다.
- 종양 등 혀 본체의 기질적 장해가 큰 질환으로 말미암은 혀의 통증은 이 챕터에서 다루지 않는다. 혀의 통증은 일종의 증상명(症狀名)이지 진단명(診斷名)이 아니다.
- 혀의 통증은 4가지 형(型)으로 크게 나누어지고, 더불어 7가지의 병증 타입으로 감별하고 각각에 맞춘 한방약을 적절하게 골라 썼다.

3.

구강건조증의 형(型)과 병증(病證) 타입

실열형(實熱型)

급격하게 통증이 발생. **환부가 붉다.** **작열감이 있다.** **통증이 강하다.**

간(肝) 타입

☆ 혀의 주변부가 아프다.
☆ 통증 부위가 이동한다.
☆ 스트레스로 악화된다.

A

심(心) 타입

☆ 설첨부(舌尖部)에 통증
☆ 찌르는 듯한 통증
☆ 감정 고조로 유발

B

폐(肺) 타입

☆ 설첨부(舌尖部)에 통증
☆ 설첨부(舌尖部)가 따끔거린다.
☆ 감기로 유발

C

위(胃) 타입

☆ 혀의 중앙이 아프다.
☆ 매운 것을 먹고 마시면 악화된다.

D

조체형(阻滯型)

담화(痰火) 타입

☆ 혀 전체가 저리고 아프다.
☆ 음주로 악화

E

허열형(虛熱型)

만성적인 둔통 **심하게 아프지는 않다.**

음허(陰虛) 타입

☆ 혀가 건조하고 아프다.
☆ 밤에 더 잘 악화된다.

F

허약형(虛弱型)

비허(脾虛) 타입

☆ 혀 전체에 둔통(鈍痛)
☆ 피로나 걱정으로 악화

G

「혀가 아프다.」

급성
동통(疼痛)이 심하고 그 부위가 이동한다. 일에 관련된 스트레스가 강하여 증상이 나타났다. ➡ 실열형(實熱型) 간(肝) 타입의 특성

초조하고 스트레스, 흉협부(胸脇部)의 압통(壓痛), 잠을 잘 못 잠. ➡ 간울(肝鬱) 그리고 울열(鬱熱)의 증후

변비, 설질(舌質)은 홍색이고 설태는 황니태(黃膩苔) ➡ 열증(熱證)의 증후

생리통, 혀의 가 쪽 부위가 암홍색, 설하정맥노장(舌下靜脈怒張) ➡ 어혈(瘀血)의 증후

【증례1】환자: 여성 연령: 29세 미혼 회사원 신장: 158cm 체중 43kg

[초 진] 2007년 9월 29일

현병력: 한주 전부터 혀가 아파서 말하는 것조차 괴로웠다. 그 전의 수 주 동안은 일이 바빴다.

과거력: 특이 사항 없음.

현재의 증(症): 아픈 곳의 위치가 오른쪽으로, 왼쪽으로 때에 따라 달라진다. 초조감, 스트레스가 심하고, 잠을 청해도 잠이 잘 안 온다. 흉협부(胸脇部)와 심하부(心下部)에 답답함과 압통(壓痛)이 있으며, 생리통이 강하다. 변비와 식욕부진, 피로권태감, 눈의 피로가 있다. 손발바닥이 뜨겁다.

설진(舌診) 소견: 설질(舌質, 혀)의 색은 홍색이고, 혀의 주변부위가 조금 암홍색이다. 설태(舌苔)는 황니태(黃膩苔)이다. 그리고 설하정맥노장(舌下靜脈怒張)이 관찰된다.

맥진(脈診) 소견: 맥현세(脈弦細)

사용 중인 약: 미노파겐 주사[88], 로프레서[89], 노바스크[90], 가스타[91], 설사약

변증(辨證): 실열형(實熱型)의 간(肝) 타입.

처방: 가미소요산(加味逍遙散) 엑스제 7.5g/3번 나누어, 온청음(溫淸飮) 엑스제 각 7.5g/3번 나누어 투여 7일분.

[재 진] 2007년 10월 6일
혀 통증이 현저하게 감소하였다.

처방: 가미소요산(加味逍遙散) 엑스제 7.5g/3번 나누어, 온청음(溫淸飮) 엑스제 각 7.5g/3번 나누어 투여 7일분.

[3 진] 2007년 10월 13일
혀 통증이 사라졌다.

처방: 이전과 동일.

---

88) ミノファーゲン注射. 미노파겐(Minophagen) 제약회사가 만들어 시판하고 있는 간염 치료약의 이름이다.
89) Lopressor. 고혈압이나 협심증 등에 사용되는 베타 차단제.
90) Norvasc. 혈압약 이름.
91) 위산 억제제

실열형(實熱型)─A. 간(肝) 타입

처방 가미소요산(加味逍遙散) + 온청음(溫淸飮)

증례1의 처방 해설

　본래라면「실열형(實熱型) - 간(肝) 타입」에 속하고, 어혈을 동반하므로 가미소요산(加味逍遙散)에 사물탕(四物湯)을 합방하여 처방한다. 그러나 실열(實熱)이 강하고, 사물탕(四物湯)을 황련해독탕(黃連解毒湯)과 합한 온청음(溫淸飮)으로 변경하여 처방하여 좋은 결과를 얻었다.

【조성】
가미소요산(加味逍遙散)　시호(柴胡), 작약(芍藥), 백출(白朮), 당귀(當歸), 복령(茯苓), 산치자(山梔子), 목단피(牧丹皮), 감초(甘草), 생강(生薑), 박하(薄荷)
온청음(溫淸飮)　지황(地黃), 작약(芍藥), 천궁(川芎), 당귀(當歸), 황금(黃芩), 황백(黃栢), 황련(黃連), 산치자(山梔子)

증례1의 분석

　급격하게 증상이 나타나며, 말하는 것이 힘든 만큼 혀가 아픈 것은 실증(實證)에 속한다. 또한 동통(疼痛) 부위가 날마다 이동하고, 초조함이나 스트레스, 흉협부의 압통(壓痛)이나 맥현(脈弦)이 나타나는 것은 간기울결(肝氣鬱結)의 증후이다. 증상이 나타나기 전의 수 주 동안은 일이 매우 바빴으며, 그래서 간울(肝鬱)이 기울화화(氣鬱化火)되어 일어난「실열형(實熱型) - 간(肝) 타입」에 속한다고 판단하였다. 홍색의 설질(舌質)과, 황니태(黃膩苔)의 설태도 실열(實熱)을 가리키는 표시이며, 잠이 잘 들지 못하는 것은 울열(鬱熱)에 의한 것이라고 생각할 수 있겠다. 또한 생리통, 혀 주변부가 어두운 홍색이 되는 것, 설하정맥노장(舌下靜脈怒張)이 있는 것으로부터 원래부터 기체혈어(氣滯血瘀)가 있었다고 판단할 수 있다.

　그 밖에도, 식욕부진, 피로 권태감 등의 기허(氣虛) 증상이나, 손발바닥이 뜨겁고, 눈의 피로 등의 간음허(肝陰虛) 증상이 보이지만, 주소증인 혀의 통증이 실증(實證)의 특성을 가진다는 점을 생각하면 혀 통증의 치료에는 관계없다고 판단하여 변증에는 포함하지 않았다.

「혀가 아프다.」

동통(疼痛)은 화상(火傷)을 입었을 때와 같은 작열통. 혀의 앞쪽 1/3 부분의 혀 가장자리의 통증	→ 실열형(實熱型) 간(肝) 타입의 특성
설첨부(舌尖部)의 작열통	→ 간울(肝鬱) 그리고 울열(鬱熱)의 증후
초조감, 스트레스, 안저출혈(眼底出血)[92]	→ 열증(熱證)의 증후
가슴이 심하게 뛰고, 불면, 다몽(多夢)	→ 어혈(瘀血)의 증후
생리통, 설첨부(舌尖部)의 어점(瘀點), 설하정맥노장(舌下靜脈怒張)	→ 어혈(瘀血)의 증후

【증례2】 환자: 여성 연령 불명 기혼 회사원 신장: 149cm 체중 42kg
[초 진] 2007년 7월 14일
현병력: 3개월 전부터 아프기 시작하였고, 이비인후과에 가서 혀 통증으로 진단받았으나, 구체적인 치료는 하지 않았다.
과거력: 안저출혈(眼底出血)로 치료 중이었다.
현재의 증(症): 혀 앞쪽 1/3의 주변부에서 설첨부(舌尖部)까지가 화상을 입은 듯이 아프다. 스트레스와 초조감이 강하고, 가슴의 두근거림과 불면다몽(不眠多夢) 증상이 있다. 조금 변비가 있으며, 눈의 피로와 생리통(生理痛)이 있다.
설진(舌診) 소견: 설질(舌質), 혀의 색은 담홍색(淡紅色)이고, 설첨부(舌尖部)에 어점(瘀點)이 있다. 치흔(齒痕)과 설하정맥노장(舌下靜脈怒張)이 관찰된다.
맥진(脈診) 소견: 맥현세삭(脈弦細)
변증(辨證): 실열형(實熱型)의 간(肝) 타입과 심(心) 타입의 혼합형 (심간화왕증(心肝火旺證))
처방: 시호가용골모려탕(柴胡加 骨牡蠣湯)(대황(大黃)첨가) 엑스제 7.5g/3번 나누어, 육신환(六神丸) 6환/3번 나누어 투여 7일분.
[재 진] 2007년 7월 21일
통증이 반감되었다. 흉협부(胸脇部)나 복부에 심한 종창(腫脹)이 있으며, 소변이 잘 안나오고, 변비도 있다.
처방: 대시호탕(大柴胡湯) 엑스제 7.5g / 3번 나누어, 저령탕(猪苓湯) 엑스제 각 7.5g / 3번 나누어 투여 7일분.
[3 진] 2007년 7월 28일
통증이 따끔거리는 통증으로 변화하였다.
처방: 가미소요산(加味逍遙散) 엑스제, 온청음(溫淸飮) 엑스제 각 7.5g/3번 나누어 투여 7일분.
[4 진] 2007년 8월 4일
따끔거리는 감은 남아있다. 아직 변비가 신경쓰인다.
처방: 가미소요산(加味逍遙散) 엑스제, 온청음(溫淸飮) 엑스제 각 7.5g/3번 나누어, 대황(大黃), 목단피(牧丹皮) 가루 각 1g/3번 나누어 투여 14일분.
[5 진] 2007년 8월 25일
따끔거리는 느낌이 위화감으로 변화하였다. 불면증이 신경쓰인다.
처방: 가미소요산(加味逍遙散) 엑스제, 산조인탕(酸棗仁湯) 엑스제 각 7.5g/3번 나누어 투여 14일분.
[6 진] 2007년 9월 15일
혀 통증은 더 이상 신경 안 쓰게 되었다.

---

92) fundus hemorrhage.

실열형(實熱型)—A. 간(肝) 타입
B. 심(心) 타입의 혼합형 (어혈(瘀血)을 동반)

처방

시호가용골모려탕(柴胡加龍骨牡蠣湯) + 육신환(六神丸)
가미소요산(加味逍遙散) + 온청음(溫淸飮)

증례2의 처방 해설

초진에서는 실열형(實熱型)-간(肝) 타입과 심(心) 타입의 혼합형이었으므로 간(肝) 타입에 사용되는 시호제(柴胡劑)로는 중진안신약(重鎭安神藥)과 평간약(平肝藥)인 용골(龍骨)과 모려(牡蠣)가 들어간 시호가용골모려탕(柴胡加龍骨牡蠣湯)을 사용하고, 여기에 심화(心火)를 청사(淸瀉)할 수 있는 육신환(六神丸)을 합방하여 처방하였다.

재진에서는 통증은 반감되었으나 소변이 잘 안 나와서 본래라면 육신환을 소장의 실열(實熱)에 대응하는 도적산(導赤散)으로 변경하여 사용해야 하지만 일본에서는 엑스제 방제가 없으므로 저령탕(猪苓湯)으로 대용한다. 그러나 저령탕(猪苓湯)은 도적산(導赤散)보다 청열(淸熱) 작용이 약하므로 시호가용골모려탕(柴胡加龍骨牡蠣湯)을 청열 작용이 더욱 강한 대시호탕(大柴胡湯)으로 바꾸었다.

3진에서는 배뇨 문제는 사라졌으며, 통증은 따끔거리는 정도로까지 줄어들었으므로 간화(肝火)를 중심으로 어혈(瘀血)을 고려하여 가미소요산(加味逍遙散)과 온청음(溫淸飮)을 합방하였다.

5진에서는 따끔거리는 느낌이 위화감을 느끼는 정도까지 줄어들었으므로 가미소요산(加味逍遙散)만으로도 충분하다고 생각했으나, 불면(眠) 문제가 있으므로 온청음(溫淸飮)을 산조인탕(酸棗仁湯)으로 변경하고 가미소요산(加味逍遙散)과 합방하였다.

【조성】
시호가용골모려탕(柴胡加龍骨牡蠣湯) 시호(柴胡), 대조(大棗), 반하(半夏), 인삼(人蔘), 계피(桂皮), 모려(牡蠣), 복령(茯苓), 용골(龍骨), 황금(黃芩), 생강(生薑)
가미소요산(加味逍遙散) 시호(柴胡), 작약(芍藥), 백출(白朮), 당귀(當歸), 복령(茯苓), 산치자(山梔子), 목단피(牧丹皮), 감초(甘草), 생강(生薑), 박하(薄荷)
온청음(溫淸飮) 지황(地黃), 작약(芍藥), 천궁(川芎), 당귀(當歸), 황금(黃芩), 황백(黃栢), 황련(黃連), 산치자(山梔子)

증례2의 분석

동통(疼痛) 부위가 혀의 앞 1/3의 끝부분부터 주변 부위라는 점과, 혀와 장부의 관계에서 설첨부(舌尖部)는 심(心)에 해당하고 혀 주변부는 간(肝)과 관련되므로, 병증(病證)은 「실열형(實熱型)의 간(肝)과 심(心)의 혼합형」이라고 생각할 수 있겠다. 이와 같이 심화(心火)와 간화(肝火)가 동시에 출현하는 병증(病證)은 중의학(中醫學)의 변증(辨證)에서 「심간화왕증(心肝火旺證)」이라고 한다. 그리고 스트레스, 초조함, 그리고 현맥(弦脈)은 간기울결(肝氣鬱結)의 증후이며, 가슴이 많이 뛰거나 불면(不眠), 다몽(多夢)의 심화(心火)에 의한 증후도 보이므로 이 병증(病證) 타입이 입증된다. 또한 안저출혈(眼底出血)도 간화(肝火)의 상염(上炎)에 의해 일어나는 것이다. 또한 동통(疼痛)이 이미 3개월이나 계속 되었고 혀 끝부분의 어점(瘀點)이나 설하정맥노장(舌下靜脈怒張) 그리고 생리통을 고려하여 기체혈어(氣滯血瘀)가 있다고 판단하였다. 변비(便秘)는 실열(實熱)을 나타내고 재진에서 호소하고 있는 배뇨 이상은 심화(心火)가 심(心)과 표리(表裏) 관계에 있는 소장(小腸)의 비별청탁(泌別淸濁) 기능에 영향을 주어서 생긴 소장실열(小腸實熱)에 의한 것으로 생각할 수 있겠다.

혀 통 증 ③ 증후(症候)의 정리와 처방 포인트

「혀와 입술에 위화감과 마비가 있다.」

병위(病位)는 오른쪽 혀 주변부 ➡	간(肝) 관련 부위
초조감, 스트레스, 어깨 결림. ➡	간울(肝鬱) 그리고 기체 (氣滯)의 증후
입이 마르다. ➡	가벼운 열(熱) 증상
불면(不眠), 다몽(多夢), 눈이 침침, 가슴이 뛰고 설질(舌質)은 담백(淡白)하다. ➡	간혈허(肝血虛)의 증후

【증례3】환자: 여성 연령: 48세 기혼 전업주부 신장: 148cm 체중 47kg

[초 진] 2004년 11월 12일

현병력: 반년 전부터 가족 중 한명이 말기 암으로 집에서 요양 중이다. 2개월 전에 혀의 오른쪽 가쪽에 위화감을 느껴 이비인후과를 찾았다. 그 후에도 혀의 증상은 변화가 없었고 또한 목이 막히는 느낌이 들어 내과 검진을 받았다. 목의 증상은 경감되었으나 혀 증상은 변화가 없었고 또한 입술에 마비도 와서 내원하였다.

과거력: 특이사항 없음.

현재의 증(症): 혀의 우측 가쪽에 위화감이 있으나 혀 자체에서는 특별한 이상 소견은 확인할 수 없었다. 초조하고, 스트레스가 있으며, 목과 어깨가 결린다. 가슴이 심하게 뛰고, 불면(不眠), 다몽(多夢), 눈이 침침하고, 입이 마르며, 최근에는 월경 주기가 불규칙하고 월경량도 적었다.

설진(舌診) 소견: 설질(舌質, 혀)은 담백(淡白)하고, 설태는 박백(薄白)하다.

맥진(脈診) 소견: 맥침세삭(脈沈細數)

사용 중인 약: 정신 안정제, 근육 이완제, 비타민 B

변증(辨證): 실열형(實熱型)의 간(肝) 타입(단, 열(熱)은 가볍고 간혈부족(肝血不足)을 동반한다).

처방: 가미소요산(加味逍遙散) 엑스제 7.5g/3번 나누어, 사물탕(四物湯) 엑스제 7.5g/3번 나누어 투여 7일분.

[재 진] 2004년 11월 19일

이전 처방약을 복용한 후 3일 째에 마비가 개선되었다.

스트레스는 여전히 있으며, 조금 더 복약을 계속해 보고서 재발하지 않는다면 치료를 종료하겠다고 알려주었다.

처방: 이전과 동일.

실열형(實熱型)—A. 간(肝) 타입
(열(熱)은 가볍고 간혈허(肝血虛)를 동반)

가미소요산(加味逍遙散) + 사물탕(四物湯)

증례3의 처방 해설

변증에서는 간기울결(肝氣鬱結)이 기울화화(氣鬱化火)가 되고, 또한 간혈허(肝血虛)를 동반하고 있으나,「가미소요산(加味逍遙散)」에는 소간(疏肝)과 울열(鬱熱)의 청사(淸瀉) 그리고 건비(健脾), 보간혈(補肝血) 작용이 있으므로 이를 처방의 중심으로 하였다. 그러나 울열(鬱熱)보다도 간혈허(肝血虛) 쪽이 주증(主症)에 대한 영향이 더 크다고 판단하여 사물탕(四物湯)을 합방하여 좋은 결과를 얻었다.

「사물탕(四物湯)」에는 간혈(肝血)을 보(補)하고, 충임맥(衝任脈)을 조화시켜서 이에 의해 부인과 계통을 조절하는 작용이 있다. 만약 갱년기에 의한 정혈 부족이 신정(腎精)에 크게 영향을 미치는 경우에는「사물탕(四物湯)」을「육미지황환(六味地黃丸)」이나「지백지황환(知栢地黃丸)」으로 바꿔서 합방하면 좋다.

【조성】
가미소요산(加味逍遙散) 시호(柴胡), 작약(芍藥), 백출(白朮), 당귀(當歸), 복령(茯苓), 산치자(山梔子), 목단피(牧丹皮), 감초(甘草), 생강(生薑), 박하(薄荷)
사물탕(四物湯) 지황(地黃), 작약(芍藥), 천궁(川芎), 당귀(當歸)

증례3의 분석

주소증이 우측 혀 주변부의 위화감이었으므로 간(肝)과 관계가 깊다. 또한 초조함이나 스트레스, 어깨 결림 등의 간기울결(肝氣鬱結)에 의한 증후가 있다. 일반적으로 간기울결(肝氣鬱結)은 기울(氣鬱)이 열화(熱化)[93]되면「간화(肝火)」가 되지만, 이 증례에서는 입이 마르는 증상(구건(口乾)) 이외에 이렇다 할 열증(熱證)의 증후를 찾을 수는 없다. 그래서「실열형(實熱型) - 간(肝) 타입」이면서 열(熱)은 가벼운 타입이라고 판단하였다. 발병 기전은 환자의 연령과 함께, 월경 주기가 불규칙하고 월경량이 감소했다는 것을 고려하여 갱년기에 접어들어 간신(肝腎)의 정혈(精血)이 부족하고, 가족 중 한 명의 병간호로 심려가 커서 스트레스를 받아 증상이 시작되었다고 생각할 수 있겠다.

현재의 병력에서는 스트레스에 의한 매핵기(梅核氣)[94]가 있었는데 이는 안정제에 의해 개선되었다. 그러나 불면(不眠), 다몽(多夢), 눈이 침침하고, 가슴이 두근거리고, 혀가 담백(淡白)하고, 맥침세(脈沈細) 등의 혈허(血虛)를 가리키는 증후는 아직 남아 있어서 이를 위해 안정제를 복용해도 우측 혀 주변의 위화감은 개선되지 못하고 남아 있었다고 판단하였다. 이상의 내용들을 종합해서「실열형(實熱型) - 간(肝) 타입」에 속하지만 열화(熱化)는 그리 많이 되지 않았고 또한 간혈허(肝血虛)를 동반하는 타입이라고 할 수 있겠다.

---

93) 이를 기울화화(氣鬱化火)라고 한다.
94) 가래가 목에 붙어있는 듯 하며 뱉어도 안 나오고, 삼켜도 안 삼켜지고, 계속 남아 있는 것 같은 느낌이 드는 것을 이른다.

「혀끝이 아프다.」

혀끝이 붉고 홍점(紅點)이 있으며 따끔거리며 아프다.	➡	실열형 (實熱型) 심(心) 타입의 특징
혀의 주변부가 붉다.	➡	간(肝) 타입의 특징
스트레스, 초조감, 눈이 붉고, 어깨가 결린다.	➡	간울(肝鬱)과 간화(肝火)의 증후
매운 음식을 먹으면 악화되고, 입이 마르고, 변비가 있다.	➡	실열(實熱) 또는 위화(胃火)의 증후
저녁부터 밤에 증상이 악화된다.	➡	화열(火熱)이 음(陰)을 손모(損耗) 하여 일어나는 증상 특징

【증례4】 환자: 여성 연령: 37세 신장: 157cm 체중 44kg

[초 진] 2006년 11월 7일

현병력: 일이 바쁜 나날이 계속되던 중, 2주전부터 갑자기 혀끝에 통증이 왔다. 이비인후과에서 진료를 받고 비타민제를 처방받았으나 증상은 변화가 없었다.

과거력: 수년 전부터 알러지성 비염

현재의 증(症): 혀끝이 화상을 입은 듯이 따끔거리며 아프고, 아침에는 아프지 않지만 오후부터 밤에 걸쳐 통증이 증가했다. 따뜻하거나 매운 음식을 먹으면 통증이 더 심해졌다. 초조감과 스트레스가 있으며, 눈이 잘 충혈 되고, 어깨 결림과 불면(不眠)이 있다. 입이 끈적이고, 조금 건조감이 있으며, 변비가 잘 생기고, 소변을 자주 본다. 생리통은 심하지 않다.

설진(舌診) 소견: 설질(舌質, 혀)은 끝부분부터 주변부에 걸쳐 홍색이고, 혀끝에는 혓바늘이 있으며, 혀 본체는 반대설(胖大舌)[95]이고, 설태는 조금 황니태(黃膩苔)이다.

맥진(脈診) 소견: 맥세활(脈細滑), 왼쪽 관(關)[96]의 맥현(脈弦)

변증(辨證): 실열형(實熱型)의 간(肝) 타입과 심(心) 타입의 혼합형. (심간화왕증(心肝火旺證))

처방: 용담사간탕(龍膽瀉肝湯) 엑스제 7.5g/3번 나누어, 시호(柴胡) 가루 1g/3번 나누어 투여 7일분.

[재 진] 2006년 11월 15일

가장자리의 통증과 붉어짐은 경감되었으나, 혀끝은 이전과 변함없었다.

처방: 시호가용골모려탕(柴胡加龍骨牡蠣湯)(대황(大黃)첨가) 엑스제 7.5g/3번 나누어, 황련(黃連) 가루 0.5g / 3번 나누어, 단삼(丹參) 가루 1.0g/3번 나누어 투여 7일분.

[3 진] 2006년 11월 24일

통증에 변화가 없었다.

처방: 시호가용골모려탕(柴胡加龍骨牡蠣湯)(대황(大黃)첨가) 엑스제 7.5g/3번 나누어, 용담사간탕(龍膽瀉肝湯) 엑스제 7.5g/3번 나누어, 황련(黃連) 가루 0.5g/3번 나누어, 단삼(丹參) 가루 1.0g/3번 나누어 투여 7일분.

[4 진] 2006년 12월 2일

혀끝이 붉어지는 것과 통증이 감소하였다.

처방: 이전과 동일

[5 진] 2006년 12월 9일

통증에는 변화가 없었지만 변비와 불면 증상은 해소되었다.

처방: 이전과 동일

[6 진] 2006년 12월 16일

혀의 통증은 예전의 가장 많이 아팠을 때의 50%이고 아프지 않은 날도 나타났다.

처방: 이전과 동일

[7 진] 2006년 12월 24일

통증이 거의 사라졌다.

실열형(實熱型)—A. 간(肝) 타입
B. 심(心) 타입의 혼합형
(열(熱)은 가볍고 간혈허(肝血虚)를 동반)

처방

시호가용골모려탕(柴胡加龍骨牡蠣湯)(대황(大黃)첨가) +

용담사간탕(龍膽瀉肝湯) + 황련(黃連) 가루 + 단삼(丹參) 가루

증례4의 처방 해설

변증에서는 심간화왕(心肝火旺) 타입이라고 하였으나 심화(心火) 보다도 간화(肝火)의 영향이 크다고 판단하여, 처음에는 용담사간탕(龍膽瀉肝湯)을 처방하였다. 이로 인해 혀 주변부의 증상은 경감되었으나 혀끝의 증상은 계속 남아 있었으므로 청열(清熱)[97] 작용은 떨어지지만 중진안신(重鎮安神)[98] 성분인 용골(龍骨)과 모려(牡蠣)가 들어 있는 시호가용골모려탕(柴胡加龍骨牡蠣湯)으로 바꾸었으며, 여기에 심화(心火)를 청열양혈(清熱涼血)[99]할 수 있는 황련(黃連) 가루 + 단삼(丹參) 가루를 배합하였다. 그러나 청열(清熱)작용이 부족하여 효과를 보지 못하였으므로, 여기에 목통(木通)과 생지황(生地黃)이 들어있는 용담사간탕(龍膽瀉肝湯)을 다시 배합함으로써 좋은 결과를 얻었다.

【조성】
시호가용골모려탕(柴胡加龍骨牡蠣湯) 시호(柴胡), 대조(大棗), 반하(半夏), 인삼(人蔘), 계피(桂皮), 모려(牡蠣), 복령(茯苓), 용골(龍骨), 황금(黃芩), 생강(生薑)
대황(大黃) Sennoside, Emodin, Rhein, Rhatannin, Anthraquinone, Tannin
용담사간탕(龍膽瀉肝湯)[100] 지황(地黃), 당귀(當歸), 목통(木通), 황금(黃芩), 차전자(車前子), 택사(澤瀉), 감초(甘草), 산치자(山梔子), 용담(龍膽)

증례4의 분석

주소증이 혀끝 부위의 따끔거리는 아픔이라는 실열형(實熱型) - 심(心) 타입이 있는 것과 더불어 혀의 색은 혀끝에서 혀 주위 부분에 걸쳐 붉고, 초조감, 스트레스, 그리고 눈의 충혈, 왼쪽의 관(關) 부위에서 맥현(脈弦) 등 간화(肝火) 증후도 보이므로 「실열형(實熱型) - 간(肝) 타입과 심(心) 타입의 혼합형」이라고 판단하였다. 혀의 통증은 따뜻한 것이나 매울 음식을 먹을 때 심해진다. 구건(口乾), 변비(秘) 등의 위화(胃火) 증후도 보이지만, 동통부(疼痛部)에서 심화(心火)의 가능성이 높으므로, 여기서는 단순한 열증(熱證)의 증후로 판단하였다.

그밖에 통증은 오후부터 밤사이에 강하고, 맥세(脈細)라는 음허(陰虚)와 같은 증후도 조금 보이지만, 병의 진행도 짧고, 연령도 높지 않으며, 이들은 화열(火熱)이 강하므로 음(陰)이 손상된 증후라고 추측하여 무리하게 자음(滋陰)을 시행하지 않더라도 화열(火熱)을 꺼트리면 자연히 음(陰)은 회복된다고 생각할 수 있겠다.

---

95) 크고 두터운 혀
96) 손목부위를 3부분으로 나누어 몸쪽 방향으로 각각 촌(寸), 관(關), 척(尺)이라고 부르는데, 그 중 고골(高骨) 부위를 관(關)이라고 한다. 고골(高骨)은 흔히 요골경상돌기(橈骨莖狀突起, styloid process)로 알려져 있으나 엄밀히 말하면 좀 다르다. 즉, 고골(高骨)의 정확한 해부학적 명칭은 존재하지 않는다.
97) 열을 내리는 것.
98) 안신법(安神法)의 일종이다. 중진(重鎮)에 효과가 좋은 약물을 써서 심신 불안을 치료하는 방법이다.
99) 혈분(血分)의 열(熱)을 제거하는 것.
100) 한국과는 달리 시호(柴胡)와 적복령(赤茯苓)이 빠져있음을 볼 수 있다.

「혀끝이 아프다.」

혀끝이 붉고 따끔거린다.	심(心) 타입의 특징
뜨겁거나, 매운 음식을 못 먹는다.	열(熱)의 특성
밤에 아파서 잘 수가 없다.	열(熱)이 음(陰)을 손모(損耗)한 특성
만성적인 이명, 입이 마름, 혀의 열문설(裂紋舌), 고령(高齡)	신음허(腎陰虛)의 증후

【증례5】환자: 여성 연령: 68세 기혼, 전업주부, 신장: 154cm 체중 47kg

[초 진] 2006년 1월 30일
현병력: 2006년 1월 10일에 완탕[101]을 먹다가 혀를 데었다. 그 후 데인 것은 치유되었으나 20일부터 혀끝이 아프기 시작했고 밤에 잠을 잘 수 없게 되었다. 모 대학의 구강외과로 가서 진료를 받았는데 별 효과가 없었다.
과거력: 고혈압
현재의 증(症): 따끔거리는 통증이 있다. 맵거나 뜨거운 음식, 맛이 자극적인 음식은 아파서 먹을 수 없다. 불면증이 있고, 잘 때 땀이 난다. 혀의 통증이 잘 낫지 않아서 스트레스가 있고 초조감이 있다. 평소 입이 잘 마르고, 이명이 있으며, 소변량은 조금 적다. 혈압은 170~110이다.
설진(舌診) 소견: 설질(舌質, 혀)은 어두운 홍색이고, 혀끝은 붉으며, 열문(裂紋)[102]이 있다. 설태는 박백(薄白)이다.
맥진(脈診) 소견: 맥세삭(脈細數)
변증(辨證): 허열형(虛熱型) - 음허(陰虛) 타입 (심신불교(心腎不交) = 음허화왕(陰虛火旺))
처방: 지백지황환(知栢地黃丸)[103] 24환(丸)/3번 나누어, 황련해독탕(黃連解毒湯) 엑스제 7.5g/3번 나누어 투여 7일분.

[재 진] 2006년 2월 6일
　　혀끝이 붉어지는 것과 통증이 경감되었다.
처방: 이전과 동일 투여 7일분.

[3 진] 2006년 2월 13일
　　혀끝의 통증은 경감되긴 했으나 아직 있다. 입 안이 건조하다.
처방: 맥미지황환(麥味地黃丸) (팔선환(八仙丸) 21환(丸)/3번 나누어, 지모(知母) 엑스제 1g/3번 나누어, 황백(黃柏) 가루 0.5g/3번 나누어, 당귀(當歸) 가루 1.0g/3번 나누어, 천궁(川芎) 가루 1.0g/3번 나누어 투여 7일분.

[4 진] 2006년 2월 20일
　　구강 건조는 경감되었으나 혀끝의 통증이 아직 있다.
처방: 지백지황환(知栢地黃丸) 24환(丸)/3번 나누어, 황련(黃連) 가루 0.5g/3번 나누어, 당귀(當歸) 가루, 천궁(川芎) 가루, 단삼(丹參) 가루 각 1.0g/3번 나누어 투여 7일분.

[5 진] 2006년 2월 27일
　　혀끝의 통증이 경감되었다.
처방: 이전과 동일 투여 7일분

허열형(虛熱型)—F. 음허(陰虛) 타입 (심신불교(心腎不交))

지백지황환(知栢地黃丸) + 황련해독탕(黃連解毒湯)

(화왕(火旺)이 강한 동안)

지백지황환(知栢地黃丸) + 황련(黃連) 가루 + 당귀(當歸) 가루 + 천궁(川芎) 가루 + 단삼(丹參) 가루 (열이 개선되어도 아플 때)

증례5의 처방 해설

음허화왕(陰虛火旺) 또는 심신불교(心腎不交)로 음허 쪽이 주증인 경우에는 지백지황환(知栢地黃丸)을 사용하는 것이 일반적이다. 그러나 일본에는 지백지황환(知栢地黃丸)의 엑스제제가 없으므로 만약 엑스제를 사용해야 하는 경우라면 육미지황환(六味地黃丸)에 지모(知母) 엑스제와 황백(黃白) 가루를 더하는 것이 필요하다.

이 환자는 심화(心火)가 조금 강해서 도적산(導赤散)을 배합하고 싶지만 일본에는 제제가 없으므로 황련(黃連) 가루를 더하였다(만약 심화(心火)가 억제되지 않는다면 추가로 우황(牛黃) 가루나 육신환(六神丸)을 배합한다).

심(心)은 혈맥(血脈)을 주(主)하는 장기이며, 심병(心病)에서는 주로 어혈(瘀血)이 생성되기 쉽다. 열(熱)이 나아도 통증이 여전히 남아 있는 경우에는 활혈(活血)을 시켜야 한다. 이 증례에서 단삼(丹參) 가루, 당귀(當歸) 가루, 천궁(川芎) 가루를 가미한 것은 활혈(活血)이 목적이다.

【조성】
지백지황환(知栢地黃丸)　지황(地黃), 산수유(山茱萸), 산약(山藥), 택사(澤瀉), 복령(茯苓), 목단피(牧丹皮), 지모(知母), 황백(黃栢)
황련해독탕(黃連解毒湯)　황금(黃芩), 산치자(山梔子), 황련(黃連), 황백(黃栢)

증례5의 분석

혀끝이 붉고 따끔거리며 아픈 증후는 심화(心火)와 관계가 깊다. 증상이 나타난 원인은 화상이지만 화상 자체는 치유되었다. 그럼에도 불구하고 자각 증상만은 남았으며 특히 밤에 잠을 못 이루는 것에 대해서는, 심(心)은 혀(舌)로 개규(開竅)하므로 화열(火熱)이 심음(心陰)을 손모(損耗)시켰기 때문이라고 생각하였다.

심(心)은 신명(神明)을 주(主)하고 심(心)의 음혈(陰血)이 이를 자양(滋養)하고 있으나 혀의 화상 쪽에 신경을 너무 쓴 나머지 정신적인 피로가 과도하여 심음(心陰) 손모(損耗)가 일어나고 이것이 역으로 혀의 감각을 과민하게 해서 언제까지고 혀끝의 따끔거리는 통증이 사라지지 않는 것이다. 맵거나 뜨거운 음식은 증상을 더욱 악화시키므로 먹지 못하며 맥삭(脈數)은 열증(熱症)의 증후이다.

이런 심음(心陰)의 손모(損耗)가 일어난 원인으로는, 만성적인 이명(耳鳴)과 맥세삭(脈細數), 혀의 열문(裂紋) 등을 고려해 보면, 나이가 들어감에 따른 신음허(腎陰虛)가 바탕에 깔려 있다고 생각할 수 있겠다. 최종 변증은 심화항성(心火亢盛)과 심신(心腎)의 음허(陰虛)를 모두 고려해 「허열형(虛熱型) - F. 음허(陰虛) 타입」으로 결론 내렸다.

---

101) 운탄(雲呑)의 광동어식 발음. 중국 요리의 하나.
102) 혀가 갈라지는 것.
103) 일본에서의 상품명은 사화보신환(瀉火補腎丸)이다.

「혀의 양측면이 아프다.」

혀 양측면의 통증 병간호 스트레스로 유발	실열형(實熱型) 간(肝) 타입의 특성
스트레스, 초조감, 입이 쓰고, 혀 가쪽이 진한 붉은 색.	간울(肝鬱)과 간화(肝火)의 증후
음주로 더 악화	조체형(阻滯型) 담화(痰火) 타입의 특성
입 속이 끈적이고, 설태는 황니태(黃膩 苔), 혀는 반대설(胖大舌), 치흔(齒痕)	조체형(阻滯型) 담화(痰火) 타입의 증후

【증례6】환자: 남성 연령: 53세 기혼, 회사원, 신장: 165cm 체중 67kg

[초 진] 2005년 9월 26일

현병력: 2005년 5월, 부모의 병간호로 피로와 스트레스가 계속되고, 주량(매일 밤 3잔정도)이 늘기
시작하면서 혀가 아프기 시작했다. 이비인후과에서 검진을 받았으나 특별히 혀에는 이상이
없었고 메티코발[104], 데파스[105), 반하후박탕(半夏厚朴湯)을 처방 받았으나 효과가 없었다.
그 후 치과에서 아래턱의 이를 깎은 후 다소 증상은 경감하였으나 곧 재발하였다.

과거력: 위산과다, 역류성 식도염

현재의 증(症): 음주를 많이 한 다음날에는 혀 통증도 강해진다. 스트레스와 초조감이 강하고, 불면증
이 있으며, 입이 쓰고, 끈적이는 느낌 등이 있다.

설진(舌診) 소견: 설질(舌質, 혀)은 홍색이고, 주변부가 진한 홍색이다. 설태는 황니태(黃膩苔)이고,
혀는 조금 반대설(胖大舌)이고 치흔(齒痕)이 있다.

맥진(脈診) 소견: 맥현활(脈弦滑)

변증(辨證): 실열형(實熱型) - 간(肝) 타입과 조체형(阻滯型) - 담화(痰火) 타입의 혼합형

처방: 소시호탕(小柴胡湯) 엑스제 7.5g/3번 나누어, 용담사간탕(龍膽瀉肝湯) 엑스제 7.5g/3번 나
누어 투여 7일분.

[재 진] 2005년 10월 3일
혀의 통증이 경감되었다.

처방: 이전과 동일.

[3 진] 2005년 10월 7일
혀의 통증은 다 나았다. 잠을 잘 못 이루며, 졸리다.

처방: 가미소요산(加味逍遙散) 엑스제 7.5g/3번 나누어, 산조인탕(酸棗仁湯) 엑스제/3번 나누어 투
여 14일분.

---

104) メチコバール. Methylcobalamin 성분의 약의 상품명. 비타민 B12 계통의 약이다.
105) デパス. etizolam 성분의 약의 상품명. 항불안제이다.

실열형(實熱型)—A. 간(肝) 타입
조체형(阻滯型)—E. 담화(痰火) 타입의 혼합형

용담사간탕(龍膽瀉肝湯) + 소시호탕(小柴胡湯)

증례6의 처방 해설

　실열형(實熱型)의 간(肝) 타입에 조체형(阻滯型)의 담화(痰火) 타입이 더해진 복합 타입이다. 단순히 간(肝) 타입의 처방과 담화(痰火) 타입의 처방을 더하는 것이 아니라 간(肝) 타입의 처방을 중심으로 담화(痰火)에 대한 처치를 고려하는 것이 바람직하다. 여기에서 간(肝) 타입에 사용되는 처방 구성을 살펴보면 용담사간탕(龍膽瀉肝湯)에는 이습(利濕) 작용이 있고, 대시호탕(大柴胡湯)에도 담(痰)을 제거하는 반하(半夏)가 들어 있어서 이들을 응용할 수 있다. 그러나 대시호탕(大柴胡湯)에는 사하약(瀉下藥)인 대황(大黃)이 들어 있어서 변비가 없는 환자가 복용하면 설사를 일으킬 수 있음을 유념해야 한다. 특히 평소 술을 많이 마시는 경우 대변이 물러지기 쉬우므로 대시호탕(大柴胡湯)을 소시호탕(小柴胡湯)으로 바꿔서 처방하였다. 소시호탕(小柴胡湯)에도 반하(半夏)가 들어 있으며, 용담사간탕(龍膽瀉肝湯)에 포함되어 있는 택사(澤瀉), 차전자(車前子) 등의 이습(利濕) 성분과 합해져서 담화(痰火)를 치료할 수 있다.

　3진에서 이미 통증은 개선되었으나 스트레스 등에 의한 불면 증상이 남아 있고, 이것이 점점 더 심해져서 다시 간화(肝火)가 상염(上炎)하게 되면 혀 통증이 재발하게 될 위험이 있어,「가미소요산(加味逍遙散) + 산조인탕(酸棗仁湯)」을 처방하여 울(鬱)을 풀어주고 편안한 잠을 이루게 하였다.

　이전에 이비인후과에서 기체(氣滯)와 담울(痰鬱)로 처방 받은 반하후박탕(半夏厚朴湯)은 별 효과가 없었는데 이는 청열(淸熱) 성분이 포함되어 있지 않았기 때문이었다고 생각된다.

【조성】
용담사간탕(龍膽瀉肝湯)　지황(地黃), 당귀(當歸), 목통(木通), 황금(黃芩), 차전자(車前子), 택사(澤瀉), 감초(甘草), 산치자(山梔子), 용담(龍膽)
소시호탕(小柴胡湯)　시호(柴胡), 반하(半夏), 황금(黃芩), 대조(大棗, 대추), 인삼(人蔘), 감초(甘草), 생강(生薑)

증례6의 분석

　동통(疼痛)이 있는 혀의 양쪽 측면은 간(肝)과 담(膽)과의 관련성이 매우 큰 부위이다. 병간호에 따른 피로에 의한 스트레스와 주량 증가에 의해 증상이 나타났으며, 많이 마신 다음날에 통증이 더 심해지는 특징은 간담경(肝膽經)에 기체(氣滯)와 습열(濕熱)이 울체(鬱滯)되어 일어나는「간담습열증(肝膽濕熱證)」을 가리킨다.

　또한 수반 증상인 스트레스, 초조감, 불면, 입이 쓴 증상, 혀 주변부가 진한 붉은 색이 되는 증상, 맥현(脈弦) 등은 울열(鬱熱)을 반영하고, 입이 끈적거리고, 설태가 황니태(黃膩苔), 맥활(脈滑)은 습열(濕熱)을 반영하여 판단의 뒷받침이 된다.「간담습열증(肝膽濕熱證)」은 이 증례에서는「실열형(實熱型) - A. 간(肝) 타입에 조체형(阻滯型) - E. 담화(痰火) 타입의 혼합형」이라고 생각할 수 있겠다.

「혀끝이 화끈거리며 아프다.」

병정이 길다. 통증이 서서히 지속적이며 오후부터 밤사이에 더 악화된다.	실열형(實熱型) 음허(陰虛) 타입의 특성
동통 부위가 혀끝 뜨겁거나 매운 음식을 먹으면 악화된다.	실열형(實熱型) 심(心) 타입의 특성
불면증	심화(心火) 또는 음허(陰虛)에 의한 증상
차가운 것을 마시고 싶어하고, 설질(舌質)은 홍강(紅絳) 색이며, 설태는 적고(少苔), 열문설(裂紋舌)	실열(實熱)과 그에 의해 음(陰)이 손모(損耗)된 증후

【증례7】 환자: 여성 연령: 79세 기혼, 전업주부, 신장: 143cm 체중 49kg

[초 진] 2005년 11월 11일
현병력: 5년쯤 전부터 혀끝이 아프기 시작했다. 이비인후과를 찾아갔으나 치유되지 못하였고, 처음에는 아픈 때와 아프지 않은 때가 있었으나, 그 후에는 계속 아프다.
과거력: 69세 때 왼쪽 신장(腎臟)을 적출했다.
현재의 증(症): 지속적으로 아프며, 특히 오후부터 밤에 걸쳐 통증이 증가하였다. 뜨겁거나 매운 음식을 먹으면 통증이 악화되었고, 찬 물이 마시고 싶어졌다. 자주 소변을 보며(밤에는 2번), 불면증이 있다(신경 내과 진료 중).
설진(舌診) 소견: 설질(舌質, 혀)은 홍강(紅絳)색이고, 혀에 열문(裂紋)이 있으며, 설태는 적었다.
맥진(脈診) 소견: 맥침세(脈沈細)
변증(辨證): 실열형(實熱型) - 음허(陰虛) 타입
처방: (지백지황환(知栢地黃丸) + 교태환(交泰丸) 가감) 육미지황환(六味地黃丸) 엑스제 7.5g/3번 나누어, 지모(知母) 엑스제 1g/3번 나누어, 황백(黃柏) 가루, 황련(黃連) 가루, 계피(桂皮) 가루 각각 0.5g/3번 나누어 투여 3일분.

[재 진] 2005년 11월 14일
혀의 통증은 변함없으며, 증상의 개선이 보이지 않아 심화(心火) 쪽 비중이 큰 타입이라고 판단하여 변증을 변경하였다.
처방: 육미지황환(六味地黃丸) 엑스제 7.5g/3번 나누어, 용담사간탕(龍膽瀉肝湯) 엑스제 7.5g/3번 나누어, 지모(知母) 엑스제 1g/3번 나누어, 황백(黃柏) 가루 0.5g/3번 나누어, 황련(黃連) 가루 0.5g/3번 나누어 투여 7일분.

[3 진] 2005년 11월 22일
아침에는 통증이 가벼워지지만, 오후 3시 이후에는 통증이 더 심해진다.
처방: 이전 처방에 단삼(丹參) 가루 1g/3번 나누어 추가.

[4진 ~ 6진] 2005년 11월 29일 ~ 2006년 1월 20일
처방: 추가로 활혈약(活血藥)을 더하였으나 통증은 변함이 없었다.

[7 진] 2006년 3월 4일
통증은 변함이 없으며, 변증을 허열형(虛熱型) - 음허(陰虛) 타입과 실열형(實熱型) - 심(心) 타입의 혼합형으로 변경하였다.
처방: 육미지황환(六味地黃丸) 엑스제 7.5g/3번 나누어, 용담사간탕(龍膽瀉肝湯) 엑스제 7.5g/3번 나누어, 지모(知母) 엑스제 1g/3번 나누어, 황백(黃柏) 가루 0.5g/3번 나누어, 황련(黃連) 가루 0.5g/3번 나누어, 우황(牛黃) 10배산(倍散) 1g / 3번 나누어 투여 10일분

[8 진] 2006년 3월 14일
오후에 생기는 통증이 화끈거리는 통증에서 서서히 아픈 통증으로 바뀌었다.
처방: 이전과 동일. 투여 10일분

[9 진] 2006년 3월 24일
통증은 사라졌으나 환자 본인의 희망으로 같은 처방을 계속 처방해 주기로 하였다.
2006년 4월, 통증이 사라진 것을 확인하였다.

허열형(虛熱型)—F. 음허(陰虛) 타입
실열형(實熱型)—B. 심(心) 타입의 혼합형

처방 육미지황환(六味地黃丸) + 용담사간탕(龍膽瀉肝湯) + 지모(知母) 엑스제 · 황백(黃柏) 가루 · 황련(黃連) 가루 · 우황(牛黃) 10배산(倍散)

증례7의 처방 해설

당초 「허열형(虛熱型) - F. 음허(陰虛) 타입」이라고 한 변증에 불면증이 있다는 점을 고려하여 「지백지황환(知栢地黃丸)과 교태환(交泰丸) (황련(黃連) 가루 + 계피(桂皮) 가루)」의 합방을 사용하였다. 그러나 그다지 효과가 없어서 심화(心火) 쪽의 비중이 크다고 생각하여 변증을 「허열형(虛熱型) - F. 음허(陰虛) 타입과 실열형(實熱型) - B. 심(心) 타입의 복합형」으로 하여 도적산(導赤散)과 지백지황환(知栢地黃丸)의 합방을 상정한 「육미지황환(六味地黃丸) 엑스제 + 지모(知母) 엑스제 + 황백(黃柏) 가루 + 용담사간탕(龍膽瀉肝湯) 엑스제 + 황련(黃連) 가루」를 처방하였다. 그 결과 아침의 통증은 개선되었으나 오후의 증상은 남아 있었으므로 더욱 활혈약(活血藥)을 추가하였다. 그러나 그다지 효과가 없었고, 증상이 화끈거리는 통증이라는 열증(熱症)을 호소하고 있음에 주목하고 심화(心火)에 대한 처치가 부족하였다고 판단하여 우황(牛黃) 10배산(倍散)을 더해 효과를 보았다. 우황(牛黃) 10배산(倍散)은 육신환(六神丸)으로도 대용이 가능하다.

【조성】
육미지황환(六味地黃丸): 지황(地黃), 산수유(山茱萸), 산약(山藥), 택사(澤瀉), 복령(茯苓), 목단피(牧丹皮)
용담사간탕(龍膽瀉肝湯): 지황(地黃), 당귀(當歸), 목통(木通), 황금(黃芩), 차전자(車前子), 택사(澤瀉), 감초(甘草), 산치자(山梔子), 용담(龍膽)

증례7의 분석

주 증상이 혀끝의 화끈거리는 통증이었으므로 심(心)과의 관련성이 예상된다. 뜨겁거나 매운 음식으로 통증이 악화되는 것은 위(胃) 타입의 증상이지만 동통(疼痛) 부위가 혀의 중앙 부위가 아니므로 여기서는 단순히 열증(熱證)의 특성으로 판단하였다.

다음으로 병정(病程)이 길고 통증이 서서히 지속적으로 있으며, 특히 오후부터 밤에 걸쳐 더 악화되는 것은 「허열형(虛熱型) - F. 음허(陰虛) 타입」의 특성이다. 과거력이나 연령이라는 요소를 함께 고려해보면 신음허(腎陰虛)일 가능성이 높다.

수반 증상을 보면 찬 물을 마시고 싶어하고, 혀의 색이 홍강(紅絳)색이라는 열증(熱證)의 증후이고 설태는 적고(少苔), 혀에는 열문(裂紋)이라는 음허(陰虛) 증후가 보인다. 또한 불면증은 심화(心火)와 음허(陰虛) 모두에서 신명(神明)이 안녕하지 못하면 일어나는 증상이다.

이상으로부터 초진에서 심화(心火)가 만성화 되어 일어난 「허열형(虛熱型) - F. 음허(陰虛) 타입」에 속한다고 판단하였으나 결과적으로 아직 심화(心火)의 영향도 있었기에 최종적으로 「허열형(虛熱型) - F. 음허(陰虛) 타입과 실열형(實熱型) - B. 심(心) 타입」의 혼합형으로 판단하였다.

각 타입의 기본적인 증후와 처방 정리

실열형(實熱型) - A. 간(肝) 타입

증후: 통증이 혀 주변에 잘 일어나며, 때에 따라 동통(疼痛) 부위가 이동하는 경우도 있다. 그리고 작열감을 동반한다. 스트레스에 의해 유발되거나, 악화되거나 한다. 일반 소견은 간기울결(肝氣鬱結)[106]의 증후와, 이것이 열화(熱化)된 울열(鬱熱)[107]의 증후가 나타난다. 간기울결의 증후에는 초조하여 잘 화가 나고, 정신억울(精神抑鬱), 협복(脇腹)이나 계륵(季肋)부에 장통(張痛)이 있고, 입이 쓰게 느껴지며, 목이 답답한 감과 월경불순 등이 있다. 울열(鬱熱)의 증후에는 현훈(眩暈), 두통(頭痛)이나 편두통(偏頭痛), 이명(耳鳴), 눈의 충혈, 불면(不眠), 다몽(多夢), 입이 말라 찬 물을 마시고 싶어하는 증상, 변비, 소변이 진하고 냄새가 심하며 배뇨통을 동반하는 등이 있다. 혀는 전체적으로 조금 홍색이고, 설태는 황색이다. 기체혈어(氣滯血瘀) 타입에서는 설하정맥노장(舌下靜脈怒張)을 볼 수 있다. 맥은 현삭(弦數)[108]하며, 기체혈어 타입에서는 현삽(弦澁)맥이 보인다.

처방: 용담사간탕(龍膽瀉肝湯)을 사용하고, 변비가 있다면 대황(大黃) 가루를 합방한다. 경우에 따라 가미소요산(加味逍遙散)을 사용해도 좋다. 기체혈어(氣滯血瘀) 타입이라면 「가미소요산(加味逍遙散) + 사물탕(四物湯)」을 쓰거나, 위 처방에 단삼(丹參) 가루를 더한다(유향(乳香) 가루나 몰약(沒藥) 가루를 가 있다면 더욱 좋다). 이외에 화열(火熱)은 신체 상부에 상염(上炎)하는 성질을 가지고 있으나 이것에 대해서는 화열(火熱)을 내리는 「중진(重鎭)」의 성질을 가진 성분 (용골(龍骨), 모려(牡蠣))이 들어간 「시호가용골모려탕(柴胡加龍骨牡蠣湯)」이 효과가 있는 경우도 있다. 특히 용골(龍骨)과 모려(牡蠣)는 평간식풍(平肝熄風) 작용도 가지고 있으므로 현훈(眩暈)이나 떨림 등의 내풍증상(內風症狀)을 가진 환자에게 좋다.

실열형(實熱型) - B. 심(心) 타입

증후: 혀끝이 찌르는 듯이 아프고, 색이 붉고 작열감을 동반하기 쉬우며, 그에 더해서 가려움이나 마비감을 동반하는 경우도 있다. 감정이 고조되면 증상이 나타나기 쉽다. 일반 소견은 입과 혀가 건조하며, 입이 말라 차가운 것을 마시고 싶어하고, 번민(煩悶), 불면(不眠), 다몽(多夢), 소변이 진하고 배설 시에 통증이 함께 나타나며, 변비 등이 나타나기 쉽다. 혀는 전체적으로 조금 홍색이고, 혀끝이 특히 붉으며, 설태는 황색이며 건조해있다. 맥(脈)은 삭유력(數有力)[109]하다.

처방: 원래는 심화(心火)를 제거하는 도적산(導赤散)에 황련해독탕(黃連解毒湯)을 합방하여 사용하면 좋지만 일본의 제제에는 도적산(導赤散)이 없다. 도적산(導赤散)의 조성은 생지황(生地黃), 목통(木通), 생감초(生甘草), 죽엽(竹葉)인데, 판매되고 있는 생약 원재료 중에 목통(木通)과 죽엽(竹葉)이 없으므로 합성하는 것도 어렵다. 이때 도적산(導赤散)을 꼭 사용하고 싶다면 육신환(六神丸)과 황련해독탕(黃連解毒湯)을 합방하거나, 또는 육신환(六神丸)과 용담사간탕(龍膽瀉肝湯)을 합방한 것을 권한다. 육신환(六神丸)의 주성분은 우황(牛黃)이며, 우황(牛黃)에는 청심사화(淸心瀉火), 해독(解毒), 개규(開竅), 강심(強心)의 작용이 있다. 우황(牛黃)을 단일 성분으로 사용할 때에는 유당(乳糖) 등으로 10배산(倍散)으로 해서 사용한다. 변비가 있다면 대황(大黃) 가루를 추가한다. 혀 통증이 심한 경우에는 혈어(血瘀)를 동반한 경우가 많으며, 단삼(丹參) 가루 등의 활혈약(活血藥)을 추가하면 좋다.

실열형(實熱型) - C. 폐(肺) 타입

증후: 혀끝이 따끔거리며 아프고, 감기와 함께 증상이 나타나거나 악화되거나 한다. 일반 소견은 해수(咳

---

106) 간울(肝鬱) 또는 기울(氣鬱)이라고도 한다.
107) 족궐음간경(足厥陰肝經)의 열(熱)이 항진된 것이므로 간화(肝火)라고도 한다.
108) 가야금의 현을 당겼을 때와 같이 진폭이 강하고 빠르다.
109) 강하고 빠름.

嗽), 황색 가래, 입 마름 등이 나타나기 쉽다. 혀는 혀끝이 붉고, 폐에 담(痰)이 있는 경우에는 설태가 황니태(黃膩苔)가 된다. 맥(脈)은 활삭맥(滑數脈)이 된다.

처방: 신이청폐탕(辛夷淸肺湯) 또는 「청폐탕(淸肺湯)과 신이청폐탕(辛夷淸肺湯)의 합방」을 사용한다.

실열형(實熱型) - D. 위(胃) 타입

증후: 혀 중앙이 아프고, 매운 것을 먹으면 더 악화된다. 일반 소견은 입이 마르고, 변비와 구취(口臭) 등이 있으며, 공복감이 강하고 과식하기 쉽다. 소변색이 진하고, 혀는 전체적으로 붉다. 중앙에 건조한 황태(黃苔)가 보이며, 맥(脈)은 활삭맥(滑數脈)이 된다.

처방: 백호가인삼탕(白虎加人蔘湯)과 승마갈근탕(升麻葛根湯)의 합방을 사용하지만, 변비 환자에게는 「조위승기탕(調胃承氣湯)과 승마갈근탕(升麻葛根湯)의 합방」을 사용한다.

조체형(阻滯型) - E. 담화(痰火) 타입

증후: 혀가 마비되고 아프며, 음주 시 악화되기 쉽다. 일반 소견으로는 가슴이 답답하고, 오심구토(惡心嘔吐), 위(胃) 부위의 답답함, 니상변(泥狀便) 등이 있으며, 평소에 노란 가래가 나온다. 또한 몸이 무거우며 나른하고, 부종(浮腫)과 현훈(眩暈)이 나타나기 쉽다. 혀는 전체적으로 붉고, 설태는 황니태(黃膩苔)이며, 맥(脈)은 활삭(滑數)하다.

처방: 평위산(平胃散) 또는 이진탕(二陳湯)을 중심으로 여기에 열(熱)의 정도에 따라 적량의 황련해독탕(黃連解毒湯)을 합방한다.

허열형(虛熱型) - F. 음허(陰虛) 타입 (陰虛火旺)

증후: 혀가 건조하며 둔통(鈍痛)이 있고, 밤에 악화되기 쉽다. 또한 혀의 뿌리 부위에 통증이 나타나기 쉽다. 일반 소견으로는 발바닥과 손바닥이 달아오르고, 목이나 입술에 건조감이 있으며, 뺨이 붉고, 도한(盜汗)[110], 불면(不眠), 건망(健忘), 머리가 흔들리고, 이명(耳鳴), 신체소수(身體消瘦), 그리고 가슴이 잘 뛰는 등의 증상이 나타나기 쉽다. 혀는 붉고, 표면은 열문(裂紋)이 있으며, 설태는 없고, 전체적으로 건조해 있다. 맥(脈)은 세삭맥(細數脈)이다.

처방: 지백지황환(知栢地黃丸)이나 자음강화탕(滋陰降火湯)을 사용하며, 가슴이 심하게 두근거리는 경우에는 천왕보심단(天王補心丹)을 사용한다. 통증이 심할 때는 육신환(六神丸)을 더한다. 권태(倦怠), 무력감(無力感), 숨참 등의 기허(氣虛) 증상이 더해져서 기음양허(氣陰兩虛)로 발전한 경우에는 청심연자음(淸心蓮子飮)을 사용한다.

허약형(虛弱型) - G. 비허(脾虛) 타입 (脾虛血少)

증후: 혀 전체에 둔통(鈍痛)이 있으며, 육체 피로나 정신적인 피로가 있으면 더 악화된다. 사람에 따라 혀에 종창(腫脹)이 보이는 경우가 있다. 일번 소견은 권태(倦怠), 무력감(無力感), 숨참, 식욕부진, 복부의 팽만감, 무른 변이나 설사가 잘 나오거나, 입술 색이 담백(淡白)하고 현훈(眩暈), 가슴이 두근거리는 증상이 잘 나타난다. 혀는 반대설(胖大舌)이고 색은 연하며, 설태는 백니태(白膩苔)가 잘 보인다. 맥(脈)은 침세약(沈細弱)하다.

처방: 십전대보탕(十全大補湯), 귀비탕(歸脾湯), 가미귀비탕(加味歸脾湯) 등을 사용하며, 불면(不眠)이나 가슴이 심하게 뛰는 환자에게는 육신환(六神丸)을 더한다.

---

110) 식은땀. 잠 잘 때 나는 땀이며 깨면 멎는다.

병리기전

중의학에서는 「심(心)은 혀(舌)로 개규(開竅)한다.」라거나, 「혀(舌)는 심(心)의 묘(苗)」[111]라고 하여, 심(心)과 혀(舌)이 밀접하게 관련되어 있다고 하였다. 또한 혀 표면과 장부(臟腑)의 관계에서는 심폐(心肺) - 혀끝, 비위(脾胃) - 혀 가운데, 간담(肝膽) - 혀 측면, 신(腎)과 하초(下焦)의 장부(臟腑) - 혀의 뿌리와 각각 관계되며, 많은 장부의 이상이 혀의 통증을 일으키는 원인이 된다.

심(心)은 감정의 중추이다. 감정이 과하게 고조되어 열화(熱化)되면 심화(心火)가 항성(亢盛)하여 혀를 상하게 한다. 이로 인해 증상이 나타나는 혀 통증을 「심(心) 타입」이라고 하였다. 이 타입이 만성화하여 화열(火熱)이 음(陰)을 손모(損耗)시키면 뒤에 나올 음허화왕(陰虛化旺) 타입으로 이행한다.

이와 같은 정신적 요인에서도, 스트레스에 의해 기(氣)가 울체(鬱滯)되어 열화(熱化)되면 간화(肝火)가 상염(上炎)하여 혀를 상하게 한다. 이에 의해 증상이 나타나는 혀의 통증은 「간(肝) 타입」이라고 하였다. 이 타입은 또한 앞서 말한 심(心) 타입과 더해져서 심간화왕(心肝化旺) 타입으로 발전하는 경우가 있다. 또한 이 타입도 만성화하여 화열(火熱)이 음(陰)을 손모(損耗)시키면 뒤에 나올 음허화왕(陰虛化旺) 타입으로 이행한다. 이 밖에도 기(氣)의 울적(鬱積), 즉 기체(氣滯)가 길어지면 혈체(血滯)를 동반하여 「기체혈어(氣滯血瘀)」 타입으로 발전하지만 이것이 심(心)과 혀에 영향을 주면[112], 심한 혀 통증의 원인이 된다.

감기에 의해 생겨나는 열(熱)은 폐(肺)에 울적(鬱積)하여 폐열(肺熱)이 되지만 이 열(熱)이 혀에 영향을 주면 혀 통증의 원인이 된다. 이로 인해 증상이 나타나는 혀 통증은 「위(胃) 타입」이라고 하였다. 또한 기름기가 있거나 맛이 자극적인 음식을 과식하고, 과도하게 음주를 하면 담화(痰火)가 나타나기 쉬운데 이 열(熱)이 혀에 영향을 주면 혀 통증의 원인이 된다. 이에 의해 증상이 나타나는 혀 통증을 「담화(痰火) 타입」이라고 하였다.

과하게 땀을 흘려서 탈수 상태를 반복하거나, 과로나 만성 질환으로 미열이 계속되게 되면, 음액(陰液)을 손모(損耗)시키게 된다. 이것이 혀의 습기 부족을 유발하게 되면 혀 통증의 원인이 된다. 이에 의해 증상이 나타나는 혀 통증은 「허열형(虛熱型) - 음허(陰虛) 타입」이라고 하였다. 또한 심(心) 타입, 간(肝) 타입, 위(胃) 타입, 폐(肺) 타입이 만성화하여도 이 타입으로 이행하는 경우가 있다.

만성적인 소화기 질환 등으로 비기(脾氣)가 손모(損耗)되고 혈(血)을 생화(生化)시키는 기능이 감퇴하게 되면 심혈(心血)이 부족하게 되지만, 이로 인해 혀가 영양(營養)되지 못하게 되면 혀 통증의 원인이 된다. 이 타입의 혀 통증은 「비허혈소(脾虛血少) 타입」이라고 하였다. 정신피로에 의해 심혈(心血)이 소모되고, 나아가 비(脾)에 영향을 준 경우에도 같은 타입의 혀 통증을 일으키지만 이런 경우는 「심비양허(心脾兩虛) 타입」이라고 해도 좋을 것이다.

---

111) 설자 심지묘. 고외응설 설화즉지오미. (舌者心之苗 故外應舌 舌和則知五味.) – 의학입문(醫學入門) 혀는 심(心)의 묘(苗)이다. 그래서 밖으로 혀에 응하고 혀가 조화로우면 오미(五味)를 알 수 있다.
112) 이를 심락어조(心絡瘀阻)라고 한다.

재발성 구내염(口內炎)

- 중의학(中醫學)에서는 기본적으로 화열(火熱) 또는 담습(痰濕)이 있으면 종양(腫瘍) 등의 종기 따위[113]가 잘 생긴다고 하였다.
- 화열(火熱) 그리고 담습(痰濕)이 구강이나 혀와 관련되는 장부(臟腑)나 경락(經絡)에 영향을 주면 「구창(口瘡)」을 형성한다.
- 화열(火熱)에 의한 「열형(熱型)」에는 화열(火熱)이 울적(鬱積)한 장부(臟腑)에 폐(肺), 위(胃), 간(肝), 심(心)이 있으며, 나아가 4가지의 병증(病症) 타입으로 분류된다. 화열형(火熱型)에서는 음(陰)의 소모를 동반한다.
- 담습(痰濕)에 의한 담습형(痰濕型) 중에는 위(胃)의 열(熱)과 상호 작용하여 습열(濕熱) 타입이 되는 것도 있다. 담습형(痰濕型)은 비기(脾氣)의 소모를 동반한다.
- 재발성의 구창(口瘡)에서는 재발을 반복하는 사이에 정기(正氣)[114]가 소모된다.
- 재발 초기의 급성기에는 화열(火熱)이나 담습(痰濕)의 사기(邪氣)의 제거를 중심으로 치료하지만 구창(口瘡)이 사라지면 정기(正氣)를 돕는 쪽으로 치료의 중심을 옮겨서 재발을 예방한다.
- 이 밖에도 구강이나 혀를 영양하지 못하고 회복력이 감퇴되어 있으므로 만성화하여 잘 낫지 못하는 「허약형(虛弱型) - 심비(心脾) 타입」이 있다.
- 타입 분류에는 들어있지 않으나, 반복되는 동안 어혈(瘀血)을 동반하여 치료하기 어려워지는 경우도 있다. 이상이 구창(口瘡)의 기본적인 타입인데, 이 책에서는 임상 효과를 가장 우선하기 위해 「중서의결합(中西醫結合)」[115]의 사고방식을 취하였다.
- 바이러스 감염이 분명한 허피스[116)성 구내염에 대해서는 통상의 아프타성 질환과 구별하여 「풍열(風熱)」, 「습열(濕熱)」, 「음허(陰虛)」의 3가지 타입으로 한정하였다.
- 일반적으로 구내염(口內炎)이라는 것은 구강 내의 전반적인 염증을 가리키는 것이지만, 이 책에서는 구창(口瘡)을 전제한다.

4.

---

113) '腫れ物, でき物'를 '종기 따위'라고 해석하였다.
114) 신체의 저항력
115) 중의학(동양의학)과 서양의학의 뛰어난 점들을 취한 것을 의미한다.
116) 허피스 바이러스(Herpes virus). 사람을 포함한 동물에게 감염되는 DNA 바이러스의 일종이다. 매우 많은 종류가 밝혀져 있는데, 그 중 인간의 구강에 특히 감염되는 바이러스는 Herpes simplex virus-1이다. 일반적인 치료제로는 어싸이클로비어(acyclovir)가 쓰인다.

아프타성 구내염(口內炎)[117]의 형(型)과 병증(病證) 타입

		폐위(肺胃) 타입	**A**
		☆ 감기에 의해 재발된다.	
		☆ 크기가 각각 다른 구내염이 구강 아래, 입술, 치은, 뺨, 인두 등에 다발	

실열형(實熱型)

· 주위 점막이 붉게 충혈
· 작열감이 강하다.

모든 타입들이 음(陰)의 소모, 즉, 음허(陰虛)를 동반하면 충혈 정도는 가볍다. 피로에 의해 재발, 악화된다.

위장(胃腸) 타입	**B**
☆ 매운 음식으로 재발	
☆ 구내염 형태 불규칙	
☆ 기저부의 색은 진한 황색	

간(肝) 타입	**C**
☆ 정서 변화나 월경 주기에 따라 재발	
☆ 여성에게 많다.	

심(心) 타입	**D**
☆ 혀에 잘 생긴다.	
☆ 아랫입술에 다발	
☆ 색은 홍색이고 통증이 있다.	

조체형(阻滯型)

· 주위 점막의 충혈이나 작열감은 가볍다.

반복적으로 궤양이 잘 생긴다. 기저부는 심한 함요(陷凹). 주변부에 부종. 위장피로(疲勞)로 유발

담습(痰濕) 타입	**E**

습열(濕熱) 타입	**F**
☆ 자극적인 맛, 기름기가 많은 것을 섭취하거나, 음주 등으로 유발	
☆ 주위 점막 출혈이 조금 강하다.	

허약형(虛弱型)

심비(心脾) 타입	**G**
☆ 심신의 피로로 유발	

허피스(Herpes)성 구내염(口內炎)의 형(型)과 병증(病證) 타입

외사형(外邪型)

첫 발생 시 또는 발생 초기

풍열(風熱) 타입

☆ 입술이 부풀고 가려움도 동반
☆ 구강 점막에 군집하여 작은 수포가 나타난다.
☆ 작열감이 있다.
☆ 주위 점막에 충혈이 심하다.
☆ 감기와 같은 증상을 동반하며 증상이 나타나기 쉽다.
☆ 포진(疱疹)성 구강염의 초기에 많다.

A

조체형(阻滯型)

입술과 그 주변에 반복적인 수포 발생

습열(濕熱) 타입

☆ 포진(疱疹)은 군집 또는 융합되어 편상(片狀)이 된다.
☆ 찢어지면 미란(糜爛)이 되고 강한 동통(疼痛)이 동반된다.
☆ 주위 점막의 충혈은 조금 강하다.
☆ 음주나 편식에 의해 유발된다.
☆ 포진성(疱疹性) 구강염의 중기에 많다.

B

허열형(虛熱型)

음허(陰虛) 타입

☆ 입술에 일어나는 포진의 면적이 비교적 작다.
☆ 장기간 사라지지 않는다.
☆ 동통(疼痛)이나 주위 점막의 충혈은 가볍다.
☆ 피로에 동반하여 재발하기 쉽다.
☆ 포진성(疱疹性) 구강염의 후기에 많다.

C

· 모든 타입이 증상이 나타날 때 작은 수포가 나타남.
·· 전신의 피로권태감 · 발열 · 림프절 종창(腫脹)

「입이 심하게 마르다.」

구내염 주위 부분이 발적(發赤) 통증이 심하다 .	실열형(實熱型)의 특성
감기 후 재발	폐위(肺胃) 타입의 특성
입이 마르고, 가슴이 타며[118], 혀는 홍색이고, 설태는 건조	열증(熱症)의 증후
야간에 목이 건조, 도한(盜汗), 불면(不眠)	음허(陰虛)의 증후

【증례1】환자: 여성 연령: 78세 기혼 전업주부 신장: 152cm 체중 50kg

[초 진] 2004년 2월 18일
현병력: 이전부터 피로 시에 구내염이 빈발하였다. 10일 정도 전부터 감기 기운이 있어서 인두의 통증과 함께 좌측 위턱 어금니 부위에 구내염이 생겼다. 이비인후과를 찾아가 진료를 받고서 인두염은 개선되었으나 구내염은 개선되지 않아 내원하였다.
과거력: 30세 때에 충수염 수술
현재의 증(症): 구내염은 직경 3mm이고 동통(疼痛)이 강하며, 주위에 발적(發赤)이 있다. 반년 전부터 입이 건조하였으나 최근 특히 입 마름이 심하고, 밤에 자다가 일어나 물을 마시는 일이 늘었다. 식욕은 정상이지만 가슴이 타는 증상이 있다. 불면(不眠)과 도한(盜汗)이 있으며, 밤에 2번 정도 일어나 소변을 본다. 난청. 이 외에 기단(氣短)이나 피로감이 있으며 자한(自汗)도 있다. 또한 허리와 무릎이 아프고, 정형외과에서 골다공증 치료를 받고 있다.
설진(舌診) 소견: 설질(舌質, 혀)의 색은 조금 붉고, 설태(舌苔)는 희며 건조해있다.
맥진(脈診) 소견: 맥세삭(脈細數)
변증(辨證): 실열형(實熱型) - 폐위(肺胃) 타입에 속하지만 음허(陰虛) 경향이 강하다.
처방: 맥문동탕(麥門冬湯) 엑스제 7.5g/3번 나누어, 온청음(溫淸飮) 엑스제 각 7.5g/3번 나누어 투여 5일분.

[재 진] 2004년 2월 23일
구내염은 축소되었으나 주위의 발적은 아직 남아 있으며, 입 마름은 변함이 없었다.
처방: 백호가인삼탕(白虎加人蔘湯) 엑스제 7.5g/3번 나누어, 온청음(溫淸飮) 엑스제 각 7.5g/3번 나누어 투여 3일분.

[3 진] 2004년 2월 26일
구내염이 사라졌고 목마름 증상도 조금 경감되었다.
처방: 백호가인삼탕(白虎加人蔘湯) 엑스제 7.5g/3번 나누어, 맥문동탕(麥門冬湯) 엑스제 7.5g/3번 나누어 투여 7일분.

[4 진] 2004년 3월 3일
목마름이 현저하게 경감되었다. 밤에 물을 마시지 않게 되었다.
처방: 이전과 동일

[5 진] 2004년 3월 10일
구강 건조와 구내염이 재발하지 않았다.

---

118) 위산 과다를 의미

실열형—A. 폐위(肺胃) 타입 (음허(陰虛) 경향이 강하다.)

맥문동탕(麥門冬湯) + 온청음(溫淸飲)
맥문동탕(麥門冬湯) + 백호가인삼탕(白虎加人蔘湯)

증례1의 처방 해설

맥문동탕(麥門冬湯)과 온청음(溫淸飲)의 합방을 처방하였으나 구내염 주위의 발적(發赤)이나 입마름은 생각만큼 개선되지 못하였다. 그래서 아직 양명기분(陽明氣分)의 열(熱)[119]이 강하다고 판단하여 백호가인삼탕(白虎加人蔘湯)과 온청음(溫淸飲)의 합방으로 바꾸어 처방하여 구내염이 사라졌다. 그러나 입마름 증상이 여전히 남아 있어서 재발 요인이 된다고 예상하였기에 백호가인삼탕(白虎加人蔘湯)과 맥문동탕(麥門冬湯)을 합방하여 남은 열(熱)을 제거하고 폐위(肺胃)의 음(陰)을 회복하여 밤의 목마름도 개선할 수 있었고 좋은 결과를 얻을 수 있었다.

【조성】
맥문동탕(麥門冬湯): 맥문동(麥門冬), 반하(半夏), 대조(大棗), 감초(甘草), 인삼(人蔘), 갱미(粳米)
온청음(溫淸飲): 지황(地黃), 작약(芍藥), 천궁(川芎), 당귀(當歸), 황금(黃芩), 황백(黃栢), 황련(黃連), 산치자(山梔子)
백호가인삼탕(白虎加人蔘湯): 석고(石膏), 지모(知母), 감초(甘草), 인삼(人蔘), 갱미(粳米)

증례1의 분석

초진에서는 감기 기운이 있어서 구내염이 재발하고, 동통(疼痛)과 주변부의 발적(發赤)을 동반한 것은 폐위(肺胃)의 열(熱)이 왕성(旺盛)해졌기 때문이다. 입이 건조하여 밤에 일어나 물을 마시고, 도한(盜汗), 불면(不眠), 설태(舌苔)의 건조, 맥세삭(脈細數) 등이 음액(陰液)의 손모(損耗)에 의한 증후이다. 일반적으로 열성(熱性)의 질병은 만성화하게 되면 음액(陰液)을 손모(損耗)하지만, 이 증례에서도 감기 기운으로 이미 10일 정도 경과한 것을 고려하면 열(熱)에 의한 폐음(肺陰) 손모(損耗)의 가능성이 크다. 위에서 이야기한 증후 중에는 기허(氣虛)나 신허(腎虛)에 의한 증후도 포함되어 있으나, 재발 경위로부터 음액(陰液)의 손모(損耗)에 의한 증후를 특히 중하게 생각하여 「실열형 - 폐위(肺胃) 타입에 속하지만 음허(陰虛) 경향이 강함.」으로 변증하였다.

---

119) 감기 중기에 병사(病邪)가 족양명위경(足陽明胃經)이나 기분(氣分)으로 들어와 열화(熱化)한 것.

「구내염이 생겼다.」

재발 시에 구내염 주위에 발적(發赤)과 통증이 심하다.	➡	실열형(實熱型)의 특성
혀끝, 혀 아래, 아랫입술의 구내염, 혀가 붓는 느낌	➡	실열형(實熱型) 심(心) 타입의 특성
구내염이 식사나 이 닦기 시에 유발	➡	실열형(實熱型) 비(脾) 타입의 특성
혀의 치흔(齒痕), 무른 변	➡	비기허(脾氣虛)의 증후
입술 건조, 변비	➡	위음허(胃陰虛)의 증후

【증례2】환자: 남성 연령: 34세 기혼 회사원 신장: 171cm 체중 64kg

[초 진] 2007년 8월 24일
현병력: 어릴 때부터 구내염이 잘 생겼다. 5년 전부터 혀가 붓는 느낌이 들었다. 이번에는 한주쯤 전에 증상이 나타났다.
과거력: 특별히 없음.
현재의 증(症): 혀끝에 3mm 정도의 구내염이 있으며, 통증이 심하다. 구내염은 식사나 이 닦기 등의 자극에 의해 증상이 잘 나타나며, 그 밖에 피로에 의해서도 유발되곤 한다. 한번 나타나면 2주 정도는 사라지지 않는다. 입이 마르고, 찬 것을 마시고 싶으며, 식욕이 왕성하다. 무른 변이 나오고, 가끔 설사와 변비가 번갈아 나타난다.
설진(舌診) 소견: 설질(舌質, 혀)의 색은 담홍(淡紅)하고, 치흔(齒痕)이 있으며, 설태(舌苔)는 적었다.
맥진(脈診) 소견: 연맥(軟脈)
변증(辨證): 실열형(實熱型) - 심(心) 타입과 위장(胃腸) 타입의 혼합형이다. 단, 기음양허(氣陰兩虛)의 체질을 동반한다.
처방: 황련탕(黃連湯) 엑스제 7.5g/3번 나누어 투여 7일분
[재 진] 2007년 9월 10일
3일째부터 혀끝의 구내염은 사라졌으나, 다음에는 아랫입술에 증상이 나타났다. 입술이 마르고 건조하다.
처방: 이전과 동일
[3 진] 2007년 9월 19일
그 후 재발하지 않았다. 설사가 나오고 치흔이 확실히 보인다.
처방: 삼령백출산(蔘苓白朮散) 6g/3번 나누어, 황련(黃連), 단삼(丹參), 황기(黃芪) 가루 투여 7일분.
[4 진] 2007년 10월 6일
약을 복용하는 중에는 증상이 나타나지 않지만, 3일 전에 혀 아래쪽에서 구내염이 재발하였다. 주위가 발적(發赤)하였고 통증이 심하였다.
처방: 삼령백출산(蔘苓白朮散) 엑스제 6g/3번 나누어
황련(黃連) 가루, 석고(石膏) 가루, 목단피(牧丹皮) 엑스제, 생지황(生地黃) 엑스제 각 1g/3번 나누어 투여 14일
[5 진] 재발은 확인되지 않았다.

실열형(實熱型)—D. 심(心) 타입 + B. 위장(胃腸) 타입 의 혼합형 (기음양허(氣陰兩虛)를 동반)

황련탕(黃連湯) (설사나 치흔(齒痕)이 심할 때)
삼령백출산(蔘苓白朮散) + 황련(黃連), 석고(石膏),
목단피(牧丹皮), 지황(地黃)

증례2의 처방 해설

황련(黃連)은 심화(心火)와 위화(胃火) 둘 모두에 청열(清熱) 작용이 있으나, 차게 하는 작용이 비양(脾陽)에 너무 영향을 주면 비기(脾氣)의 운화(運化) 작용을 손상시켜 심한 설사를 하게 될 수 있다. 이때 이를 방지하기 위한 방제로서 초진과 재진에서는 황련탕(黃連湯)을 처방하고 있다. 3진에서 재발은 멈추었으나, 설사와 치흔이 악화되었고, 운화(運化) 작용에 대한 영향이 걱정되는 상태이다. 이때 비기(脾氣)의 운화를 개선시킴과 동시에 기음양허(氣陰兩虛)도 함께 생각하여 삼령백출산(蔘苓白朮散)에 황기(黃芪) 가루를 더한 것을 중심으로 하여 여기에 심화(心火)를 없애는 황련(黃連) 가루와 단삼(丹參) 가루를 더하여 처방하였다. 그러나 복약을 중단하면 다시 재발한다. 4진에서는 재진에서보다 발적(發赤)이나 통증이 강하고 청열(清熱)을 강화시키기 위해 황기(黃芪)와 단삼(丹參)을 석고(石膏) 가루와 목단피(牧丹皮) 엑스제로 바꾸었으며, 전보다 더 긴 2주 동안 복용토록 하여 좋은 결과를 보았다.

【조성】
황련탕(黃連湯): 반하(半夏), 황련(黃連), 감초(甘草), 계피(桂皮), 대추, 인삼, 건강(乾薑)
삼령백출산(蔘苓白朮散): 인삼(人蔘), 산약(山藥), 백출(白朮), 복령(茯苓), 의이인(薏苡仁), 편두(扁豆), 연육(連肉), 길경(桔梗), 숙사(宿紗), 감초(甘草)

증례2의 분석

5년 전부터 있어 온 혀가 부은 느낌과, 현재의 증상인 혀끝의 증상은 실열형-D. 심(心) 타입의 특징을 가리키고 있다. 목이 말라 찬 것을 마시고 싶어하고, 식욕이 왕성한 것은 위화(胃火)를 가리키는 증후이다. 따라서 재발한 직후에는 이들 심(心)과 위(胃)의 실열(實熱)에 대응할 필요가 있다고 생각하였다. 그러나 만성화되어서, 피로에 의해서도 유발되며, 재발하게 되면 2주 동안은 사라지지 않고 계속 된다는 허(虛)의 특징도 있다. 허(虛)는 실열(實熱)의 만성화와 설태가 적다는 것을 고려하면, 음허(陰虛)가 어느 정도 있다고 생각할 수 있으나, 일반 증상에서는 무른 변, 담(淡)한 설질(舌質), 치흔(齒痕)이 있는 등 비기허(脾氣虛)의 증후도 있다. 이는 위열(胃熱)이 있으면서 찬 물을 습관적으로 마신 결과, 비양(脾陽)이나 비기(脾氣)가 손상되어 「위강비약(胃强脾弱)」이 된 병태(病態)에서 잘 관찰된다. 비(脾)는 생화(生化)의 근본이며 비기(脾氣)가 손상되면 음액(陰液)도 생화(生化)되지 못하며, 결과적으로 음허(陰虛)도 개선되기 어렵다. 따라서 기음양허(氣陰兩虛)가 이 환자의 재발 방지에 중요한 요소라고 생각된다.

「구내염이 생겼다.」

구내염 주위에 발적(發赤)과 통증이 심하다.	실열형(實熱型)의 특성
입이 마르고, 맥주를 많이 마신다.	위열(胃熱)의 증상
입이 끈적거리고, 뺨에 부스럼이 생겼으며, 설태는 황니태(黃膩苔)이다.	습열(濕熱)의 증후

【증례3】 환자: 남성 연령: 35세 기혼 회사원 신장: 168cm 체중 68kg

[초 진] 2005년 5월 12일

현병력: 20년 전부터 구내염이 생겼다. 최근에는 1년에 5~6회 증상이 반복해서 나타나고 있으며, 이번 증상은 한주 전부터 재발되었다. 다른 치과 의원의 구강 외과에서도 감진을 받았는데 연고와 비타민제를 처방받았으나 잘 낫지 않아 내원하였다.

과거력: 특별히 없음.

현재의 증(症): 지금은 혀의 우측면에 직경 3mm의 구내염이 있으며, 주위에 발적(發赤)이나 통증이 심하다. 구내염은 매번 여러 개가 생기지만 그 개수와 부위는 그때그때 다르다. 피로감과 자한(自汗) 증상이 있으며, 입이 끈적인다. 스트레스나 초조감이 있다. 음식점에서 근무하고 있으며, 주방이 더워서 목이 말라 맥주를 매일 700mL씩 마신다.

설진(舌診) 소견: 설질(舌質, 혀)의 색은 담홍(淡紅)하고, 설태(舌苔)는 황니(黃膩)이다.

맥진(脈診) 소견: 현활(弦滑)

변증(辨證): 실열형(實熱型) - 위장(胃腸) 타입

처방: 황련해독탕(黃連解毒湯) 엑스제 7.5g/3번 나누어, 지황(地黃) 엑스제와 목단피(牧丹皮) 엑스제, 당귀(當歸) 가루 각 1.2g/3번 나누어 투여 7일분

[재 진] 2005년 5월 18일

뺨 안쪽 점막에 새롭게 구내염이 생겼고, 얼굴에 부스럼이 생겼다. 변증을 조체형(阻滯型)-습열(濕熱) 타입으로 바꾸었다.

처방: 반하사심탕(半夏瀉心湯) 엑스제 7.5g/3번 나누어, 산귀래(山歸來)[120] 가루 1.2g, 인진호(茵蔯蒿) 엑스제 각 1.2g/3번 나누어 투여 7일분. 외용약으로서 함수제(含漱劑)[121]를 병용

[3 진] 2005년 5월 26일

구내염과 안면부의 부스럼은 모두 사라졌다.

처방: 평위산(平胃散) 7.5g/3번 나누어, 황련(黃連) 가루와 반하(半夏) 엑스제 각 1.2g/3번 나누어 투여 7일분.

[4 진] 2005년 6월 30일

현재 재발은 하지 않았다.

---

120) 토복령(土茯苓)의 이명(異名)이다.
121) 황련(黃連), 황금(黃芩), 치자(梔子), 금은화(金銀花), 길경(桔梗), 유향(乳香), 몰약(沒藥), 현호색(玄胡索), 박하(薄荷), 감초(甘草)

조체형(阻滯型)—F. 습열(濕熱) 타입 (열(熱)이 강한 타입)

반하사심탕(半夏瀉心湯) + 산귀래(山歸來), 인진호(茵蔯蒿) 평위산(平胃散) + 반하(半夏), 황련(黃連) (예방)

증례3의 처방 해설

초진에서는 우선 위화(胃火)를 치료하기 위해 청위산(淸胃散)의 유사 방제로서 「황련해독탕(黃連解毒湯) + 지황(地黃), 목단피(牧丹皮), 당귀(當歸) 가루」를 처방하였다. 재진에서는 조체형(阻滯型)-습열(濕熱) 타입으로 변증을 바꾸었으므로 반하사심탕(半夏瀉心湯)에 산귀래(山歸來) 가루와 인진호(茵蔯蒿) 엑스제를 더한 것으로 바꾸었다. 산귀래(山歸來)에는 해독 작용이 있으므로 얼굴에 생긴 부스럼에도 효과가 있다. 3진에서는 이미 구내염과 부스럼이 모두 사라졌으므로 맥주 등의 식생활을 배려하여 더욱 담습(痰濕)에 중점을 둔 「평위산(平胃散) + 반하(半夏) 엑스제」에 황련(黃連) 가루를 더하여 화열(火熱)에도 대응할 수 있도록 처방을 바꾸어 예방 목적을 추구하였다.

【조성】
반하사심탕(半夏瀉心湯): 반하(半夏), 황금(黃芩), 건강(乾薑), 인삼(人蔘), 감초(甘草), 대조(大棗), 황련(黃連)
평위산(平胃散): 창출(蒼朮), 후박(厚朴), 진피(陳皮), 대조(大棗), 감초(甘草), 생강(生薑)
인진호탕(茵蔯蒿湯): 인진호(茵蔯蒿), 산치자(山梔子), 대황(大黃)

증례3의 분석

환부 주위에 발적(發赤)이나 통증이 심하고, 입이 말라서 찬 맥주를 마시고 싶어 하는 증후는 실열형(實熱型) - 위장(胃腸) 타입의 특징이다. 인이 끈적이고, 설태는 황니태(黃膩苔)이며, 맥(脈)이 활맥(滑脈)인 것은 습열형(濕熱型) 타입의 증후이며, 피로감과 자한(自汗) 증상은 비기허(脾氣虛)의 증후이다. 이 증례는 원래 실열형(實熱型) - 위장(胃腸) 타입이었으나 맥주를 많이 마시는 생활을 계속하여 습열(濕熱)이 더해졌고, 또한 비기허(脾氣虛)를 동반하게 되었다고 생각된다. 이는 이 구내염이 20년 전의 음주를 시작하기 전인 15세 당시부터 생긴 것이기 때문이다. 그래서 재발 당초에 환부 주위에 발적(發赤)과 통증이 심했던 것으로부터 우선 실열형(實熱型) - 위장(胃腸) 타입으로 변증하였으나 재진에서 빰 안쪽 점막에 새로이 증상이 나타났고, 얼굴 부위에 부스럼이 생긴 것으로부터 조체형(阻滯型)-F. 습열(濕熱) 타입으로 변증을 바꾸었다.

아프타성 구내염 ④ 증후(症候)의 정리와 처방 포인트

「구내염이 생겼다.」

구내염 주위에 발적(發赤)과 통증은 가볍다.	실열형(實熱型)이면서 음허(陰虛)를 동반한 타입 또는 조체형(阻滯型)이나 허약형(虛弱型)의 특성
도한(盜汗), 눈의 피로, 신체소수(身體消瘦)	간음허(肝陰虛)의 증후
스트레스, 눈이 붉고, 불면(不眠), 혀끝이 홍색	울열(鬱熱)(실열형(實熱型)-간(肝) 타입)의 증후

【증례4】환자: 남성 연령: 28세 미혼 조리사 신장: 175cm 체중 55kg

[초 진] 2005년 11월 24일
현병력: 일본에 와서 2년이 되었으나 1년 전부터 구내염이 빈번하게 나타나기 시작했다. 이번 증상은 한 주 전에 재발하였다.
과거력: 특별히 없음.
현재의 증(症): 아랫입술, 뺨 안쪽, 잇몸의 세부분에 직경 2mm 정도의 구내염이 있으며, 동통(疼痛)이나 주위의 발적(發赤)은 가볍다. 몸이 말랐고, 아랫입술이 심하게 붉다. 땀을 많이 흘리며 도한(盜汗) 증상도 있다. 입이 끈적이고, 위(胃)에 불쾌감이 있으며, 스트레스와 불면증이 있다. 눈이 붉으며 눈의 피로가 있다. 밤에 소변을 1번 본다.
설진(舌診) 소견: 혀끝은 홍색이고, 설태는 조금 황니태(黃膩苔)이며, 설하정맥노장(舌下靜脈怒張)이 있다.
맥진(脈診) 소견: 현활세(弦滑細)
변증(辨證): 실열형(實熱型) - 간(肝) 타입에 속하지만 음허(陰虛) 경향이 강하다.
처방: 온청음(溫淸飮) 엑스제 7.5g/3번 나누어, 판람근(板藍根) 엑스제 3g/3번 나누어 투여 7일분

[재 진] 2005년 11월 31일
아랫입술 이외의 구내염은 사라졌다.
처방: 시호청간탕(柴胡淸肝湯) 엑스제 7.5g/3번 나누어 투여 7일분.

[3 진] 2005년 12월 7일
다시 뺨 점막에 구내염이 나타났다. 위가 더부룩하고 그득한 느낌[122]이 있으며 입이 마르다.
처방: 온청음(溫淸飮) 엑스제 7.5g/3번 나누어, 반하(半夏) 1.2g, 천문동(天門冬) 가루 1g, 사삼(沙參) 가루 1g, 판람근(板藍根) 엑스제 1g/3번 나누어 투여 7일분.

[4 진] 2005년 12월 14일
현재 재발은 하지 않았다.

---

122) 일본어의 つかえ(痞え)는 '답답하다, 메다'로 해석되는데 이를 비증(痞症)으로 보아 '더부룩하고 그득한 느낌'으로 해석하였다.

실열형(實熱型)—C. 간(肝) 타입 (음허(陰虛)가 현저한 타입)

온청음(溫淸飮) + 반하(半夏), 천문동(天門冬), 사삼(沙參), 판람근(板藍根)

증례4의 처방 해설

　초진에서 간(肝)의 음혈(陰血)을 보(補)해주는 사물탕(四物湯)과 청열해독(淸熱解毒) 기능이 있는 황련해독탕(黃連解毒湯)을 합한 온청음(溫淸飮)을 기반으로 처방하여 대부분의 구내염이 사라졌다. 여기에 재진에서는 스트레스를 고려하여 시호청간탕(柴胡淸肝湯)[123]으로 바꾸었으나 빰 안쪽 점막에 재발하였다. 시호(柴胡)나 박하(薄荷)는 스트레스에 유효한 반면, 건조(乾燥)도 촉진하므로 음허(陰虛)에는 악영향을 나타내는 경우도 있다. 그래서 3진에서는 다시 온청음(溫淸飮)을 쓰고 거기에 사삼(沙參) 가루와 천문동(天門冬) 가루를 더하여 자음(滋陰) 작용을 강화시켜서 좋은 결과를 얻었다.

【조성】
온청음(溫淸飮):　지황(地黃), 작약(芍藥), 천궁(川芎), 당귀(當歸), 황금(黃芩), 황백(黃栢), 황련(黃連), 산치자(山梔子)
맥문동탕(麥門冬湯):　맥문동(麥門冬), 반하(半夏), 대조(大棗), 감초(甘草), 인삼(人蔘), 갱미(粳米)

증례4의 분석

　스트레스, 불면, 눈이 붉어짐은 실열형(實熱型)-C. 간(肝) 타입의 수반 증상이다. 이를 보면 일본에서의 익숙하지 못한 생활환경에 따른 스트레스가 원인이라고 추측할 수 있다. 그러나 도한(盜汗), 눈의 피로, 신체소수(身體消瘦), 맥현세(脈弦細) 등의 간음허(肝陰虛)에 의한 증후와, 만성이면서 발적(發赤)도 심하지 않은 구내염의 특징도 볼 수 있다. 그래서 이들을 종합해 보면, 지금은 실열형(實熱型)의 반복에 따른 만성화와 밤늦은 시간 까지 일을 하고 불면증에 시달리는 것에 의한 음(陰)의 소모가 병증(病證)의 중심핵을 이루고 있다고 생각할 수 있겠다.

---

123) 온청음(溫淸飮)에 소간(疏肝) 작용이 있는 시호(柴胡), 박하(薄荷) 등을 더한 것.

「뺨 안쪽에 구내염이 생겼다.」

구내염 주위에 발적(發赤)과 통증이 심하다.	→	실열형(實熱型)의 특성
감기로 인한 발열(發熱) 후에 증상이 나타남.	→	폐위(肺胃) 타입의 특성
입과 목이 마르고 변비	→	위열(胃熱)의 증후
스트레스, 초조, 불면	→	간기울결(肝氣鬱結)의 증후

【증례5】 환자: 여성 연령: 66세 주부 신장: 151cm 체중 42kg

[초 진] 2007년 2월 10일

현병력: 2007년 1월 17일부터 1주 정도 감기에 걸려 38℃의 발열이 계속되었다. 그 후 입 속에 구내염이 나타나서 낫지 않았다.

과거력: 52세 때 충수염 수술

현재의 증(症): 뺨 안쪽 점막과 혀 아래에 직경 2mm의 구내염이 4군데 나타났으며 주위에 발적(發赤)이 보인다. 동통(疼痛)이 강하고 입과 목이 마르고, 입이 끈적인다. 변비가 있으며, 가족 문제로 걱정이 심해 스트레스나 초조감이 강하고 불면증이 있다.

설진(舌診) 소견: 혀는 담홍색(淡紅色)이고 설태는 적다.

맥진(脈診) 소견: 침약(沈弱)

변증(辨證): 실열형(實熱型) - 폐위(肺胃) 타입

처방: 온청음(溫淸飮) 엑스제 7.5g/3번 나누어, 판람근(板藍根) 엑스제 7.5g/3번 나누어, 금은화(金銀花) 가루 1g/3번 나누어 투여 7일분

[재 진] 2007년 2월 17일

일단 구내염은 사라졌으나, 뺨 안쪽 부위에 재발하였다. 변비가 신경쓰인다.

처방: 온청음(溫淸飮) 엑스제 7.5g/3번 나누어, 조위승기탕(調胃承氣湯) 엑스제 7.5g/3번 나누어 (단, 복용량은 본인이 조정) 투여 14일분.

[3 진] 2007년 3월 6일

구내염은 사라졌으나 뺨 부위에 따끔거리는 열감(熱感)이 있다. 가족 걱정으로 초조감이 강하다.

처방: 온청음(溫淸飮) 엑스제 7.5g/3번 나누어, 가미소요산(加味逍遙散) 엑스제 1g/3번 나누어 투여 14일분.

[4 진] 2007년 3월 20일

뺨 부위의 열감과 구]내염의 재발이 모두 사라졌다.

처방: 이전과 동일

[5 진] 2007년 4월 3일

재발은 없어졌다.

실열형(實熱型)—A. 폐위(肺胃) 타입

처방

온청음(溫淸飮) + 판람근(板藍根), 금은화(金銀花)
온청음(溫淸飮) + 조위승기탕(調胃承氣湯) (변비가 강한 경우)
온청음(溫淸飮) + 가미소요산(加味逍遙散) (스트레스가 강한 경우)

증례5의 처방 해설

초진에서 실열형(實熱型)-폐위(肺胃) 타입에 사용되는 방제 중에 실화(實火)와 위음(胃陰)의 소모(消耗) 양쪽을 고려하여 온청음(溫淸飮)을 기반으로 해서 청열해독(淸熱解毒) 작용이 있는 「판람근(板藍根) 엑스제와 금은화(金銀花) 가루를 배합」하여 처방하였다. 재진에서는 일단 구내염은 사라졌으나 변비와 함께 재발되어서 온청음(溫淸飮)에 조위승기탕(調胃承氣湯)을 합방하여 처방하였다. 이로써 구내염은 사라졌으나 빰 부위에 따끔거리는 느낌과 스트레스를 호소하였다. 스트레스로 인한 간울(肝鬱)이 위(胃)로 횡역(橫逆)하고, 위기(胃氣)가 울적(鬱積)되어 울열(鬱熱)이 생기면 위화(胃火)가 강해지고 구내염의 재발을 조장한다. 그래서 온청음(溫淸飮)에 가미소요산(加味逍遙散)을 합방하여 처방하고서 한동안 계속 투약함으로써 좋은 결과를 얻었다. 가미소요산(加味逍遙散)은 울열(鬱熱)을 제거하고 간(肝)과 비위(脾胃)를 조화시키는 방제이다.

【조성】

온청음(溫淸飮): 지황(地黃), 작약(芍藥), 천궁(川芎), 당귀(當歸), 황금(黃芩), 황백(黃栢), 황련(黃連), 산치자(山梔子)
가미소요산(加味逍遙散): 시호(柴胡), 작약(芍藥), 백출(白朮), 당귀(當歸), 복령(茯苓), 산치자(山梔子), 목단피(牧丹皮), 감초(甘草), 생강(生薑), 박하(薄荷)
조위승기탕(調胃承氣湯): 대황(大黃), 감초(甘草), 무수망초(無水芒硝)[124]

증례5의 분석

감기의 중기에 증상이 나타났으며, 구내염의 발적(發赤)이나 동통(疼痛)이 심하고 입이 마른 증상과 변비가 관찰되는 것으로부터 「실열형(實熱型)-A. 폐위(肺胃) 타입」이라는 것은 명백하다. 그러나 고령이고 몸이 말랐으며, 설질(舌質)은 담(淡)하고, 설태가 적으며, 맥(脈)이 침약맥(沈弱脈)이라는 등의 음혈부족(音血不足) 증후도 보인다. 그래서 변증 타입은 실열형(實熱型)-A. 폐위(肺胃) 타입에 포함되지만, 병정이 길어졌으므로 화열(火熱)에 의한 음액(陰液)의 손모(損耗)를 동반한 증례라고 판단하였다.

---

124) 무수황산나트륨(Sodium Sulfate Anhydrous)

「구내염이 생겼다.」

| 구내염이 많이 생기고 발적(發赤)과 붓는 것은 가볍다. | → | 실열형(實熱型)이고 음허(陰虛)를 동반하는 타입 또는 조체형(阻滯型)이나 허약형(虛弱型)을 동반하는 특성 |

| 흉협부(胸脇部)의 압통(壓痛) 복직근(腹直筋)의 긴장 신체소수(身體消瘦) | → | 간음허(肝陰虛)의 증후 |

【증례6】 환자: 남성 연령: 21세 미혼 회사원 신장: 165cm 체중 53kg

[초 진] 2005년 11월 24일

현병력: 중학생 때부터 구내염이 잘 생겼다. 이번 증상은 며칠 전부터 재발하였다.

과거력: 특별한 사항 없음.

현재의 증(症): 뺨 안쪽 점막, 잇몸, 입술, 혀 아래의 5부분에 구내염 증상이 나타났으나 발적종창(發赤腫脹)은 가볍고, 통증은 없으며, 수포도 관찰되지 않았다. 몸은 마른 편이고, 흉협부(胸脇部)에 압통이 있으며 복직근(腹直筋)[125]이 긴장되어 있다.

설진(舌診) 소견: 혀는 담홍색(淡紅色)이고, 반대설(胖大舌)이며, 설태는 조금 황니태(黃膩苔)이다.

맥진(脈診) 소견: 삭맥(數脈)이며 조금 활맥(滑脈)이다.

변증(辨證): 실열형(實熱型) - 간(肝) 타입. 만성화에 의한 음허(陰虛)를 동반.

처방: 형개연교탕(荊芥連翹湯) 엑스제 7.5g/3번 나누어, 판람근(板藍根) 엑스제 7.5g/3번 나누어 투여 7일분

[재 진] 2005년 12월 1일

　　　입술 이외 부분의 구내염은 사라졌다.

처방: 이전과 동일. 투여 7일분.

[3 진] 2007년 12월 8일

　　　구내염이 전부 사라졌다. 재발 방지를 위해 다시 처방하여 한동안 상태를 보았다.

처방: 형개연교탕(荊芥連翹湯) 엑스제 7.5g/3번 나누어 투여 7일분

---

125) 배곧은 근(rectus abdominis muscle)을 의미한다.

실열형(實熱型)—C. 간(肝) 타입 (음허(陰虛)를 동반)

형개연교탕(荊芥連翹湯) (재발 직후에는 경우에 따라 판람근(板藍根)을 더한다.)

증례6의 처방 해설

「실열형(實熱型)이면서 음허(陰虛)를 동반」한다고 변증하였으나 재발 직후에는 먼저 열(熱)을 중시하여 치료하는 것이 효과가 더 빠르므로 「형개연교탕(荊芥連翹湯) + 판람근(板藍根) 엑스제」를 처방하였다. 형개연교탕(荊芥連翹湯)은 청열해독(淸熱解毒)과 양혈량혈(養血凉血) 작용이 있는 온청음(溫淸飮)에 형개(荊芥), 연교(連翹), 방풍(防風), 박하(薄荷), 지실(枳實), 감초(甘草), 백지(白芷), 길경(桔梗), 시호(柴胡)를 더한 것인데, 시호(柴胡), 박하(薄荷), 지실(枳實)은 소간해울(疏肝解鬱)에도 도움을 주므로 간화(肝火)에도 사용할 수 있다.

【조성】
형개연교탕(荊芥連翹湯): 황금(黃芩), 황백(黃栢), 황련(黃連), 길경(桔梗), 지실(枳實), 형개(荊芥), 시호(柴胡), 산치자(山梔子), 지황(地黃), 작약(芍藥), 천궁(川芎), 당귀(當歸), 박하(薄荷), 백지(白芷), 방풍(防風), 연교(連翹), 감초(甘草)

증례6의 분석

흉협부(胸脇部)의 압통이나 복직근의 긴장은 간울(肝鬱)의 증후이다. 어릴 때 보다 마른 사람에게서는 간신음허(肝腎陰虛)의 체질인 경우가 많다. 그래서 이 환자의 타입을 생각해 보면 「실열형(實熱型)-C. 간(肝) 타입에 음허(陰虛)를 동반」한다고 할 수 있겠다. 설태가 니태(膩苔)이고 맥(脈)이 활맥(滑脈)인 것이 습(濕)일 가능성을 나타내는 증후이긴 하지만 모이 마른 형이고, 무른 변도 없으며, 환부에 작은 수포나 주변부에 부종도 없으므로 변증에는 참조하지 않았다.

「구내염이 생겼다.」

발적(發赤)이 있으며, 음식을 먹을 때 심하게 아프고, 생리에 따라 재발한다. 실열형(實熱型) 간(肝) 타입의 특성

불면(不眠), 다몽(多夢), 눈의 피로, 기립성 현기증, 입이 끈적이고, 부종 기혈부족(氣血不足)의 증후

월경통이 있으며, 월경혈에 핏덩어리가 섞여 나온다. 어혈(瘀血)의 증후

【증례7】환자: 여성 연령: 39세 기혼 전업주부 신장: 161cm 체중 52kg

[초 진] 2005년 8월 10일

현병력: 이전부터 구내염이 잘 생겼으나, 셋째 아이를 출산한 이후 더 잘 생겼으며, 매월 1번씩 생긴다. 이번에는 8월 1일에 재발하였다.

과거력: 특별한 사항 없음.

현재의 증(症): 아랫입술에 직경 3mm의 구내염이 2개 있다. 발적(發赤)이 있으며, 음식을 먹을 때 통증이 심하다. 생리와 관련이 있다. 불면증이 있고 꿈을 많이 꾸며, 눈의 피로나 기립성 현기증이 있다. 입이 끈적이고, 습관성 변비가 있으며, 밤에 자다가 일어나 소변을 1번 본다. 월경 전부터 생리통이 있으며, 월경혈에 핏덩어리가 섞여 나오고, 황색의 대하가 나온다.

설진(舌診) 소견: 혀는 담홍색(淡紅色)이다.

맥진(脈診) 소견: 맥세약(脈細弱)

변증(辨證): 실열형(實熱型) - 간(肝) 타입. 그리고 기혈부족(氣血不足)과 혈어(血瘀)가 있다.

처방: 가미소요산(加味逍遙散) 엑스제 7.5g/3번 나누어, 황련해독탕(黃連解毒湯) 엑스제 7.5g/3번 나누어 투여 7일분

[재 진] 2005년 8월 26일

구내염은 사라졌다. 밤에 잠이 오지 않는다.

처방: 가미귀비탕(加味歸脾湯) 7.5g/3번 나누어, 계지복령환가의이인(桂枝茯苓丸加薏苡仁) 엑스제 7.5g/3번 나누어 투여 7일분

[3 진] 2005년 9월 5일

구내염은 재발하지 않았다. 아직 불면 증상이 신경쓰인다.

처방: 가미귀비탕(加味歸脾湯) 7.5g/3번 나누어, 계지복령환가의이인(桂枝茯苓丸加薏苡仁) 엑스제 7.5g/3번 나누어, 모려(牡蠣) 가루 1.5g/3번 나누어 투여 7일분

[4 진] 2005년 9월 14일

불면 증상이 조금 해소되었다.

처방: 이전과 동일. 투여 7일분

[5 진] 2005년 9월 26일

18일에 다시 아랫입술에 구내염이 생겼으나 통증도 없고, 2일 정도 후에 사라졌다. 생리통도 경감되었고, 수면도 양호.

처방: 가미귀비탕(加味歸脾湯) 7.5g/3번 나누어, 계지복령환가의이인(桂枝茯苓丸加薏苡仁) 엑스제 7.5g/3번 나누어 투여 7일분

실열형(實熱型)—C. 간(肝) 타입 (기혈부족(氣血不足)과 어혈(瘀血)을 동반)

처방

가미소요산(加味逍遙散) + 황련해독탕(黃連解毒湯) (열(熱)이 강한 경우)

가미귀비탕(加味歸脾湯) +

계지복령환가의이인(桂枝茯苓丸加薏苡仁) (어혈(瘀血)을 고려하고 재발 예방)

증례7의 처방 해설

초진에서는 간울(肝鬱)이 열화(熱化)되어 간화(肝火)를 중심으로 비기허(脾氣虛)와 혈허(血虛)에도 사용할 수 있는 가미소요산(加味逍遙散)에 청열해독(淸熱解毒) 작용이 있는 황련해독탕(黃連解毒湯)을 합방하여 사용하였다. 재진에서는 이미 구내염은 사라졌으나 어혈(瘀血)을 단기간에 해소하는 것은 곤란하며, 환자가 불면을 강하게 호소하므로 재발 예방과 신명(神明)의 안녕을 겸하여 가미귀비탕(加味歸脾湯)과 계지복령환가의이인(桂枝茯苓丸加薏苡仁)을 합방하여 사용하였다. 계지복령환가의이인(桂枝茯苓丸加薏苡仁)은 부인과(婦人科)의 어혈(瘀血)이나 자궁근종에 사용하는 방제이며, 심혈허(心血虛)에 동반되는 불면증에도 효과적이다.

【조성】
가미소요산(加味逍遙散): 시호(柴胡), 작약(芍藥), 백출(白朮), 당귀(當歸), 복령(茯苓), 산치자(山梔子), 목단피(牧丹皮), 감초(甘草), 생강(生薑), 박하(薄荷)
황련해독탕(黃連解毒湯): 황금(黃芩), 산치자(山梔子), 황련(黃連), 황백(黃柏)
가미귀비탕(加味歸脾湯): 황기(黃芪), 시호(柴胡), 백출(白朮), 인삼(人蔘), 복령(茯苓), 원지(遠志), 산치자(山梔子), 대조(大棗), 당귀(當歸), 감초(甘草), 생강(生薑), 목향(木香), 산조인(酸棗仁), 용안육(眼肉)
계지복령환가의이인(桂枝茯苓丸加薏苡仁): 의이인(薏苡仁), 율무, 계피(桂皮), 작약(芍藥), 도인(桃仁), 복령(茯苓), 목단피(牧丹皮)

증례7의 분석

일반적으로 생리 직전에는 기혈(氣血)이 조체(阻滯)되므로, 이 시기에 증상이 저 악화되는 타입이 많은 것은 「실열형(實熱型)-C. 간(肝) 타입」에 속한다. 구내염의 발적(發赤)이나 통증도 열형(熱型)임을 가리키고 있다. 그러나 수반 증상에는 불면증이면서 꿈을 많이 꾸는 것, 눈의 피로 등의 혈허증(血虛證)의 증후와, 입이 끈적이고, 다리의 부종, 기립성 현기증 등의 비허(脾虛) 증후가 보인다. 맥세약(脈細弱)은 기혈부족(氣血不足)에 의한 것이다. 또한 월경통이 있으며, 월경혈에 핏덩어리가 섞여 나오는 어혈(瘀血) 증상도 있다. 그래서 변증을 실열형(實熱型)-C. 간(肝) 타입을 기반으로 기혈부족(氣血不足)과 어혈(瘀血)이 더해진 타입으로 하였다. 단, 치료에서는 환부의 특징을 중시하여 「실열형(實熱型)-C. 간(肝) 타입」의 치료를 우선하고 열(熱)이 줄어든 단계에서 기혈양허(氣血兩虛)와 어혈(瘀血)을 치료해야 할 것이다.

「구내염이 생겼다..」

흰색의 위막(僞膜)[126]이 있으며, 덧씌워진 궤양이 있고, 주위의 발적(發赤)은 가볍다. 조체형(阻滯型) 담습(痰濕) 타입의 특성

재진(再診) 전의 재발 시에 발적(發赤)과 동통(疼痛)이 존재 조체형(阻滯型) 습열(濕熱) 타입의 특성

입이 끈적이고, 위트림, 부종 담습(痰濕)의 증후

비만 체질, 기단(氣短), 자한(自汗), 피로감, 권태감, 감기에 잘 걸림, 설질(舌質)은 담(淡)하고, 혀에 치흔(齒痕)이 존재 기허(氣虛)의 증후

【증례8】환자: 여성 연령: 50세 기혼 전업주부 신장: 152cm 체중 58kg

[초 진] 2003년 11월 26일

현병력: 언제부터인지 기억은 안 나지만, 이전부터 구내염이 빈번하게 재발되었다. 이번에는 1주 전에 증상이 나타났다.

과거력: 빈혈

현재의 증(症): 혀끝에 직경 2mm의 구내염이 있으며, 음식을 먹을 때 아프다. 궤양이 있는 쪽은 흰색의 위막(僞膜)으로 덮여 있으며, 주변부의 발적(發赤)은 가볍다. 입이 끈적이는 감이 있다. 살이 잘 찌며, 피로감이나 권태감이 있고, 기단(氣短)[127] 증상이 잘 생긴다. 감기에 쉽게 걸리고, 자한(自汗) 증상이 있으며, 다리가 차고, 전신에 가벼운 부종이 있다. 식욕이나 변은 정상이고, 가슴이 타며, 위트림이 있고, 심하(心下) 부위가 답답하다. 빈뇨 증상이 있고(밤에 1번), 황색의 대하(帶下)가 나온다.

설진(舌診) 소견: 설질(舌質)은 담(淡)하고, 혀 주변에 치흔(齒痕)이 보인다. 설태는 박태(薄苔)이다.

맥진(脈診) 소견: 조금 약맥(弱脈)

변증(辨證): 조체형(阻滯型) - 담습(痰濕) 타입과 허약형(虛弱型) - 심비(心脾) 타입의 혼합형.

처방: 육군자탕(六君子湯) 엑스제 7.5g/3번 나누어, 온청음(溫淸飮) 엑스제 7.5g/3번 나누어 투여 7일분

[재 진] 2003년 12월 3일

혀끝의 구내염은 거의 치유되었다. 그러나 첫 진료 다음날부터 새로운 구내염이 구강 아래 부분에 생겼으며, 발적(發赤)과 동통(疼痛)이 있었다. 치흔(齒痕)에는 특별한 변화가 없었고, 위(胃)의 증상도 특별하게 개선되지 못하였다. 또한 식생활 면에서 단 음식을 간식으로 많이 먹고 있다는 것을 알게 되었다. 변증을 조체형(阻滯型) - 습열(濕熱) 타입으로 바꾸었다.

처방: 평위산(平胃散) 엑스제 7.5g/3번 나누어, 반하사심탕(半夏瀉心湯) 엑스제 7.5g/3번 나누어 투여 7일분

[3 진] 2003년 12월 10일

구내염이 사라졌다. 설진 소견, 위(胃)의 증상도 개선되었다.

---

126) pseudomembrane. 가막(假膜)이라고도 하는데, 섬유소성(纖維素性) 염증일 때 섬유소의 일부가 삼출액과 혼합되어 외견상 막과 같이 보이는 것이다.

127) 숨찬 증상

조체형(阻滯型)―F. 습열(濕熱) 타입 (근저에 기허(氣虛)가 있다.)

처방

평위산(平胃散) + 반하사심탕(半夏瀉心湯) (재발시)
육군자탕(六君子湯) + 황기(黃芪), 산귀래(山歸來) (재발 예방)

증례8의 처방 해설

초진에서의 변증은 담습형(痰濕型)과 심비(心脾)의 혼합형에 더해서 과거력에서 빈혈이 있었으므로 비기(脾氣)를 보(補)하여 담습(痰濕)을 제거하는 육군자탕(君子湯)에 양혈(養血) 작용이 있는 사물탕(四物湯)을 포함하고 있는 온청음(溫淸飮)을 합방하였다. 그러나 재진에서 습열(濕熱)이 심하여 표치(標治)가 필요하다고 판단되어 습(濕)을 제거하는 평위산(平胃散)과 심하(心下)부의 답답함을 제거하고 상초(上焦)를 청열(淸熱)시켜주는 반하사심탕(半夏瀉心湯)과 합방하여 좋은 결과를 얻었다.

증례8의 환자는 이 단계에서 만족하였으나, 혹시 몰라 예방을 위해 평소 사용하는 처방은 「육군자탕(六君子湯) + 황기(黃芪) 가루, 산귀래(山歸來) 가루」등이 좋다.

【조성】
평위산(平胃散): 창출(蒼朮), 후박(厚朴), 진피(陳皮), 대조(大棗), 감초(甘草), 생강(生薑)
반하사심탕(半夏瀉心湯): 반하(半夏), 황금(黃芩), 건강(乾薑), 인삼(人蔘), 감초(甘草), 대조(大棗), 황련(黃連)
육군자탕(六君子湯): 백출(白朮), 인삼(人蔘), 반하(半夏), 복령(茯苓), 대조(大棗), 진피(陳皮), 감초(甘草), 생강(生薑)

증례8의 분석

초진 시의 증후 중 구내염이 혀끝에 있는 것은, 병위(病位)가 심(心)에 관련된 것이 많다. 또한 궤양이 있는 쪽은 흰색의 위막(僞膜)으로 싸여 있으며, 주변부의 발적(發赤)이 가벼운 것은 열(熱)이 심하지 않다는 것을 나타낸다. 체질적으로 살이 잘 찌고, 피로감, 권태감, 기단(氣短)이 있고, 감기에 잘 걸리며, 자한(自汗) 증상이 있고, 설질(舌質)은 담(淡)하고, 혀에 치흔(齒痕)이 있는 것은 기허(氣虛)의 증후이다. 입이 끈적이고, 위트림이 있고, 심하(心下)부위가 답답하고, 전신에 가벼운 부종이 있는 것은 담습(痰濕)의 증후이다. 황색의 대하(帶下)와 가슴이 타는 등의 습열(濕熱) 증후도 보이지만, 환부 뿐 아니라 설진이나 맥진에서도 열(熱)의 증후가 없었으므로 이들을 종합하여 「조체형(阻滯型)-F. 담습(痰濕) 타입과 허약형(虛弱型) - 심비(心脾) 타입의 혼합형」으로 판단하였다. 그러나 재진에서 발적(發赤)과 동통(疼痛)을 동반한 새로운 구내염이 재발하였으며, 식생활에서도 습열(濕熱)이 생기기 쉬운 단 음식을 간식으로 많이 먹고 있다는 것을 알게 되었다. 그래서 습열(濕熱)이 재발의 중심 요인이라고 생각하여 변증을 「조체형(阻滯型)-F. 습열(濕熱) 타입」으로 바꾸었다.

「구내염이 낫지 않는다.」

발적(發赤)과 종창(腫脹)이 있으며, 통증이 매우 심하다.	→ 실열형(實熱型)의 특성
구내염이 혀에 있다.	→ 심(心) 타입의 특성
변비가 있고, 입이 마르고, 입술이 가렵다.	→ 위열(胃熱)의 증후
피로로 구내염이 재발. 궤양은 작고, 통증은 가볍다.	→ 허약형(虛弱型)의 특성
림프선의 종창(腫脹), 다리의 부종, 흰색의 대하(帶下), 입이 끈적이고, 설태는 백니태(白膩苔)	→ 담습(痰濕)의 증후
쉽게 지치고, 혀에는 치흔(齒痕)이 있다.	→ 기허(氣虛)의 증후

【증례9】 환자: 여성 연령: 36세 기혼 회사원 신장: 153cm 체중 41kg

[초 진] 2005년 9월 30일
현병력: 예전부터 구내염을 반복해서 앓아왔다. 이번에는 9월 중순부터 림프선의 종창(腫脹)가 함께 증상이 나타나서 잘 낫지 않는다.
과거력: 만성 위염
현재의 증(症): 혀의 양측 아래턱 어금니 부위에 구내염이 생겼으며, 주위에 발적(發赤)과 종창(腫脹)이 있다. 통증이 너무 심하고, 림프선의 종창(腫脹)을 동반한다. 입이 마르고 끈적이며, 입술이 가렵다. 스트레스를 잘 느끼며, 눈이 붉어지거나 눈의 피로가 있고, 가끔 이명(耳鳴) 증상이 있다. 변비와 빈뇨(頻尿)가 있고, 잘 지치며, 다리에 부종이 있다. 생리통이 심하고, 흰색의 대하(帶下)가 나오며, 현재 호르몬제를 복용하고 있다.
설진(舌診) 소견: 설질(舌質)은 담(淡)하고, 반대(胖大)되어 있고, 치흔(齒痕)이 있다. 설태는 백니태(白膩苔)이다.
맥진(脈診) 소견: 침세맥(沈細脈)
변증(辨證): 재발 직후에는 실열형(實熱型) - 심(心) 타입과 위장(胃腸) 타입의 혼합형. 그러나 그 근저에는 비기허(脾氣虛)를 동반하는 조체형(阻滯型) - 담습(痰濕) 타입이 있다.
처방: 육신환(六神丸) 6환(丸)/3번 나누어 투여 7일분. 외용약(外用藥)으로서 함수제(含漱劑)[128]를 병용.
[재 진] 2005년 10월 7일
　　　　구내염이 거의 사라졌다.
[3 진] 2005년 10월 14일
　　　　혀와 뺨 안쪽 점막과 입술에 재발. 이번에도 통증이 강하고, 식사가 곤란하였다. 변비는 심하였다.
처방: 육신환(六神丸) 6환(丸)/3번 나누어, 조위승기탕(調胃承氣湯) 엑스제 7.5g/3번 나누어 투여 7일분
[4 진] 2005년 10월 21일
구내염은 사라졌다.
[5 진] 2005년 11월 4일
　　　　11월에 들어와 일이 바쁘고 피곤이 축적되어, 구내염이 아랫입술과 잇몸에 재발하였다. 궤양은 작았으며, 통증도 가벼웠다.
처방: 육군자탕(六君子湯) 엑스제 7.5g/3번 나누어, 황기(黃芪) 가루 1.5g, 금은화(金銀花) 가루 1g, 판람근(板藍根) 엑스제 3g/3번 나누어 투여 7일분.
[6 진] 2005년 11월 11일
　　　　재발은 없었다.
처방: 육군자탕(六君子湯) 엑스제 7.5g/3번 나누어, 판람근(板藍根) 엑스제 3g/3번 나누어 투여 14일분.
[7 진] 2005년 11월 25일
　　　　도중에 구내염이 생겼으나 곧 사라졌다.
처방: 이전과 동일
[8 진] 1개월 후
　　　　재발은 없었다.

실열형(實熱型)—D. 심(心) 타입과
B. 위장(胃腸) 타입의 혼합형 (초진 시)

조체형(阻滯型)—E. 담습(痰濕) 타입이며,
비기허(脾氣虛)를 동반하는 타입 (5진)

(초진 시) 육신환(六神丸) (변비가 강한 경우에는 조위승기탕(調胃承氣湯)을 더한다.)

(5진) 육군자탕(六君子湯) + 황기(黃芪), 판람근(板藍根)

증례9의 처방 해설

　초진에서는 먼저 심화(心火)의 청열(淸熱)을 우선하여 육신환(六神丸)을 사용하였고, 전체적으로는 함수제(含漱劑)로 대처하였다. 일반적으로 구내염 증상이 강한 경우에는 생약(生藥) 성분의 함수제(含漱劑)가 효과적이다. 3진에서는 변비를 강하게 호소하였으므로 조위승기탕(調胃承氣湯)을 배합하였다. 5진에서는 변증의 중심을 조체형(阻滯型)-담습(痰濕) 타입이면서 비허(脾虛) 증상이 강한 쪽으로 바꾸었으므로 육군자탕(六君子湯)에「황기(黃芪) 가루, 금은화(金銀花) 가루, 판람근(板藍根) 엑스제를 배합」하여 대처하였다. 황기(黃芪)는 보기(補氣) 작용이 강하고, 비허(脾虛) 타입의 재발 방지에 효과적이며, 금은화(金銀花)와 판람근(板藍根)은 청열해독(淸熱解毒) 작용이 있어서 소종(消腫)[129]에 효과적이다. 6진 이하는 염증이 약해졌으므로 금은화(金銀花) 가루를 뺀 것으로 처방을 바꾸어 비교적 장기간 동안 복용토록 하여 완치시켰다.

【조성】
육군자탕(六君子湯): 백출(白朮), 인삼(人蔘), 반하(半夏), 복령(茯苓), 대조(大棗), 진피(陳皮), 감초(甘草), 생강(生薑)

증례9의 분석

　주변부에 발적(發赤)과 종창(腫脹)이 있으며 통증이 매우 심한 것은 실열형(實熱型)의 특징이다. 그 병위(病位)에 관해, 혀는 심(心)과 관계가 깊고, 혀에 구내염이 생기는 것은 심(心) 타입의 특징을 가리키는 것이다. 그러나 구내염은 아래턱 어금니 부위에도 생겼으며, 변비, 입 마름, 입술 가려움 등의 위장(胃腸) 타입의 증후도 보인다. 또한 스트레스, 눈이 붉어짐, 이명(耳鳴) 등의 간화(肝火)의 증후도 보인다. 이상으로부터 종합한 결과, 초진에서는「실열형(實熱型)-D. 심(心) 타입과 B. 위장(胃腸) 타입의 혼합형」으로 판단하였다. 간화(肝火)는 심화(心火)를 조장하므로 간화(肝火)도 본 증례와 무관하지는 않으나, 주소증의 발생 부위가 심(心)과의 관계가 깊은 혀이므로 간화(肝火)보다 심화(心火)를 중심으로 변증하였다.

　그 밖에도 림프선의 종창(腫脹), 다리의 부종, 흰색 대하(帶下), 입의 끈적임, 설태가 백니태(白膩苔)인 점 등은 담습(痰濕)의 증후이다. 만성 위염, 쉽게 지침, 설질(舌質)은 담(淡)하고, 반대(胖大)해 있으며, 치흔(齒痕)이 있는 점 등은 비기허(脾氣虛)의 증후이다. 실열형(實熱型)의 치료는 처음에는 효과가 있었지만, 치료가 진행되어가던 중 피로로 유발되었으며, 궤양도 작았고, 통증도 가벼워졌으므로, 5진에서는 변증의 중심을「조체형(阻滯型)-E. 담습(痰濕) 타입이면서 비기허(脾氣虛)를 동반하는 타입」으로 바꾸었다.

---

128) 금은화(金銀花), 연교(連翹), 유향(乳香), 몰약(沒藥), 죽엽(竹葉), 대청엽(大靑葉), 판람근(板藍根)
129) 종창(腫脹)을 없애는 것.

허피스성 구내염 ① 증후(症候)의 정리와 처방 포인트

「아랫입술과 뺨 안쪽 점막에 구내염이 생겼다.」

아랫입술에 반복적으로 증상이 나타나며, 주변부에 발적(發赤)과 종창(腫脹)이 생긴다.	➡ 습열(濕熱) 타입의 특성
입이 마르고, 찬 물을 마시고 싶어하며, 소변 색이 진하다.	➡ 실열(實熱)의 증후
피로감, 권태감, 약맥(弱脈)	➡ 비기허(脾氣虛)의 증후
궤양이 생긴 쪽에 깊은 함요(陷凹)가 있고, 작은 수포, 입이 끈적이고, 무른 변.	➡ 담습(痰濕)의 특성
환부의 발적(發赤)이 경감되어도 재발한다.	➡ 열(熱)의 감퇴

【증례1】환자: 여성 연령: 30세 미혼 회사원 신장: 156cm 체중 41kg

[초 진] 2006년 4월 19일
현병력: 수년 전부터 매해 구내염이 나타나곤 한다. 특히 아랫입술에 많이 나타나며, 한번 재발하면 낫는 데 1개월 이상 걸린다. 이번에는 2주 전에 아랫입술과 뺨 안쪽 점막에 3군데 재발하였다.
과거력: 8세 때 폐렴
현재의 증(症): 아랫입술과 뺨 안쪽 점막의 3군데에 직경 5mm 정도의 구내염이 나타났다. 궤양이 있는 쪽은 깊게 파여 있으며, 주변부는 발적(發赤)과 종창(腫脹)이 있고, 통증이 심하다. 입이 마르고 찬 물을 마시고 싶으며, 입이 끈적인다. 팔과 다리가 차고, 피로감이나 권태감이 있다. 무른 변이 나오고, 자주 소변을 본다. 소변의 색은 진하고, 생리통이 심하다.
설진(舌診) 소견: 혀는 담홍색이고, 설태는 박태(薄苔)이다.
맥진(脈診) 소견: 침세약(沈細弱)
변증(辨證): 조체형(阻滯型) - 습열(濕熱) 타입.
처방: 반하사심탕(半夏瀉心湯) 엑스제 7.5g/3번 나누어 투여 7일분

[재 진] 2006년 5월 8일
뺨 안쪽 점막의 구내염은 사라졌으나 아랫입술의 구내염은 낫지 않았다.
처방: 이전과 동일. 투여 7일분

[3 진] 2006년 5월 17일
아랫입술의 구내염은 조금 작아졌으나, 새롭게 위턱 잇몸과 뺨 안쪽 점막의 2부분에 직경 3mm 정도의 구내염이 새롭게 생겼다. 증상이 나타난 직후에 작은 수포가 확인되었으므로 허피스성 구내염일 가능성이 높다. 궤양 주위의 발적(發赤)이나 동통(疼痛)은 가벼우므로 열(熱)보다는 담습(痰濕)과 비기허(脾氣虛)가 더 강한 타입이라고 판단하였다.
처방: 보중익기탕(補中益氣湯) 엑스제 7.5g/3번 나누어, 판람근(板藍根) 엑스제 3g/3번 나누어, 산귀래(山歸來) 가루와 금은화(金銀花) 가루 각 1.5g/3번 나누어 투여 7일분.

[4 진] 2006년 5월 24일
잇몸과 입술의 궤양이 조금 작아졌다.
처방: 이전 처방에 더하여 황기(黃芪) 가루 1.5g/3번 나누어 투여 7일분.

[5 진] 2006년 5월 31일
구내염이 사라졌다.
처방: 보중익기탕(補中益氣湯) 엑스제 7.5g/3번 나누어, 황기(黃芪) 가루 1.2g/3번 나누어 재발 방지용으로 투여 21일분

[6 진] 2006년 7월 13일
현재까지 구내염의 재발은 없었다.

(초진) (아프타성) **조체형(阻滯型)—F. 습열(濕熱) 타입**

(3진) (허피스성) **조체형(阻滯型)—B. 습열(濕熱) 타입**

(열(熱)이 적은 습(濕). 비기허(脾氣虛)가 강하다.)

(초진 시) **반하사심탕(半夏瀉心湯)**

(3진 시) **보중익기탕(補中益氣湯) + 판람근(板藍根), 산귀래(山歸來), 금은화(金銀花)**

보중익기탕(補中益氣湯) + 황기(黃芪) (재발 예방)

증례1의 처방 해설

초진에서 처방한 반하사심탕(半夏瀉心湯)은 원래 비위불화(脾胃 和)에 의한 심하부(心下部)의 더부룩하고 그득함, 구토와 설사에 사용하는 방제이지만, 상열하한(上熱下寒)을 치료하기 위해 이 약을 사용하였다. 반하사심탕의 조성 중에 있는 황금(黃芩)은 상초(上焦)나 양명(陽明)의 열(熱)을 없애주고, 황련(黃連)은 심화(心火)를 없애주는 것이 가능한 반면, 인삼(人蔘)과 건강(乾薑)에 의해 비양(脾陽)을 온보(溫補)시킬 수 있기 때문이다.

3진에서는 「보중익기탕(補中益氣湯) + 금은화(金銀花) 가루, 산귀래(山歸來) 가루, 판람근(板藍根) 엑스제」를 처방하였다. 비기허(脾氣虛)의 치료를 중심으로 하여 여기에 청열해독(淸熱解毒) 작용이 있는 성분을 더하였다. 보중익기탕(補中益氣湯)의 조성 중에 가장 주요한 성분[130]은 황기(黃芪)이지만, 여기에는 익기(益氣)하여 습(濕)을 없애는 작용 이외에, 기(氣)가 가진 방어력을 늘려서 항사(抗邪) 능력을 증강시키는 작용이나, 궤양이 있는 쪽의 살의 재생을 촉진하는 작용이 있다. 따라서 4진 이후에서는 재발 예방을 위해 황기(黃芪)의 비율을 더욱 늘려 좋은 결과를 얻었다.

【조성】
보중익기탕(補中益氣湯): 황기(黃芪), 백출(白朮), 인삼(人蔘), 당귀(當歸), 시호(柴胡), 대조(大棗), 진피(陳皮), 감초(甘草), 승마(升麻), 생강(生薑)
반하사심탕(半夏瀉心湯): 반하(半夏), 황금(黃芩), 건강(乾薑), 인삼(人蔘), 감초(甘草), 대조(大棗), 황련(黃連)

증례1의 분석

반복적으로 아랫입술에 증상이 나타나고, 궤양 주위의 발적(發赤)과 종창(腫脹)이 심한 것은 습열(濕熱) 타입의 특성이다. 입이 마르고, 찬물을 마시고 싶어하며, 소변 색이 진한 것 등은 실열(實熱)의 증후이다. 단, 설진에서 실열(實熱) 증후는 없다. 피로감이나 권태감, 약맥(弱脈)은 비기허(脾氣虛)의 증후이고, 궤양이 있는 면에 깊은 함요(陷凹)가 있고, 작은 수포가 있으며, 입이 끈적이고, 무른 변이 나오는 것은 담습(痰濕)의 증후이다. 또한 팔다리가 찬 것과, 침맥(沈脈)은 한증(寒證)의 증후(症候)이다. 이밖에 궤양 주위의 통증이 심하고, 생리통도 심한 것으로부터 어혈(瘀血)이 생성되고 있을 가능성도 있다.

이상의 증후들을 종합해보면, 습열(濕熱)이 족양명위경(足陽明胃經)에 있으며, 이것이 경락을 따라 위로 올라가 구강이나 입술에 영향을 주어 구내염 증상을 나타나게 한 반면, 열(熱) 때문에 찬물을 너무 많이 마셔서 비양(脾陽)이 차가워졌고, 이 때문에 비(脾)의 운화수액(運化水液) 기능이 감퇴하고 있다고 판단할 수 있다. 그래서 초진 시의 변증은 습열(濕熱) 타입이라고 하였다. 3진에서는 증상아 나타난 직후에 작은 수포가 확인되었으므로 허피스성 질환인지 의심하였다. 그리고 환부의 발적(發赤)이나 통증은 경감되었어도 재발이 계속 반복되고, 새로 생긴 구내염은 궤양 주위의 발적(發赤)과 동통(疼痛) 모두 가벼웠으므로, 온열(溫熱) 중의 화열(火熱) 비율보다 담습(痰濕)이나 비기허(脾氣虛)의 비율이 더 크다고 판단하였다. 만약 효과가 적은 것 같다면, 다음에는 어혈(瘀血)을 고려할 수 있다.

---

130) 이를 군약(君藥)이라고 한다.

「뺨 안쪽, 잇몸, 입술 3곳에 구내염이 생겼다.」

평소에 반복적으로 구내염이 생긴다. 환부의 발적(發赤)과 종창(腫脹)은 경감되었다.	➡ 음허형(陰虛型)이나 습열형(濕熱型) 열(熱)이 가벼운 타입의 특성
피로감, 권태감, 무른 변, 설질(舌質)은 담(淡)하고, 혀는 반대설(胖大舌)	➡ 비기허(脾氣虛)의 증후

【증례2】환자: 남성　연령: 44세 기혼 회사원 신장: 165cm　체중 63kg

[초 진] 2005년 11월 22일

현병력: 20년 전부터 평소에 구내염이 반복해서 나타나고 있다. 과거에 이비인후과 진료를 받고 케나로그[131]를 처방받았으나 효과가 없었다. 지금도 뺨 안쪽과 잇몸, 그리고 입술의 3군데에 구내염이 나타났다.

과거력: 빈혈

현재의 증(症): 뺨 안쪽, 잇몸, 입술의 3군데에 직경 2mm 정도의 구내염이 있다. 주변부의 발적(發赤)과 종창(腫脹)은 가볍지만 통증이 있으며, 식사하기가 힘들다. 피로감과 권태감이 있다. 평소에 무른 변이 나오고, 불면증이 있고 꿈을 많이 꾼다. 빈혈기가 있다.

설진(舌診) 소견: 설질(舌質)은 담(淡)하고, 혀는 반대설(胖大舌)이며, 설태는 박백태(薄白苔)이다.

맥진(脈診) 소견: 현활세(弦滑細)

변증(辨證): 조체형(阻滯型) - 습열(濕熱) 타입. 그리고 비기허(脾氣虛)를 동반.

처방: 반하사심탕(半夏瀉心湯) 엑스제 7.5g/3번 나누어, 감초(甘草) 가루 2g/3번 나누어 투여 7일분

[재 진] 2005년 11월 29일

　통증은 경감되었으나, 발진은 사라지지 않았다.

처방: 이전과 동일. 외용약으로 함수제(含漱劑)[132]를 병용, 투여 7일분

[3 진] 2005년 12월 6일

　구강 내부의 구내염은 사라졌으나, 입술 부분에 3군데 새롭게 구내염이 나타났다. 허피스성의 작은 수포가 확인되었다.

처방: 이전과 동일 투여 7일분.

[4 진] 2005년 12월 13일

　이전과 동일 투여 7일분.

처방: 항허피스제(아라세나 연고)[133]를 병용

[5 진] 2005년 12월 20일

　구내염이 사라졌으므로 재발 방지를 위한 처방으로 바꾸었다.

처방: 삼령백출산(蔘苓白朮散) 엑스제 7.5g/3번 나누어, 판람근(板藍根) 엑스제 3g/3번 나누어, 산귀래(山歸來) 가루 1g/3번 나누어 투여 7일분

[6 진] 2005년 12월 27일

　입술에 직경 1~2mm 정도의 구내염이 2군데 재발하였다.

처방: 육군자탕(六君子湯) 엑스제 7.5g/3번 나누어, 황기(黃芪)가루 2g, 판람근(板藍根) 엑스제 3g/3번 나누어 투여 7일분

[7 진] 2006년 1월 5일

　구내염이 사라졌다.

처방: 이전과 동일 투여 14일분.

[8 진] 2006년 1월 21일

　도중에 구내염이 다시 생겼으나 곧 염증이 나았고, 그 후 지금까지 재발은 없었다.

조체형(阻滯型)—B. 습열(濕熱) 타입 (비기허(脾氣虛)가 강하다.)

육군자탕(六君子湯) + 황기(黃芪)

증례2의 처방 해설

변증에서는 조체형(阻滯型) - 담습(痰濕) 타입에 비(脾)의 허약(虛弱)이 강하고 열(熱)은 적다고 하였으나, 일반적으로 치료 당시에는 어느 정도 열(熱)을 제거하는 것이 효과가 빠르므로, 초진 시에는 육군자탕(六君子湯)이나 보중익기탕(補中益氣湯)을 사용하지 않고, 반하사심탕(半夏瀉心湯)에 감초(甘草)를 더하여 처방하였다. 이 처방은 감초사심탕(甘草瀉心湯)을 의도한 것으로, 반하사심탕(半夏瀉心湯)을 사용해야 하는 타입의 환자보다 더 심하게 비위(脾胃)의 기(氣)가 부족한 경우에 사용하는 처방이다. 그러나 재발을 방지할 수는 없으며, 그 후 입술 부위에 허피스성의 작은 수포가 확인되었으므로, 항허피스제를 함께 처방하였다. 5진에서는 구내염은 사라졌고, 재발 방지를 위해 삼령백출산(蔘苓白朮散)에 판람근(板藍根) 엑스제와 산귀래(山歸來) 가루를 더한 것으로 바꾸었다. 그러나 여전히 재발을 반복하기에 더욱 부정(扶正)[134]에 중점을 두고 항사(抗邪) 작용을 증강시킬 수 있도록 육군자탕(六君子湯)에 황기(黃芪) 가루와 판람근(板藍根) 엑스제를 더한 처방으로 바꾸어 좋은 결과를 얻었다.

【조성】
육군자탕(六君子湯): 백출(白朮), 인삼(人蔘), 반하(半夏), 복령(茯苓), 대조(大棗), 진피(陳皮), 감초(甘草), 생강(生薑)

증례2의 분석

환부의 발적(發赤)과 종창(腫脹)이 가벼운 것은 열(熱)이 강하지 않다는 것을 나타낸다. 피로감, 권태감, 무른 변, 설질(舌質)이 담(淡)한 것, 그리고 반대설(胖大舌) 등은 비(脾)의 기허(氣虛) 증후이고, 이 증례는 「조체형(阻滯型)-B.습열(濕熱) 타입이고, 비(脾)의 기허(脾氣虛)가 강한 타입」으로 변증하였다.

---

131) ケナログ. 구강용 연고의 상품명이며 주성분은 Triamcinolone acetonide이다.
132) 금은화(金銀花), 연교(連翹), 대청엽(大靑葉), 판람근(板藍根)
133) アラセナ. 항 허피스 연고의 상품명이며 주성분은 Vidarabine이다.
134) 정기(正氣)를 돕는 것

각 타입의 기본적인 증후와 처방 정리

아프타성 구내염(口內炎)

실열형(實熱型) – A. 폐위(肺胃) 타입

증후: 크기가 제각기 다른 구내염이 구강 아래, 입술, 치은(齒齦), 뺨 안쪽, 인두(咽頭) 등에 다발하고, 점막은 광범위하게 충혈된다. 감기의 초기부터 중기 사이에 재발하기 쉽다. 반복되어 만성화되는 것은 음(陰)이 소모되어 음허(陰虛)가 된 경우가 많으며, 주위의 점막이 붉거나 작열통(灼熱痛)이 그렇게 심하지는 않다. 피로나 수면 부족 등으로 더 악화된다. 일반소견은 발열(發熱), 구취(口臭), 인두통(咽頭痛), 변비, 진한 소변색 등이 나타난다. 단, 통증으로 침이 나오므로 목이 마른 것은 그렇게 심하지는 않다. 음허(陰虛)가 진행되는 경우, 평소에 목이 건조하며, 감기에 잘 걸리고, 헛기침이 나온다. 또한 손발이 달아오르고, 자면서 땀을 흘리며, 불면증이 나타나게 된다. 혀는 홍색(紅色)이고, 설태는 박황색(薄黃色)이다. 음허(陰虛)가 진행되면 설태는 적어지며, 혀에 열문(裂紋)이 보이게 된다. 맥(脈)은 삭(數)하며, 감기 초기에는 부삭맥(浮數脈)이 나타나고, 음허(陰虛)가 진행된 경우에는 세삭맥(細數脈)이 된다.

처방: 재발 직후에는 은교해독산(銀翹解毒散)[135]을 사용한다. 음허(陰虛)가 진행된 경우에는 보통 맥문동탕(麥門冬湯)이나 또는 여기에 온청음(溫淸飮)을 조합하여 체질 개선을 추구한다. 이외에 맥미지황환(麥味地黃丸) (팔선환(八仙丸)이라고도 함)[136], 청폐탕(淸肺湯), 또는 신이청폐탕(辛夷淸肺湯) 등을 사용한다.

실열형(實熱型) – B. 위장(胃腸) 타입

증후: 구내염이 혀보다는 구강 점막에 더 많이 생기며, 형태는 불규칙하고, 기저부의 색은 진한 황색을 나타내며, 주변부는 평탄하고, 주위의 충혈 범위는 비교적 넓다. 또한 치은종창(齒齦腫脹)을 잘 동반하며, 매운 음식을 먹으면 재발하기 쉽다. 반복적으로 나타나 만성화 되면 음허(陰虛)가 진행된 것이 많으며, 주위 점막의 붉어짐이나 작열통(灼熱痛)은 그렇게 심하지 않다. 피로나 수면 부족 등으로 더 악화된다. 일반 소견은 구취(口臭)가 심하고, 입이 건조하여 찬 것을 좋아하며, 완복부(脘腹部)에 작열통(灼熱痛)이 있고, 변비, 진한 소변 등을 볼 수 있다. 음허(陰虛)가 진행된 경우에는 가슴이 타고, 변비가 있으며, 변은 토분상(兎糞狀)[137]의 변비이고, 손발이 달아오르며, 자면서 땀을 잘 흘리고, 불면증 등을 관찰할 수 있다. 혀의 색은 홍강색(紅絳色)이고 설태는 황니태(黃膩苔)이다. 음허(陰虛)가 진행되면 설태는 적어지고, 혀에는 열문(裂紋)이 나타난다. 맥(脈)은 활삭맥(滑數脈)이 잘 나타난다.

처방: 청위산(淸胃散)의 대용으로 황련해독탕(黃連解毒湯)에 지황(地黃)과 목단피(牧丹皮)를 더한 것을 사용하지만, 입이 심하게 마른 경우에는 백호가인삼탕(白虎加人蔘湯)에 황련해독탕(黃連解毒湯)을 더한 것을 사용한다. 변비가 심한 경우에는 황련해독탕(黃連解毒湯)에 조위승기탕(調胃承氣湯)이나 대황감초탕(大黃甘草湯)을 합방하지만, 만약 입이 심하게 마른 경우에는 백호가인삼탕(白虎加人蔘湯)에 조위승기탕(調胃承氣湯) 또는 삼황사심탕(三黃瀉心湯)을 더해서 사용한다. 음허(陰虛)가 진행된 경우에는 평소 맥문동탕(麥門冬湯)이나 또는 여기에 온청음(溫淸飮)을 더한 것을 사용하여 체질의 개선을 추구하였다.

실열형(實熱型) – C. 간(肝) 타입

증후: 구내염의 크기가 제각각이고, 주위 점막이 충혈, 발적(發赤)되어 있다. 봄에 또는 정서의 변화와 함께 동반되어 잘 재발한다. 여성에게 많이 보이며, 특히 월경주기와 더불어 잘 재발된다. 반복되어 만성화된 것은 음허(陰虛)가 진행된 것이 많으며, 그 경우 주위 점막이 붉어지거나 작열감(灼熱感)이 느껴지는 것은 그렇게 심하지 않으며, 피로나 수면 부족 등에 의해 더 악화된다. 일반 소견으로는 초조하여 화가 잘 나고, 정

---

135) 은교산(銀翹散)을 의미한다.
136) 팔선장수환(八仙長壽丸)을 의미한다.
137) 토끼똥 모양을 의미한다.

신억울(精神抑鬱), 흉협창통(胸脇脹痛), 입이 쓴 등의 간기(肝氣)가 조체(阻滯)되어 일어나는 증후[138]와, 목이 건조해지고, 눈이 충혈되고, 변비 등의 울열(鬱熱)에 의한 증후가 나타난다. 여성의 경우에는 월경 주기가 빨라지고, 월경통이 동반되며, 음허(陰虛)가 진행된 경우에는 평소 눈이 침침하고, 눈의 피로, 어지러움, 손발이 달아오르고, 저녁에 미열이 생기며, 손발에 쥐나 경련이 잘 일어나는 증후가 보인다. 설진 소견은 설질(舌質)은 전체적으로 홍색이고, 혀끝이나 주변부가 특히 붉고, 설태는 박황태(薄黃苔)가 보이지만, 음허(陰虛)가 진행되면 설태는 적어지고, 혀에 열문(裂紋)이 나타난다. 맥(脈)은 현삭맥(弦數脈)이 나타나지만 음허(陰虛)가 진행되면 세맥(細脈)이 더해져서 현세삭맥(弦細數脈)이 된다.

처방: 가미소요산(加味逍遙散)에 황련해독탕(黃連解毒湯)을 합방하여 사용한다. 입이 쓰고, 목이 마르고, 소변이 진하고, 열감(熱感)이 있는 등의 증후를 동반하는 경우에는 용담사간탕(龍膽瀉肝湯)을 합방한다. 이외에 형개연교탕(荊芥連翹湯)에 판람근(板根)을 배합해도 좋다. 음허(陰虛)가 진행된 경우에는 평소 기국지황환(杞菊地黃丸)[139]에 온청음(溫淸飮)을 더하여 체질 개선을 추구하였다.

실열형(實熱型) – D. 심(心) 타입

증후: 혀끝이나 혀의 앞부분에서 측면 가 쪽에 설창(舌瘡)이 잘 생기고, 구강 점막 중에서는 아랫입술에서 볼 수 있다. 색은 홍색(紅色)이고, 작열통(灼熱痛)이 있으며, 주위에는 충혈이 현저하다. 반복되어 만성화된 것은 음허(陰虛)가 진행되어 있는 경우가 많으며, 그런 경우에는 주위의 점막이 붉어지거나, 작열통(灼熱痛)은 그리 심하지 않다. 피로나 수면 부족 등으로 더 악화된다. 일반 소견은 목이 마르고 혀가 건조하며, 찬 물을 마시고 싶어 하고, 가슴에 번민(煩悶)과 동계(動悸)가 있으며, 불면(不眠), 다몽(多夢)이 있고, 소변색이 진하고, 배설 시에 통증이 있으며, 변비가 잘 생긴다. 이 타입에서 음허(陰虛)가 진행되는 경우에는 일상적으로 손발바닥이 달아오르거나, 저녁에 미열(微熱)이 나타나고, 동계(動悸), 하반신의 나른함, 만성 요통, 현훈(眩暈), 이명(耳鳴)과 난청(難聽) 등 신음허(腎陰虛)의 증상을 볼 수 있다. 혀는 전체적으로 조금 홍색(紅色)이고, 혀끝이 특히 붉으며, 심열(心熱)을 나타내는 특징을 볼 수 있다. 설태도 황색에 건조한 실열(實熱)의 특징이 나타난다. 신음허(腎陰虛)가 진행되면 설태는 적어지고, 혀에는 열문(裂紋)이 나타난다. 맥(脈)은 조금 삭(數)하고, 신음허(腎陰虛)가 진행되면 세삭맥(細數脈)이 되며, 척맥(尺脈)이 특히 침약(沈弱)하게 된다.

처방: 원래는 심화(心火)를 제거하는 도적산(導赤散)을 사용해야 하지만, 일본의 제제(製劑) 중에는 도적산(導赤散)이 없다. 도적산(導赤散)의 조성은 생지황(生地黃), 목통(木通), 생감초(生甘草), 죽엽(竹葉)인데, 판매되고 있는 생약 원재료 중에 목통(木通)과 죽엽(竹葉)이 없으므로 합성하는 것도 어렵다. 이때 도적산(導赤散)을 꼭 사용하고 싶다면 전약(煎藥)을 할 필요가 있다. 그러나 전약(煎藥)은 만드는 게 번거로우며, 맛도 써서 마시기 힘들다. 그래서 생감초(生甘草) 6g과 죽엽(竹葉) 6g만 따로 200cc의 물과 함께 5~10분 정도 끓이고, 그 약액(藥液)을 3등분한 것으로 용담사간탕(膽瀉肝湯)을 복용하면 달고 마시기 좋다. 전약(煎藥)을 사용하지 않는다면 용담사간탕(龍膽瀉肝湯)이나 삼물황금탕(三物黃芩湯)에 육신환(六神丸)을 합방한다. 육신환(六神丸)의 주성분은 우황(牛黃)인데, 우황에는 청심사화(淸心瀉火), 해독(解毒), 개규(開竅), 강심(强心) 작용이 있다. 음허(陰虛)가 진행된 경우에는 평소에 지백지황환(知栢地黃丸)으로 체질 개선을 시키며, 재발을 예방한다. 지백지황환(知栢地黃丸)은 일본에서 제제(製劑)로 만들어지지 않으므로 환제(丸劑) 중성약(中成藥)인 사화보신환(瀉火補腎丸)을 사용한다. 엑스제로 대용하고 싶은 경우에는 육미지황환(六味地黃丸)에 지모(知母) 엑스제와 황백(黃柏) 가루를 섞어서 만들거나, 또는 자음강화탕(滋陰降火湯)을 사용한다. 또한 악화될 징조를 보이면 육신환(六神丸)을 합방하면 좋다.

---

138) 간기울결(肝氣鬱結)을 의미한다.
139) 환제(丸劑) 형태의 중성약(中成藥)

조체형(阻滯型) − E. 담습(痰濕) 타입

증후: 반복해서 궤양이 생기고, 만성이 되기 쉽다. 구내염의 개수는 적으며, 기저부는 깊은 함요(陷凹)를 이루고 있고, 주변부에는 부종이 있으며, 주위의 충혈은 가볍다. 위장(胃腸)의 피로나 육체 피로로 잘 악화된다. 일반 소견은 머리가 무겁고 아프며, 입은 끈적이면서 건조하지는 않고, 위(胃)의 창만감(脹滿感), 니상변(泥狀便)¹⁴⁰⁾, 부종, 몸이 무거우면서 나른하고, 가래가 잘 나오는 등의 증후가 있다. 여성에서는 대하(帶下)가 많은 등의 담습(痰濕) 증상과, 식욕부진, 설사가 잘 나오고, 피로권태감, 무력감 등의 비기허(脾氣虛) 증상의 두 가지 증상이 모두 보인다. 단, 이들 증상은 환자에 따라 담습(痰濕) 증상이 강한 타입과, 비기허(脾氣虛) 증상이 강한 타입으로 나뉜다. 또한 비(脾)의 허약(虛弱)이 비양(脾陽)에 이르면 추가로 손발과 복부가 차가워지고, 때때로 수양변(水樣便)¹⁴¹⁾이 나오는 등의 증상을 관찰할 수 있다. 설질(舌質)은 담(淡)하고, 치흔(齒痕)이 있으며, 백니태(白膩苔)를 볼 수 있다. 맥(脈)은 담습(痰濕)이 강한 타입에서는 활맥(滑脈)이 나타나며, 비기허(脾氣虛)가 강하면 침완맥(沈緩脈)이 나타난다.

처방: 습(濕)이 강하고 설사나 복창(腹脹)을 동반하게 되면 평위산(平胃散)에 이수(利水)와 해독(解毒) 작용을 가진 산귀래(山歸來) 가루를 더하여 사용한다. 비기허(脾氣虛)가 강하면 보중익기탕(補中益氣湯)이나 또는 육군자탕(六君子湯)에 황기(黃芪) 가루를 더한 것을 사용하며, 여기에 산귀래(山歸來) 가루를 더한다. 혹시 구내염이 깊고 잘 낫지 않는 경우에는 황기(黃芪) 가루를 더 늘린다.

조체형(阻滯型) − F. 습열(濕熱) 타입

증후: 구내염의 특징은 그 대부분이 통상의 담습형(痰濕型)가 같지만, 주위가 붉어지거나 충혈되는 것은 조금 심하며, 자극적인 맛의 음식이나 음주 등으로 유발되는 점이 다르다. 일반 소견도 그 대부분이 통상의 조체형(阻滯型) - 담습(痰濕) 타입과 같지만 가래, 소변, 대하(帶下) 등의 색이 황색이며 경우에 따라 입이 마른 증상이 나타나는 점이 다르다. 또한 환자 중에는 비기허(脾氣虛) 증상을 강학 호소하는 이도 볼 수 있다. 설질(舌質)은 전체적으로 조금 홍색(紅色)이고 설태는 황니태(黃膩苔)이다. 맥(脈)은 활삭맥(滑數脈)이 나타난다.

처방: 평위산(平胃散)에 황련해독탕(黃連解毒湯)을 배합하여 사용한다. 오심(惡心)이나 심하부(心下部)에 더 부룩함이 있는 경우에는 반하사심탕(半夏瀉心湯)을 사용한다. 비기허(脾氣虛)의 증상이 강한 경우에는 열(熱)을 잡은 단계에서 조체형(阻滯型) - 담습(痰濕) 타입에 준한 처방으로 변경한다.

허약형(虛弱型) − G. 심비(心脾) 타입

증후: 구내염의 수는 많지 않으며, 기저부는 함요(陷凹)를 이루고 있고, 주위의 충혈이나 부종은 명료하지 못하다. 구내염의 진행이 빠르고, 치유 속도는 완만하다. 일반 소견은 심계(心悸), 불면(眠), 다몽(多夢), 건망(健忘) 등 심신(心神)의 실조(失調)에 의한 증후와, 숨이 차고, 식욕부진, 복부의 팽만감, 수양변(水樣便), 권태무력감, 입술 색이 옅은 등의 비기허(脾氣虛)에 의한 증후가 보인다. 설질(舌質)은 담(淡)하고, 설태는 박태(薄苔)가 나타나며, 맥(脈)은 세맥(細脈)이 나타난다.

처방: 가미귀비탕(加味歸脾湯) 또는 귀비탕(歸脾湯)에 산귀래(山歸來) 가루를 더한 것을 사용한다. 입이 건조하고, 갈증이 나는 경우에는 가미귀비탕(加味歸脾湯)에 맥문동탕(麥門冬湯)을 합방하거나 또는 천문동(天門冬) 가루를 더한다.

---

140) 진흙과 같은 변
141) 물 설사를 이른다.

허피스성 구내염(口內炎)

외사형(外邪型) - A. 풍열(風熱) 타입

증후: 감기와 같은 증상을 동반하며 증상이 나타나는 경우가 많으며, 입술이 붓고 가렵다. 구강 점막에 군집하는 작은 수포가 나타나며, 작열통(灼熱痛)이 있다. 구강 점막에 충혈이 심하다. 일반 소견은 발열(發熱), 오풍(惡風)[142], 입이 건조해지고, 인후(咽喉)의 종통(腫痛), 번민감(煩悶感) 등이 관찰된다. 혀끝이 붉어지고, 박황태(薄黃苔)가 나타나며, 맥(脈)은 부삭맥(浮數脈)이 나타난다.

처방: 풍열(風熱)에 사용하는 은교해독산(銀翹解毒散)에 더하여 판람근(板藍根) 엑스제를 합방한 것을 사용한다. 판람근(板藍根) 엑스제는 청열해독(淸熱解毒)약이면서 항바이러스 효과도 가지므로 특히 허피스성 구내염이 의심되는 경우에 가미(加味)하면 효과적이다.

조체형(阻滯型) - B. 습열(濕熱) 타입

증후: 과한 음주나 기름진 음식, 단 음식, 자극적인 맛의 음식을 편식함으로써 유발된다. 입술이나 그 주위에 반복해서 수포가 발생된다. 포진(疱疹)은 군집을 이루거나 또는 융합(融合)해서 조각 모양(편상(片狀))이 되고, 터지면 미란(糜爛)이 되어 강한 동통(疼痛)이 발생된다. 구강 점막의 충혈은 조금 강하다. 일반 소견은 위트림, 무른 변, 입이 끈적이고, 부종이 생기고, 신체가 무거운 등 비위습열(脾胃濕熱)에 의한 증후가 보인다. 혀는 붉고, 황니태(黃膩苔)가 관찰된다. 맥은 활삭맥(滑數脈)이 나타난다.

처방: 원래는 청위산(淸胃散)을 사용하지만 일본에서는 제제(製劑)가 없으므로 황련해독탕(黃連解毒湯)에 지황(地黃) 엑스제와 목단피(牧丹皮) 엑스제를 더한 것으로 대용하고, 상황에 따라 그에 더해서 항바이러스 효과가 있는 판람근(板藍根) 엑스제를 합방한다. 만약 습(濕)이 운화(運化)에 크게 영향을 미치고, 위트림이나 무른 변 등을 심하게 호소하는 경우에는 반하사심탕(半夏瀉心湯)을 사용하고, 경우에 따라 판람근(板藍根)을 합방한다. 구내염이 사라졌어도 재발의 불안이 있는 경우에는 보기제(補氣劑)인 보중익기탕(補中益氣湯), 육군자탕(六君子湯), 삼령백출산(蔘苓白朮散), 계비탕(啓脾湯) 등에 황기(黃芪) 가루를 사용하면 예방할 수 있다.

허열형(虛熱型) - C. 음허(陰虛) 타입

증후: 습열형(濕熱型)과 같이 반복해서 수포가 생기지만 포진(疱疹)의 면적은 비교적 작고 장기간 사라지지 않는다. 동통(疼痛)은 가볍고 피로하면 재발이 잘 된다. 구강 점막의 충혈은 가볍다. 일반 소견은 현훈(眩暈), 이명(耳鳴), 불면(不眠), 오심번열(五心煩熱, 목이 건조한 등의 허화(虛火)가 상염(上炎)해서 일어나는 증후와 경우에 따라 정신피로(精神疲勞), 하반신의 나른함 등의 신허(腎虛)에 의한 증후를 볼 수 있다. 설질(舌質)은 붉고, 설태는 적다. 맥(脈)은 세삭맥(細數脈)이 나타난다.

처방: 지백지황환(知栢地黃丸)을 사용하지만 중성약(中成藥)인 환제(丸劑) 밖에 없으므로 엑스제를 사용하고 싶은 경우에는 육미지황환(六味地黃丸)에 지모(知母) 엑스제와 황백(黃柏) 가루를 배합하면 좋다. 경우에 따라 추가로 항바이러스 효과가 있는 판람근(板藍根) 엑스제를 합방하여도 좋다.

---

142) 가벼운 오한(惡寒).

아프타성 구내염(口內炎) 병리기전

중의학에서는 기본적으로 화열(火熱)이 있거나 또는 습(濕)이 있으면 종양(腫瘍)이나 부스럼 등이 잘 생긴다고 하고 있으므로, 구강이나 혀와 관련이 있는 장부(臟腑)와 경락(經絡)에 화열(火熱)이나 습(濕)이 있으면 구내염이 발생한다고 한다. 구내염 가운데 반복성인 것은 그 근저에 저항력의 근원인「정기(正氣)」가 부족한 경우가 많다. 화열(火熱)에 대응하는 정기(正氣)는 음(陰) (음액(陰液))이며, 습(濕)에 대응하는 정기(正氣)는 비기(脾氣)이다.

실열형(實熱型)

화열(火熱)에는 허실(虛實)이 있으나 실증(實證)인 실열(實熱)은 급성(急性)이고, 병정(病程)이 짧으며 많은 경우에 일시적이다. 그에 대해 허증(虛證)인 허열(虛熱)은 만성화되기 쉽다. 그래서 임상에서 많이 만나게 되는 재발성 질환들은 원래 음(陰)이 부족하거나 노화에 의해 신음(腎陰)이 부족하여 체질적으로 음허(陰虛)나 기음양허(氣陰兩虛)인 경우가 많다. 그러나 단순한 허증(虛證)이 아니라, 실(實)인 화열(火熱)과 허(虛)인 음허(陰虛)가 혼재하는 허실협잡(虛實挾雜)이 되어 있다. 즉, 음허(陰虛)나 기음양허(氣陰兩虛)인 사람이 한번 화열(火熱)에 의한 상해를 받아 발병하게 되면 음액(陰液)의 손상이 쉽게 일어나므로, 그 후에는 가벼운 화열(火熱)에 의해서도 재발하게 된다. 그리고 재발 직후에는 실열(實熱)의 영향이 강하게 나타나지만, 길어지면 음허(陰虛)가 주체가 되는 병태(病態)가 된다.

통상적으로 외래에는 재발시에 내원하므로, 초진 시에는 실열(實熱)에 해당하는 부분의 분석이 중심이 된다. 그래서 실열(實熱)이 울적(鬱積)해 있는 장부(臟腑)의 병위(病位)에 따라 추가로 폐위(肺胃) 타입, 위장(胃腸) 타입, 간(肝) 타입, 심(心) 타입의 4가지로 나누어진다.

실열형(實熱型) – A. 폐위(肺胃) 타입

이 타입은 폐위열성증(肺胃熱盛證)이라는 병증(病證)에 속하며, 감기에 걸리거나 하면 일어난다. 감기는 일반적으로 풍한(風寒)과 풍열(風熱)로 크게 나뉘지만, 풍열(風熱)은 원래 그렇고, 위화(胃火)가 있음으로 해서 풍한(風寒)도 쉽게 화(火)가 되므로, 이것이 폐(肺)를 침범하게 되면 풍열(風熱)과 풍한(風寒) 둘 모두 폐열(肺熱)을 형성한다. 그때 수태음폐경(手太陰肺經)의 열(熱)이 추가로 표리관계에 있는 수양명대장경(手陽明大腸經)으로 파급되면, 수양명대장경(手陽明大腸經)은 입에 분포하고 있으므로 구내염이 발생한다. 또한 감기 중기(中期)가 되면 열(熱)이 위(胃)에 울적(鬱積)하므로 아래의 위장(胃腸) 타입과 같은 기전으로 구내염이 발생한다.

구내염이 반복되는 사람은 호흡기계의 만성 질환이나, 어떤 원인으로 폐음(肺陰)이 소모되어 있는 경우가 많으며, 일단 발병하면 그 후에는 감기에 걸릴 때 마다 재발을 반복하게 된다.

실열형(實熱型) – B. 위장(胃腸) 타입

이 타입은 위장적열증(胃腸積熱證)이라는 병증(病證)에 속하며, 평소에 맵거나 맛이 자극적인 음식을 편식하는 사람에게서 잘 발견된다. 이런 음식들은 위장(胃腸)에 열(熱)을 울적(鬱積)시키는데, 이 열(熱)이 족양명위경(足陽明胃經)을 따라서 입까지 올라가면 구내염이 발생된다.

구내염이 계속 반복되는 사람은 오랫동안 편식을 해왔거나, 또는 소화기계의 만성질환 등으로 위음(胃陰)이나 비위(脾胃)의 기음(氣陰)이 소모된 경우가 많다. 일단 발병하면 그 후에는 약간의 음식물의 영향이나 피로에 의해서도 반복해서 재발된다.

실열형(實熱型) - C. 간(肝) 타입

이 타입은 간화상염증(肝火上炎證)이라는 병증에 속하며, 정지억울(情志抑鬱)이나 스트레스가 심한 경우 발생한다. 간(肝)은 소설(疏泄)을 주(主)하고, 정지(情志)의 활동을 조절하며, 충맥(衝脈)과 임맥(任脈)의 기기(氣機)를 통창(通暢)하지만 정지억울(情志抑鬱)이나 스트레스가 심한 경우에는 간기(肝氣)가 울체(鬱滯) 및 열화(熱化)[143]되고, 충임맥(衝任脈)의 기기(氣機)가 실조된다. 이로 인해 간화(肝火)가 충임맥(衝任脈)을 따라 올라가 입 부위를 침범하게 되면 구내염이 발생한다.

이 타입의 사람 중에 구내염이 잘 반복되는 것은 노화나 체질적인 원인으로 간신(肝腎)의 음(陰)이 부족한 경우이다. 그것은 간신(肝腎)의 음허(陰虛)가 있으면 간양(肝陽)을 억제하지 못하므로 곧 간화(肝火)가 잘 상염(上炎)되기 때문이다.

실열형(實熱型) - D. 심(心) 타입

이 타입은 심화항성증(心火亢盛證)이라는 병증(病證)에 속하며, 정서 변동이 격한 사람에게서 잘 발견된다. 심(心)은 신명(神明)을 장(藏)하므로 정서가 격하게 변동하여 감정이 울적(鬱積)하게 되면 열화(熱化)하여 심화(心火)가 된다. 「심(心)은 혀(舌)로 개규(開竅)한다.」라 하고, 「혀(舌)는 심(心)의 묘(苗)」라고 하며, 또한 경락(經絡)면에서 살펴보면 수소음심경(手少陰心經)은 혀뿌리와 관련되어 있으므로[144], 이것이 수소음심경(手少陰心經)을 통하여 혀로 올라가면, 혀의 중심 부분에 구내염이 발생된다. 이밖에 열성병(熱性病)의 중기와 후기에 열독(熱毒)이 심포(心包)에 침입하면 역시 심화(心火)가 상염(上炎)하여 구내염이 발생하게 된다.

이 타입 중 열성병(熱性病)에 의한 것은 예후가 나쁜 경우 심음(心陰)을 소모하여 만성화하게 된다. 정지(情志)에 의한 것 중 잘 반복되는 것은 노화(老化) 등에 의해 신음(腎陰)이 편쇠(偏衰)된 타입이다. 심(心)과 신(腎)은 서로 통하고 있어서, 신음(腎陰)이 심음(心陰)을 자양(滋養)하게끔 되어있으나, 노화 등에 의해 신음(腎陰)이 부족해지면 심음(心陰)을 자양할 수 없게 되므로 심음(心陰)이 부족하여 심화(心火)를 억제하기 어려운 체질이 되어, 그로 인해 쉽게 심화(心火)가 상염(上炎)하여 재발에 이르게 된다.

조체형(阻滯型)

찬 음식이나 생것을 너무 많이 먹으면 위장이 차가워져서 비양(脾陽)을 손상하게 되지만 이 때문에 비기(脾氣)의 운화(運化) 작용을 실조(失調)하게 되면 수습(水濕)이 내정(內停)하게 된다. 또한 원래 위장(胃腸)이 허약하고 비기(脾氣)가 부족해지면 피로 등에 의해서도 운화(運化) 작용이 감퇴되어 수습(水濕)이 내정(內停)하게 된다. 이런 상태가 되면 비(脾)는 청양(淸陽)을 상승시켜 탁음(濁陰)을 하강시키는 기능을 발휘하지 못하게 되고, 정체(停滯)되어있는 습(濕)은 열화(熱化)되어 구강의 점막을 훈증(燻蒸)하여 궤양을 발생시킨다. 이를 비허습성(脾虛濕盛) 타입이라고 한다. 습(濕)은 그 자체가 점체(粘滯)라고 하는 잘 반복되는 성질을 가지고 있으므로, 식생활을 개선하지 않거나, 위장(胃腸)이 상해서 비(脾)의 운화(運化) 기능이 감퇴되어 있으면 잘 재발된다.

---

143) 이를 간화(肝火)라 한다.
144) 수소음락맥(手少陰絡脈)은 혀뿌리(舌本)를 지나간다.

조체형(阻滯型) – E. 담습(痰濕) 타입

찬 음식이나 생것을 너무 많이 먹으면 위장이 차가워져서 비양(脾陽)을 손상하게 되지만 이 때문에 비기(脾氣)의 운화(運化) 작용을 실조(失調)하여 수습(水濕)이 내정(內停)하게 된 것이 담습(痰濕) 타입이다. 또한 원래 위장(胃腸)이 허약하고 비기(脾氣)가 부족하게 되면, 피로 등에 의해서도 운화(運化) 작용이 감퇴되어 수습(水濕)이 내정(內停)하게 되어 담습(痰濕) 타입이 된다. 정확하게는 비허습성(脾虛濕盛)이라고 한다. 어찌 되었든 이런 상태가 되면 비(脾)는 청양(淸陽)을 상승시켜 탁음(濁陰)을 하강시키는 기능을 발휘하지 못하게 된다. 그렇게 되면 구강부에 정체(停滯)되어 있는 습(濕)도 하강하지 못해 울적(鬱積)되고 그것이 국부적으로 열화(熱化)되어 구강 점막을 훈증(燻蒸)하게 되면 궤양(구내염)이 발생된다. 이 타입에서는 습(濕)은 「점체성(粘滯性)」이라고 하는 반복이 잘 되는 성질을 가지고 있으며, 식생활을 개선하지 않거나, 피로 등으로 인해 비위(脾胃)의 기능이 저하되면 반복해서 재발된다.

조체형(阻滯型) – F. 습열(濕熱) 타입

같은 조체형(阻滯型) 중에서도 자극적인 맛의 음식을 과식하거나, 과도한 음주가 원인이 되어 구내염이 반복되는 것이 이 습열(濕熱) 타입이다. 전문적인 병증명(病證名)은 비위습열증(脾胃濕熱證)이라고 한다. 병리 기전은 담습(痰濕) 타입과 같이 열(熱)이 구강 점막을 훈증(燻蒸)함으로써 증상이 나타난다. 열(熱)의 비중이 더 크고, 구강부에 정체(停滯)되어 있는 습(濕) 자체가 이미 열화(熱化)되어 습열(濕熱)이 되었으므로 담습(痰濕) 타입보다 쉽게 재발되는 것이 특징이다.

허약형(虛弱型) – G. 심비(心脾) 타입

이 타입은 심비양허증(心脾 虛證)이라고 하는 병증(病證)에 속한다. 심(心)과 비(脾)의 관계에서는 심신(心神)[145]이 비(脾)의 운화(運化)를 도우며, 반대로 비(脾)에 의해 생화(生化)된 혈(血)이 심신(心神)을 영양(營養)하고 있다. 과도한 걱정으로 심신(心神)을 소모하고, 또한 육체 피로나 위장(胃腸)의 피로로 비기(脾氣)가 쇠퇴하게 되면 심혈(心血)과 비기(脾氣) 양쪽 모두가 부족해지는 심비양허(心脾兩虛) 타입이 된다. 이때 비기(脾氣)의 청양(淸陽)을 상승시키는 기능과 심혈(心血)의 혈를 영양(營養)하는 기능이 감퇴되어 그것이 입과 혀에 영향을 주게 되면, 만성화되어 쉽게 치유되지 않는 구내염이 형성된다.

---

145) 심(心)과 심(心)이 장(藏)하고 있는 신명(神明)의 총칭.

허피스성 구내염(口內炎) 병리기전

현대 의학적으로는 단순 포진 바이러스(HSV)의 비말(飛沫) 또는 접촉 감염을 통해 증상이 시작되며, 감염 후 환자의 체내에 항체가 형성되지만, 몇 가지의 원인으로 면역 기능이 저하되어 항체의 양이 부족해지면 바이러스의 활발한 번식이 일어나 재발된다. 여기에 「중서결합(中西結合)」의 사고방식을 적용해 보면, 유발 요인에 관여하는 체질적 소인을 중의학적으로 분류하면 좋다. 그리고 그때 잘 관찰되는 체질은 크게 나누면 외사형(外邪型), 조체형(阻滯型), 허열형(虛熱型)의 3가지가 있다.

외사형(外邪型) − A. 풍열(風熱) 타입

바이러스 감염은 중의학에서는 풍열(風熱) 또는 사독(邪毒) 등의 외사(外邪)의 침습(侵襲)이라고 여긴다. 따라서 풍열형(風熱型)은 발병 초기나 감기와 함께 재발하는 경우의 병증형(病證型)이며 풍열(風熱)이 폐위(肺衛)를 손상시켜 침습(侵襲)하고, 수태음폐경(手太陰肺經)과 표리 관계에 있는 수양명대장경(手陽明大腸經)에 파급되면, 수양명대장경(手陽明大腸經)은 입에 분포하고 있으므로 구내염이 발생한다.

조체형(阻滯型) − B. 습열(濕熱) 타입

평소에 편식을 하는 식생활을 영위하고, 맵거나 자극이 강한 음식을 즐겨 먹고, 음주 습관이 있는 사람은 비위(脾胃)에 습열(濕熱)이 쌓이기 쉽다. 이런 경우, 편식이 과하거나, 또는 피로가 비위(脾胃)의 운화(運化) 기능에 영향을 주어 쉽게 습열(濕熱)이 쌓이게 되고, 이것이 족양명위경(足陽明胃經)을 거쳐서 입으로 올라가게 되면 입술이나 구강 점막을 훈증(燻蒸)하게 되어 바이러스에 의한 포진(疱疹)이나 궤양을 유발한다.

허열형(虛熱型) − C. 음허(陰虛) 타입

평소 음허(陰虛)나 기음양허(氣陰兩虛)인 사람은 피로나 열성병(熱性病)의 후기에서 다시 기음(氣陰)의 소모가 있게 되면, 허화(虛火)가 입으로 상염(上炎)하여 바이러스에 의한 포진(疱疹)이나 궤양을 유발시킨다.

이갈이

- 중의학(中醫學)에서는 일반적으로 불수의운동(예를 들어 경련이나 떨림 등)을 「풍증상(風症狀)」이라고 하는데, 무의식적인 이갈이도 많은 경우 여기에 포함된다.
- 「풍(風)」에는 날씨 변화로 인해 생기는 외풍(外風)과, 체내의 기기(氣機)의 실조(失調)로 일어나는 내풍(內風)[146]이 있다. 이갈이의 경우, 외풍(外風)에 의한 것은 감기 등의 한기(寒氣)와 함께 동반되는 것으로, 대개 일시적인 경우가 많으므로 이 책에서는 다루지 않는다.
- 내풍(內風)에는 허실(虛實)이 있으며, 이갈이에서도 「실(實)」과 「허(虛)」로 크게 나눌 수 있다. 이 중 실(實)에 속하는 것은 「실열형(實熱型)」이며, 또한 심위(心胃)의 열(熱)이 항진(亢進)하여 일어나는 「심위(心胃) 타입」과, 스트레스로 간기(肝氣)가 울적(鬱積)하여 일어나는 「간(肝) 타입」(간풍내동(肝風內動))으로 나눌 수 있다. 「간(肝) 타입」에는 그 발전된 형(型)으로서 울적(鬱積)된 기(氣)가 열화(熱化)된 것(간양화풍(肝陽化風))도 포함된다.[147]
- 허(虛)에 속하는 것으로는 기혈(氣血)이 부족하여 일어나는 「허약형(虛弱型)-기혈(氣血) 타입」(내풍(內風)의 혈허생풍(血虛生風)에 속함)과, 음(陰)이 부족하여 일어나는 「허열형(虛熱型)-음허(陰虛) 타입」(내풍(內風)의 음허내풍(陰虛內風)에 속함)이 있다.
- 실제 임상에서 이갈이를 치료 대상으로 생각하는 대다수는 실열형(實熱型)이므로 소개한 증례의 태반은 실열형(實熱型)이다. 이밖에 소아의 감적(疳積)[148]이나 기생충에 의한 질환이 있으나, 그런 것들도 이 책에서는 다루지 않는다.
- 소개한 증례 중에는 당초에는 양쪽 어금니 부위의 지각과민(知覺過敏)이나 교합통(咬合痛) 등을 주소증으로 하여 내원하는 환자들이 많으나, 진료 과정에서 주소증이 나타난 시기와 같은 시기에 이갈이도 강해졌으며, 이것이 증상의 악화 요인이라는 사실이 확실하다. 그래서 주소증이 경감되어도 이갈이 증상이 남아 있는 경우에는, 여기에 대응하는 것이 재발을 예방할 수 있다고 생각하여 본 챕터에서 소개한다.

146) 풍기내동(風氣內動)을 의미한다. 이는 몸속에서 풍기(風氣)가 동(動)한다는 의미인데 질병 진행과정 중에 장부(臟腑)의 기능이 실조되고 기혈(氣血)의 역란(逆亂)으로 인해 근맥을 자양하지 못해 생긴다.
147) 간풍내동(肝風內動)은 간혈허(肝血虛)로부터 발전된 혈허생풍(血虛生風), 간양상항(肝陽上亢)으로부터 발전된 간양화풍(肝陽化風), 간화상염(肝火上炎)으로부터 발전된 열극생풍(熱極生風) 등을 포함한다.
148) 과식에 의한 소화불량

악관절증(顎關節症)의 형(型)과 병증(病證) 타입

· 이갈이
· 깨물근의 긴장이 비교적 심하다.

실열형(實熱型)

간(肝) 타입
☆ 스트레스나 긴장, 머리와 어깨의 결림에 동반되는 이갈이가 심하다.
☆ 깨물근의 긴장이 매우 강하고 측두근(側頭筋)까지 현저한 압통이 있다.

A

심위(心胃) 타입
☆ 위장(胃腸)의 상태가 악화되고, 감정이 고조되면 이갈이가 심해진다.

B

· 이갈이
· 깨물근의 긴장이 그다지 심하지 않다.

허약형(虛弱型)

기혈(氣血) 타입
☆ 피로가 심하면 이갈이의 빈도가 커진다.
☆ 아침에 일어날 때 턱에 피로감이 있다.

C

허열형(虛熱型)

음허(陰虛) 타입
☆ 불면, 수면 부족에 의해 이갈이가 유발된다.
☆ 깨물근과 측두근의 둔통(鈍痛)을 동반하는 경우가 많다.

D

이 갈 이 ① 증후(症候)의 정리와 처방 포인트

「왼쪽 위턱 어금니 부위에 통증이 있고, 왼쪽 뺨 부위에 둔통(鈍痛)이 있다. 이갈이가 심하다.」

왼쪽 광대뼈 부위에 둔통(鈍痛) 깨물근과 측두근의 긴장이 심하고, 거안(拒按)[149].	→	간울(肝鬱) 증후
초조감, 스트레스 흉협창통(胸脇脹痛), 생리불순	→	실열(實熱) 증후
머리에 피가 몰리고, 목이 건조하며, 불면증과 다몽(多夢)이 있고 눈의 피로	→	혈허(血虛) 증후

혈허(血虛) 증후

[초 진] 2004년 1월 30일

현병력: 작년 가을에 회사에서 부서 이동이 있었고, 이에 심한 스트레스를 느끼던 중, 11월에 지금과 같은 증상이 나타났다. 그때는 이비인후과에 가서 진찰을 받았으나 이상이 없다는 말만 들었다. 이번 달에도 월말이 되어 바빠지기 1주 전부터 씹을 때 왼쪽 위턱 어금니 부위에 통증을 느끼기 시작했고 후에 더 악화되었다. 같은 시기부터 이갈이도 심해졌다.

과거력: 특별히 없다.

현재의 증(症): 왼쪽 광대뼈 부위에 둔통(鈍痛)이 있으며, 같은 쪽의 깨물근과 측두근에 압통이 강하며, 거안(拒按). 평소에 왼쪽으로 물어뜯는 버릇이 있다. 타진통(打診痛)은 2번 어금니가 가장 크다. 혼자 살기 때문에 이갈이의 정도는 확실치 않다. 일반 소견은 스트레스가 강하고 초조감이 있다. 다리는 차갑지만, 상반신은 피가 몰리고 목이 건조하다. 피로나 눈의 피로가 있고, 다몽(多夢) 증상이 있으며 숙면을 취하지 못한다. 흉협부(胸脇部)에 창통(脹痛)이 있으며 위(胃)에 가벼운 팽만감이 있고, 촉진(觸診) 시 불쾌감을 호소한다. 생리는 불순하고, 월경 전에 가슴이 당기며, 월경혈에 핏덩어리가 섞여있고, 허리와 복부에 무거운 느낌의 생리통이 있다. 대소변은 정상이다.

설진(舌診) 소견: 설질(舌質, 혀)의 색은 담홍색이지만, 조금 반대설(胖大舌)이고 치흔(齒痕)이 있다. 설태(舌苔)는 백태(白苔)이다.

맥진(脈診) 소견: 왼쪽 관(關) 부위에 현맥(弦脈)

변증(辨證): 실열형(實熱型)-간(肝) 타입. (열화(熱化)나 혈허(血虛)를 동반)

처방: 가미소요산(加味逍遙散) 엑스제 7.5g/3번 나누어 투여 7일분.

치과치료: 전방 스플린트(splint)[150]를 제작하고, 잘 때 장착하고 자도록 하였다. 또한 낮에는 어금니 부위를 벌리는 아래턱 위치를 설명하였다.

[재 진] 2004년 2월 6일

씹을 때의 통증은 경감되었고, 왼쪽 광대뼈 부위의 둔통도 그다지 신경 쓰지 않을 정도가 되었지만 깨물근과 측두근의 압통은 남아있다.

처방: 가미소요산(加味逍遙散) 엑스제 7.5g/3번 나누어 투여 7일분.

침구치료: 태양혈(太陽穴), 하관혈(下關穴), 협거혈(頰車穴), 풍지혈(風池穴), 태충혈(太衝穴), 합곡혈(合谷穴)에 사법(瀉法)을 시행하였다.

[3 진] 2004년 2월 14일

증상이 사라졌다.

---

149) 아픈 부위를 만지거나 누르면 더 아프므로 누르는 것을 싫어하는 것을 말한다.

실열형(實熱型)—A. 간(肝) 타입 (울열(鬱熱)과 혈허(血虛)를 동반)

가미소요산(加味逍遙散)

증례1의 처방 해설

간(肝) 타입 중에서 열화(熱化)와 혈허(血虛)를 동반하는 것에 사용하는 가미소요산(加味逍遙散) 엑스제를 처방하였다. 재진에서는 같은 처방과 함께 침 치료를 시행하여 좋은 효과를 얻었다. 침 치료에서 사용한 경혈 가운데 태양혈(太陽穴), 하관혈(下關穴), 협거혈(頰車穴)은 국소적으로 통락(通絡)[151]을 시킴으로써 긴장이나 압통(壓痛)을 완화하기 위한 것이다. 풍지혈(風池穴)은 식풍(熄風)[152] 작용이 있으며, 태충혈(太衝穴)은 소간해울(疏肝解鬱) 작용이 있다. 합곡혈(合谷穴)은 사총혈(四總穴)의 하나로서 안면 치료에 효과가 있으며 또한 태충혈(太衝穴)과 함께 사관혈(四關穴)이 되어 수풍(搜風)[153]이나 통경행어(通經行瘀)[154] 작용을 한다.

【組成】
가미소요산(加味逍遙散): 시호(柴胡), 작약(芍藥), 백출(白朮), 당귀(當歸), 복령(茯苓), 산치자(山梔子), 목단피(牧丹皮), 감초(甘草), 생강(生薑), 박하(薄荷)

증례1의 분석

스트레스가 강하고 초조해하며, 흉협부(胸脇部)의 창통(脹痛)과 좌측 관(關) 부위의 현맥(弦脈), 생리 불순과 월경 전에 가슴이 당기는 증상 등은 전형적인 간기울결(肝氣鬱結) 증후이다. 또한 위(胃) 부위의 가벼운 팽만감은 간기횡역(肝氣橫逆)에 따른 간위불화(肝胃不和)의 증상이다. 월경혈에 핏덩어리가 섞여있는 것은 간기울결(肝氣鬱結)로부터 기체혈어(氣滯血瘀)가 되어가고 있음을 나타내며, 기혈(氣血)이 조체(阻滯)되어 있으므로 깨물근과 측두근의 압통(壓痛)이 심해진 것이라고 판단할 수 있다. 그리고 설진과 맥진에서는 열(熱)을 나타내는 증상은 없었지만 피가 위로 몰리는 것을 호소하고 있으므로 간기(肝氣)가 울체(鬱滯)되어 가볍게 열화(熱化)되었다고 할 수 있겠다. 또한 눈의 피로, 다몽(多夢) 증상이 있으며, 몸도 마른 편이므로, 간혈허(肝血虛)도 함께 가지고 있다.

---

150) 마우스피스
151) 경락(經絡)의 기혈운행(氣血運行)을 촉진하는 것.
152) 내풍(內風)을 제거하는 것.
153) 내풍(內風)을 없애는 것.
154) 경락(經絡)을 통하게 하고 어혈(瘀血)을 제거하는 것.

「이갈이와 왼쪽 턱관절 부위에 통증이 있다.」

찌르는 것 같은 통증, 왼쪽 귀 앞에 압통(壓痛)이 있고, 이갈이가 심하다.	➡ 실열형(實熱型)의 특성
차갑게 하면 경감된다.	➡ 실열형(實熱型)의 특성
초조감, 스트레스, 왼쪽 목 부위와 흉협(胸脇)부위에 창통(脹痛)	➡ 간울기체(肝鬱氣滯)의 증후
눈이 붉어지고, 이명(耳鳴), 혀가 붉어지고, 설태는 황니태(黃膩苔)	➡ 울열(鬱熱)의 증후

【증례2】 환자: 남성 연령: 66세 기혼 무직 신장: 168cm 체중 72kg

[초 진] 2003년 5월 21일

현병력: 2002년 9월에도 같은 증상으로 내원하였으며 저위교합(低位咬合)[155]에 의한 악관절증으로 진단하였다. 그때는 왼쪽 위턱 어금니 부위의 결손을 보철하여 교합거상(咬合擧上)하였고 또한 수면 시에는 앞니 부위에 스플린트(splint)를 장착하여 증상이 개선되었다. 최근 이갈이가 심해져서 1주일 전부터 왼쪽 턱관절 부위에 통증을 느꼈으며 지금도 계속되고 있다.

과거력: 특별히 없다.

현재의 증(症): 씹을 때 힘을 주어 악물면 찌르는 것 같은 통증이 생긴다. 왼쪽 관자놀이부터 귀 앞 부위에 걸쳐 압통(壓痛)이 심하다. 목욕탕에서 몸을 따뜻하게 해도 별 차도가 없으며 수건에 찬물을 적셔 대면 경감된다. 이갈이가 심하다. 일반 소견은 스트레스가 심하고, 초조감이 있다. 왼쪽 목 부위와 어깨에 창통(脹痛)이 있으며, 흉협부(胸脇部)에도 창통(脹痛)이 있다. 눈이 잘 붉어지고, 이명(耳鳴)도 있다.

설진(舌診) 소견: 설질(舌質, 혀)은 붉고, 설태(舌苔)는 조금 황니태(黃膩苔)이다.

맥진(脈診) 소견: 현맥(弦脈)

변증(辨證): 실열형(實熱型)-간(肝) 타입. (열화(熱化)를 동반)

처방: 코타로(小太郎)의 용담사간탕(龍膽瀉肝湯) 엑스제 7.5g/3번 나누어 투여 7일분.

치과치료: 의치의 교합면(咬合面)을 리베이스[156]

침치료: 하관혈(下關穴)과 청회혈(聽會穴)에 사법(瀉法)을 시행한 후 10분간 유침하였다.

[재 진] 2003년 5월 28일

동통(疼痛)이 경감되었고, 정신적으로도 안정되었다. 본인의 희망으로 다시 7일분을 투약하였다.

처방: 코타로(小太郎)의 용담사간탕(龍膽瀉肝湯) 엑스제 7.5g/3번 나누어 투여 7일분.

[3 진] 2003년 6월 4일

증상이 모두 사라졌다.

---

155) Infraocclusion. 특정한 이가 옆니에 끼여서 제대로 자라지 못하는 것.
156) Rebase, Unterfütterung. 치조골의 흡수 등으로 점막과의 적합 상태가 나빠진 의치의 상점막면을 상용재료로 치환하여 다시 접합시키는 방법.

실열형(實熱型)—A. 간(肝) 타입 (울열(鬱熱)이 심하다.)

코타로(小太郎)의 용담사간탕(龍膽瀉肝湯)

증례2의 처방 해설

일반적인 일본의 용담사간탕(龍膽瀉肝湯)은 시호(柴胡)가 빠져 있어서 소간해울(疏肝解鬱) 작용이 불충분하므로 사역산(四逆散)을 합방할 필요가 있다. 그러나 이번에 사용한 코타로(小太郎)의 용담사간탕(龍膽瀉肝湯)은 일관당(一貫堂)의 처방구성으로, 그 내용은 일반적인 것부터 추가로 소간해울(疏肝解鬱) 작용을 가진 천궁(川芎)과 박하(薄荷), 거풍(祛風) 작용을 가진 방풍(防風), 보혈(補血)과 유간(柔肝) 작용을 가진 백작약(白芍藥)이 배합되어 있어 단독으로 사용할 수 있다.

【組成】
코타로(小太郎)의 용담사간탕(龍膽瀉肝湯)[157]: 당귀(當歸), 황금(黃芩), 황련(黃連), 차전자(車前子), 작약(芍藥), 목통(木通), 산치자(山梔子), 감초(甘草), 황백(黃栢), 천궁(川芎), 연교(連翹), 방풍(防風), 용담(龍膽), 지황(地黃), 박하(薄荷), 택사(澤瀉)

증례2의 분석

스트레스가 심하고, 초조하며, 흉협부(胸脇部)의 창통(脹痛), 현맥(弦脈) 등은 전형적인 간기울결(肝氣鬱結)의 증후이다. 환부의 통증은 차갑게 하면 경감되고, 눈이 붉어지고, 이명(耳鳴)이 있고, 혀가 붉어지며, 설태가 황니태(黃膩苔)인 것은 열화(熱化)에 의한 증후이다. 따라서 「실열형(實熱型) - A. 간(肝) 타입」이면서 열화(熱化)되어 있는 간화상염증(肝火上炎證)이라고 할 수 있겠다.

---

157) 일관당(一貫堂)이라는 유파가 만들고, 코타로(小太郎, コタロー) 한방제약 주식회사에서 판매하는 제제명이다. 자세한 내용은 http://www.kotaro. co.jp를 참조하거나 또는 아래의 링크를 참조하면 된다. http://kojimayakkyoku.blog105.fc2.com/blog-entry-83.html

「이갈이가 있고, 목과 어깨가 결린다.」

이갈이가 있고, 안면 부위의 긴장이 심하다. →	실열형(實熱型)의 특성
스트레스가 있으면 이갈이와 측두부나 목과 어깨의 통증이 더 심해진다. →	간(肝) 타입의 특성
초조감과 스트레스 때문에 숨이 가쁘고, 흉협창통(胸脇脹痛) →	간울(肝鬱)의 증후
권태감, 부종, 무른 변 →	비기허(脾氣虛)의 증후

【증례3】환자: 여성 연령: 44세 미혼 치과위생사 신장: 150cm 체중 43kg

[초 진] 2003년 12월 11일

현병력: 3개월 전부터 이갈이로 자다가 깨는 일이 많아졌다. 특히 요 몇 주 동안은 심했다.

과거력: 2002년 5월에 뇌하수체의 종양을 적출했다.

현재의 증(症): 안면 긴장이 심하고, 일 때문에 생긴 스트레스가 심하면 이갈이가 심해진다. 그와 함께 측두부나 목 부위나 어깨에 창통(脹痛)이 심하며, 누르면 통증은 반대로 심해진다. 계절이나 날씨와는 관계가 없으며, 따뜻하게 하거나 차갑게 하여도 특별히 변화는 없다. 일반 소견은 다리가 차갑고, 상반신에 피가 몰리거나 열감이 있지만, 입이나 인후의 갈증은 없다. 스트레스가 심하며, 초조하여 숨이 잘 가쁘다. 흉협부(胸脇部)에 창통이 있으며, 월경 전에는 유방이 당긴다. 생리가 늦고, 생리통이 있으며, 월경량은 정상이지만 핏덩어리가 섞여있다. 권태감도 있고, 얼굴과 다리에 부종이 있으며, 식욕과 배뇨는 정상이다. 때때로 무른 변이 나온다. 또한 눈이 피로하고, 잘 침침해지며, 때때로 가슴이 심하게 뛴다.

설진(舌診) 소견: 혀끝의 한쪽이 붉고, 설태(舌苔)는 박태(薄苔)이고, 조금 황태(黃苔)이다.

맥진(脈診) 소견: 침활맥(沈滑脈)

변증(辨證): 실열형(實熱型)-간(肝) 타입. (비기허(脾氣虛)를 동반)

처방: 억간산(抑肝散) 엑스제 7.5g/3번 나누어 투여 7일분.

[재 진] 2003년 12월 18일

이갈이는 조금 경감되었으나 목과 어깨 부위의 결림은 변화가 없다.

처방: 시호계지탕(柴胡桂枝湯) 엑스제 7.5g/3번 나누어 투여 7일분.

[3 진] 2003년 12월 25일

2일간 복용한 시점에서 증상이 거의 다 사라졌다.

실열형(實熱型)—A. 간(肝) 타입 (비기허(脾氣虛)를 동반)

억간산(抑肝散) (비기허(脾氣虛)의 경우)

시호계지탕(柴胡桂枝湯) (머리와 어깨의 결림이나 통증이 있는 경우)

증례3의 처방 해설

초진에서는 변증에 따라 간기울결(肝氣鬱結)과 더불어 내풍(內風)과 비기허(脾氣虛)에도 효과가 있는 억간산(抑肝散)을 처방하였다. 그러나 이갈이에는 어느 정도의, 개선 효과가 보였지만 목과 어깨의 증상에는 효과가 없었으므로 재진에서는 소양경기(少陽經氣)의 통조(通調)와 서근활락(舒筋活絡)[158]을 촉진할 목적으로 시호계지탕(柴胡桂枝湯)을 사용하여 좋은 결과를 얻었다.

【組成】
억간산(抑肝散): 천궁(川芎), 백출(白朮), 당귀(當歸), 감초(甘草), 복령(茯苓), 시호(柴胡), 조구등(釣鉤藤)
시호계지탕(柴胡桂枝湯): 시호(柴胡), 작약(芍藥), 반하(半夏), 대조(大棗, 대추), 황금(黃芩), 인삼(人蔘), 감초(甘草), 생강(生薑), 계피(桂皮)

증례3의 분석

스트레스, 초조함, 한숨, 흉협부(胸脇部)의 창통(脹痛), 월경 전에 유방이 당기는 증상 등은 간기울결(肝氣鬱結)에 의한 증후이다. 얼굴 근육이 과도하게 긴장하였으나, 만약 내풍(內風)이 강해지면 경련이나 강한 당김이 나타난다. 부종, 권태감, 무른 변은 목극토(木克土)[159]에 의한 비기허(脾氣虛)의 증후라 할 수 있다. 생리가 늦어지는 원인은 월경통이 있고, 월경량은 정상이며, 핏덩어리가 섞여 나오는 것으로부터 간울(肝鬱)이 불러일으킨 기기불창(氣機不暢)에 의한 기체혈어(氣滯血瘀)라고 생각된다. 이밖에 피가 위로 몰리거나, 열감이 있고, 혀끝의 한쪽이 붉은 것은 가벼운 열화(熱化)에 의한 것이고, 눈이 피로하고 침침한 증상은 약간의 간혈허(肝血虛)에 의한 것이라고 생각된다.

이상으로부터 간기울결(肝氣鬱結)에 비기허(脾氣虛)가 더해진 간비부조증(肝脾不調證)이라고 변증하였고, 또한 강한 내풍(內風)의 전조(前兆)가 있다고 판단하였다. 그러나 가벼운 열화(熱化)에 대해서는 기울(氣鬱)이 개선되면 기울화화(氣鬱化火)가 일어나지 않으므로 이 정도라면 굳이 치료 대상으로 할 필요는 없다고 생각하였다. 또한 동일하게 약간의 허(虛)에 대해서도 주소증과의 관계가 크지 않고, 비기(脾氣)가 회복하여 혈(血)을 생화(生化)할 수 있게 된다면 대응할 수 있다고 생각해 굳이 변증에 참고하지는 않았다.

---

158) 근육을 이완시키고 경락(經絡)을 소통시키는 효능.
159) 오행학설(五行學說) 중 상극(相克) 관계의 하나. 극(克 또는 剋)은 제약한다는 의미인데, 정상 상태에서 목(木) 기운이 토(土) 기운을 제약한다는 의미이다. 간(肝)은 목(木)에 해당하고, 비(脾)는 토(土)에 해당하므로 간기울결(肝氣鬱結) 등에 의해 비(脾)의 기능이 제약을 받아 이상이 생길 수 있다고 오행(五行)의 이론을 빌어 설명하고 있다.

이 갈 이 **4** 증후(症候)의 정리와 처방 포인트

「지각과민(知覺過敏)과 어깨 결림이 있으며 밤에 이갈이가 심하다고 가족에게 말을 듣는다.」

깨물근의 압통이 심하다.	➡	실열형(實熱型)의 특성
어깨 결림이 심하고, 어깨와 목 부위에 창통(脹痛)이 있다.	➡	간(肝) 타입의 특성
초조감, 스트레스, 흉협창통(胸脇脹痛)	➡	간울기체(肝鬱氣滯)의 증후
권태감, 부종, 피가 위로 몰리고, 눈이 붉어지고, 이명(耳鳴), 불면다몽(不眠多夢), 무른 변	➡	울열(鬱熱)의 증후
권태감, 부종, 요통, 밤에 소변을 누고, 눈이 피로하고 무른 변	➡	간신음허(肝腎陰虛)의 증후

[증례4] 환자: 여성 연령: 67세 기혼 전업주부 신장: 150cm 체중 50kg

[초 진] 2004년 2월 2일
현병력: 2개월 전부터 때때로 찬 것을 입 속에 넣으면 왼쪽 아래의 이에 통증이 느껴졌다. 같은 시기에 밤에 이갈이가 심하다는 말을 들었다. 그 후 어깨 결림이 심해져 마사지를 받기 시작했으나 그다지 효과가 없었다.
과거력: 고혈압 (강압제 복용 중), 무호흡 증후군
현재의 증(症): 좌측 아래턱 어금니 부위에 찬물에 의한 통증이 있다. 또한 좌우의 측두근과 깨물근에 압통이 심하다. 측두부와 뒷목 부위, 어깨 부위에 창통(脹痛)이 있다. 일반소견은 스트레스가 심하고, 초조하여 불면증과 다몽(多夢) 증상이 있다. 흉협부(胸脇部)에 창통(脹痛)이 있거나, 눈이 붉어지고, 때때로 이명(耳鳴)이 있다. 손발이 차갑고, 상반신은 피가 몰리는 증상이 있으나, 입의 갈증이나 건조 증상은 없다. 피로감이 있으며 입이 끈적이고, 위트림과 하지 부종이 관찰된다. 그 밖에 잦은 소변(밤에 2번), 요통이 있고 눈이 피로하다.
설진(舌診) 소견: 혀의 한쪽이 붉고, 설태(舌苔)는 백태(白苔)이다.
맥진(脈診) 소견: 현세맥(弦細脈)
변증(辨證): 실열형(實熱型)-간(肝) 타입과 허열형(虛熱型)-음허(陰虛) 타입의 혼합형
처방: 시호계지탕(柴胡桂枝湯) 엑스제 7.5g/3번 나누어 투여 7일분.
치과치료: 치과치료로서 전방 스플린트(splint)를 제작하였다.
침치료: 풍지혈(風池穴), 하관혈(下關穴), 합곡혈(合谷穴), 외관혈(外關穴), 태충혈(太衝穴) 모두에 사법(瀉法)을 시행하고 20분간 유침하였다.

[재 진] 2004년 2월 9일
찬 물을 마셨을 때 어금니 부위에 생기던 통증은 사라졌다. 측두부와 목과 어깨 부위의 창통(脹痛)도 경감되었다. 숙면을 취할 수 있어서 수면 시 무호흡 증후군 때문에 낮에 졸린 것도 경감되었다.
처방: 시호계지탕(柴胡桂枝湯) 엑스제 7.5g/3번 나누어, 육미지황환(六味地黃丸) 엑스제 7.5g/3번 나누어 투여 7일분.
침치료: 이전과 동일

[3 진] 2004년 2월 23일
모든 증상이 사라졌다.

실열형(實熱型)—A. 간(肝) 타입과
허열형(虛熱型)—D. 음허(陰虛) 타입의 혼합형

시호계지탕(柴胡桂枝湯) + 육미지황환(六味地黃丸)
또는 억간산(抑肝散) + 육미지황환(六味地黃丸)

증례4의 처방 해설

증례 분석에서도 설명한 바와 같이 처음에는 지각과민(知覺過敏)이나 어깨 결림을 일으키는 간화(肝火)나 소양추기(少陽樞機)[160]의 불리(不利)에 의한 기혈조체(氣血阻滯)에 대응하기 위해 시호계지탕(柴胡桂枝湯)을 처방하였다. 침 치료에서는 국소혈인 하관혈(下關穴)에, 사총혈(四總穴)이면서 입과 얼굴 부위의 치료에 효과가 있는 합곡혈(合谷穴)을 더하여 기혈조체(氣血阻滯)를 제거하고, 풍지혈(風池穴)과 외관혈(外關穴)과 사관혈(四關穴)[161]로써 소간이기(疏肝理氣)[162]와 평간식풍(平肝熄風)[163]을 추구하였다.

재진에서는 국소 증상이 개선되었으므로 간신음허(肝腎陰虛)도 고려하여 시호계지탕(柴胡桂枝湯)에 육미지황환(六味地黃丸)을 합방하였다.

【組成】
시호계지탕(柴胡桂枝湯): 시호(柴胡), 작약(芍藥), 반하(半夏), 대조(大棗, 대추), 황금(黃芩), 인삼(人蔘), 감초(甘草), 생강(生薑), 계피(桂皮)
육미지황환(六味地黃丸): 지황(地黃), 산수유(山茱萸), 산약(山藥), 택사(澤瀉), 복령(茯苓), 목단피(牧丹皮)
억간산(抑肝散): 천궁(川芎), 백출(白朮), 당귀(當歸), 감초(甘草), 복령(茯苓), 시호(柴胡), 조구등(釣鉤藤)

증례4의 분석

스트레스, 초조감, 흉협부(胸脇部)의 창통(脹痛)은 간기울결(肝氣鬱結)의 증후이고, 피가 얼굴로 몰리고, 눈이 붉어지고, 이명(耳鳴), 불면(不眠), 다몽(多夢) 증상은 열화(熱化)에 의한 증후이다. 그러나 연령도 비교적 높고, 요통이 있으며, 밤에 소변을 자주 보고, 눈의 피로 등의 간신음허(肝腎陰虛)에 의한 증후가 보이므로「실열형(實熱型) - A. 간(肝) 타입과 허열형(虛熱型) - D. 음허(陰虛) 타입의 혼합형」으로 판단하였다. 체질의 근저에 간신(肝腎)의 음허(陰虛)가 있으면 양(陽)의 항진(亢進)을 억제하기 어려우므로[164], 간기울결(肝氣鬱結)은 쉽게 열화(熱化)되어 간양(肝陽), 즉, 간화(肝火)가 항진(亢進)한다. 이를 음허양항(陰虛陽亢) 또는 간양상항(肝陽上亢)이라고 하지만, 일반적인 주소증상은 양항(陽亢)이 일으키는 경우가 태반이며, 따라서 치료에서는 처음에는 대증치료(對症治療)적으로 이 양항(陽亢) 부분을 중심으로 시행하였다. 그러나 주소증상이 경감한 단계에서는 음허(陰虛) 부분에 대한 치료를 행하지 않으면 근본적인 치료를 할 수 없다.

---

160) 소양경(少陽經)의 기능을 문지도리에 비유한 것이다. 소양경(少陽經)은 태양경(太陽經)과 양명경(陽明經) 사이에서 양경의 문지도리 역할을 하여 열리면 태양이 되고 닫히면 양명이 된다.
161) 수양명대장경(手陽明大腸經)의 좌우 양손의 합곡혈(合谷穴) 2개와 족궐음간경(足厥陰肝經)의 태충혈(太衝穴) 2개를 더한 4개의 혈(穴)을 이르는 말이다.
162) 화법(和法)의 하나로서 간기울결(肝氣鬱結)을 소산(消散)시키는 치법이다.
163) 식풍법의 일종이다. 간양(肝陽)이 항진(亢進)하여 내풍(內風)이 동(動)하는 경우(간풍내동(肝風內動))에 사용되는 치료법이다.
164) 이를 음부제양(陰不制陽)이라고 한다.

각 타입의 기본적인 증후와 처방 정리

실열형(實熱型) – A. 간(肝) 타입 (간기울결증(肝氣鬱結證), 간화상염증(肝火上炎證))

증후: 이갈이가 비교적 심하다. 스트레스나 과도한 긴장 등이 원인으로 일어나므로 스트레스가 강하면 이갈이가 심해지는 경향이 있으며, 깨물근이나 측두근의 긴장이나 압통(壓痛)이 심하다. 긴장이 머리나 어깨에도 파급되므로 머리와 어깨가 결리면 더 악화되는 듯이 느낀다.

일반소견은 초조하고, 잘 화내고, 또는 억울감(抑鬱感)이 있다. 흉협부(胸脇部)의 창통(脹痛), 두통(頭痛), 어깨 결림, 입이 쓰고, 한숨을 잘 쉬는 등의 간울(肝鬱) 증상이 나타나기 쉽다. 여성은 월경불순이나 월경통 이외에, 생리 전이 되면 유방이 당기거나, 통증이 심해지곤 한다. 또한 내풍(內風)이 강한 경우에는 떨림, 비틀거림, 또는 틱 증상 등이 나타난다. 또한 목극토(木克土)에 의해 간비부조(肝脾不調)[165]가 되면 권태감, 식욕감퇴, 부종, 무른 변과 설사가 잘 나오는 등의 비기허(脾氣虛) 증상이 더해진다. 그리고 기(氣)가 울적(鬱積)하여 열화(熱化)되면[166], 이명(耳鳴), 눈의 충혈, 입의 갈증, 불면(不眠) 등 간화상염(肝火上炎)에 의한 증상이 더해진다.

설질(舌質)은 정상이며 설태는 박백태(薄白苔)가 나타나지만, 열화(熱化)된 것은 혀끝이 붉고, 설태는 박황태(薄黃苔)가 나타난다. 맥(脈)은 현맥(弦脈)이지만, 열화(熱化)하면 현삭맥(弦數脈)이 된다.

처방: 단순히 긴장되어 있는 경우에는 사역산(四逆散)을 사용한다. 만약 내풍(內風)이 심한 경우에는 평간식풍약(平肝熄風藥)인 조구등(釣鉤藤)이 포함되어 있는 억간산(抑肝散)이나 조등산(釣藤散)을 사용한다. 소양경기(少陽經氣)가 조체(阻滯)되어 악관절 부위의 동통(疼痛)과 목과 어깨와 손목 부위의 통증이나 저림이 나타나는 경우에는 소양추기(少陽樞機)를 통조(通調)시키는 소시호탕(小柴胡湯)과, 온경산한서근(溫經散寒舒筋)[167] 작용이 있는 계지탕(桂枝湯)의 합방인 시호계지탕(柴胡桂枝湯)을 사용한다. 억간산(抑肝散)은 또한 간비부조(肝脾不調)인 경우에도 효과가 있다.

다음으로 열화(熱化)되어 있는 경우에는 용담사간탕(龍膽瀉肝湯)을 사역산(四逆散)과 합방하여 사용하는 것이 일반적이지만, 만약 추가로 혈허(血虛) 증상(어지러움, 눈이 침침함 등)을 동반하는 경우에는 가미소요산(加味逍遙散)을 사용하고, 변비가 심하고 신경이 날카로운 경우에는 시호가용골모려탕(柴胡加龍骨牡蠣湯)을 사용한다.

실열형(實熱型) – B. 심위(心胃) 타입 (心胃積熱證)

증후: 이갈이가 비교적 심하다. 위(胃)에 열(熱)이 쌓여 상태가 나빠지거나 또는 감정이 고조되거나 하면 이갈이가 심해진다. 일반소견은 위(胃)에 열(熱)이 쌓여 있으므로 입이 마르고 찬 것을 마시고 싶어 한다. 식욕이 강하고, 변비가 나타나며, 심(心)에 열(熱)이 영향을 주면 구내염, 불면(不眠), 가슴이 뜨거워 괴로운 등의 증상이 나타난다.

설질(舌質)은 홍색이고, 설태는 황색이다. 맥(脈)은 활삭맥(滑數脈)이 나타난다.

처방: 본래는 청위산(淸胃散)을 사용해야겠지만 일본에서는 제제(製劑)가 없으므로 황련해독탕(黃連解毒湯)에 「지황(地黃) 엑스제와 목단피(牧丹皮)」를 더하여 사용한다. 단, 열(熱)에 의한 음액(陰液)

---

165) 간(肝)의 소설(疏泄)기능의 실조(失調)가 비(脾)에 영향을 미쳐 그 운화(運化) 작용이 감퇴된 병증(病證).
166) 이를 기울화화(氣鬱化火)라 한다.
167) 온약(溫藥)으로 경락을 따뜻하게 하여 한사(寒邪)를 흩어버리고 근육을 이완시키는 작용.

의 손상이 가벼운 경우에는 황련해독탕(黃連解毒湯) 하나만 사용해도 효과가 있으므로 처음에 이 것 하나만 사용하여 입의 갈증 따위가 사라지지 않는 경우에 「지황(地黃)과 목단피(牧丹皮)」를 더 하면 좋다. 만약 변비가 심한 경우에는 황련해독탕(黃連解毒湯)을 삼황사심탕(三黃瀉心湯)으로 변경한다.

허약형(虛弱型) – C. 기혈(氣血) 타입 (氣血兩虛證)

증후: 이갈이는 그다지 심하지 않다. 깨물근이나 측두근의 긴장이 크지 않다. 피로가 쌓이면 이갈이의 빈 도가 커진다. 일반 소견은 안색이 희고 윤기가 없다. 권태감이 있고, 의욕이 없으며, 숨이 차거나 하 는 기허(氣虛) 증상과, 현훈(眩暈)이 있고, 눈이 침침하고, 가슴이 심하게 뛰는 등의 혈허(血虛) 증 상이 나타난다. 설질(舌質)은 담(淡)하고, 설태는 박백태(薄白苔)이며, 맥(脈)은 세무력(細無力)하 게 된다.

처방: 기허(氣虛)의 대표 방제인 사군자탕(四君子湯)과 혈허(血虛)의 대표 방제인 사물탕(四物湯)을 합 하고, 여기에 황기(黃芪)와 계피(桂皮)를 더한 「십전대보탕(十全大補湯)」을 사용한다. 만약 가벼운 스트레스나 또는 심신(心身)의 피로가 있는 경우에는 가미귀비탕(加味歸脾湯)을 사용한다.

허열형(虛熱型) – D. 음허(陰虛) 타입 (간신음허증(肝腎陰虛證))

증후: 이갈이는 그다지 심하지 않다. 깨물근이나 측두근의 긴장은 적고, 만약 통증이 있어도 둔통(鈍痛) 이고 그다지 심하지 않다. 불면(不眠)이나 수면 부족으로 피로가 쌓이게 되면 이갈이의 빈도가 커진 다. 일반소견은 얼굴색은 뺨이 붉고, 잘 때 땀이 나고, 손발이 달아오르며, 불면(不眠)과 목이 건조 한 등의 음허(陰虛)에 의한 증상이 나타난다. 또한 머리가 흔들리고, 현훈(眩暈)이 있으며, 눈이 건 조한 등의 간이 허(虛)해서 나타나는 증상이나, 건망(健忘), 이명(耳鳴), 허리나 무릎이 나른하며 힘이 들어가지 않는 등의 신(腎)이 허(虛)하여 나타나는 증상이 여기에 더해진다. 설질(舌質)은 홍 색이고, 설태는 적으며, 맥(脈)은 세삭맥(細數脈)이 된다.

처방: 중성약(中成藥)인 기국지황환(杞菊地黃丸)이 좋지만, 엑스제를 사용하고 싶다면 육미지황환(六味 地黃丸)에 억간산(抑肝散) 절반 분량을 합방하여 사용한다. 마약 가벼운 스트레스나 또는 심신 피 로가 있는 경우에는 가미귀비탕(加味歸脾湯)을 사용한다.

앞에서도 이야기 했지만 기본적으로 내풍(內風)이 있으면 무의식적으로 악관절을 움직여 이갈이를 일으키거나, 이를 강하게 악무는 경우가 잘 생긴다. 그 내풍(內風)에는 허실(虛實)이 있으므로 중의학에서는 실열형(實熱型)과 허형(虛型)으로 나누어 병증(病證)의 타입을 분류한다.

실열형(實熱型) – A. 간(肝) 타입

이 타입은 스트레스나 긴장에 의해 간기(肝氣)가 울결(鬱結)하고 이로 인해 간풍(肝風)이 내동(內動)한 것이다. 그 기전은 간기(肝氣)가 울결(鬱結)하면 간(肝)이 주(主)하는 소설(疎泄) 작용이 실조되고, 이것이 경락(經絡)의 기기(氣機)에 영향을 미치면 무의식적인 움직임이 유발된다고 한다. 또한 간기(肝氣)의 울결(鬱結)이 심하면 쉽게 열화(熱化)되어 간화(肝火)가 되지만, 이 경우의 내풍(간양화풍(肝陽化風))은 더욱 심하고 이갈이도 더 심하다.

실열형(實熱型) – B. 심위(心胃) 타입

뜨겁거나 매운 것을 편식하면 위열(胃熱)이 쌓이고, 감정이 격하게 고조되면 심(心)의 열(熱), 즉, 심화(心火)가 성(盛)하게 된다. 이와 같은 식으로 발생한 심위(心胃)의 열(熱)이 관련된 경락(經絡)을 타고 올라가 입 주위에 울적(鬱積)하게 되면 그곳에 내풍(內風)[168]이 발생하여 이갈이나 이를 악무는 행동을 일으킨다.

허약형(虛弱型) – C. 기혈(氣血) 타입

과로나 큰 병, 그리고 실혈(失血) 등으로 기혈(氣血)이 소모되고 그로 인해 내풍(內風)[169]이 발생함으로서 일어난다. 전신적으로 혈(血)이 부족하거나 또는 전신적인 혈(血) 부족이 없다해도, 기(氣)가 부족하여 혈(血)을 추동(推動)[170]하지 못한다면, 입 주위의 혈(血)이 부족해진다. 이로 인해 깨물근(특히 소양경근(少陽經筋)과 양명경근(陽明經筋))을 영양(營養)할 수 없게 되면 그 이상 동작인 이갈이가 일어난다고 하는 것이 그 기전이다.

허열형(虛熱型) – D. 음허(陰虛) 타입

이 타입의 이갈이는 노화(老化)나 열성병(熱性病)의 후유증 등으로 간신(肝腎)의 음(陰)이 소모되고, 그로 인해 내풍(內風)[171]이 발생하기 때문에 일어난다. 중의학에서는 「간(肝)은 근(筋)을 주(主)」하고, 「신(腎)은 골(骨)을 주(主)」하고, 「치아는 골(骨)의 나머지」라고 한다. 따라서 간신(肝腎)의 음(陰)이 부족해지면 깨물근(특히 소양경근(少陽經筋))이나 치아를 자양(滋養)하지 못하게 되고, 이상동작인 이갈이가 일어난다고 하는 것이 그 기전이다.

---

168) 이를 열극생풍(熱極生風)이라 한다.
169) 혈허내풍(血虛內風)
170) 운행시키는 힘
171) 음허내풍(陰虛內風)

점액낭포(粘液囊胞), 설하선낭포(舌下腺囊胞) (하마종)

- 중의학에서는 생체내의 분비물의 총칭을 수액(水液), 또는 진액(津液)이라 하며, 그 대사 이상에 의한 병적 산물을 담습(痰濕)이라고 한다.
- 점액낭포(粘液囊胞)와 설하선낭포(舌下腺囊胞) (하마종)[172]은 둘 다 구강 내에 있는 분비선에 관련되어 일어나는 질환이며, 특히 그 분비물과의 관련성이 크다.
- 점액낭포(粘液囊胞)와 설하선낭포(舌下腺囊胞)은 둘 다 담습(痰濕)에 의한 질환(전문적으로는 담포(痰包)의 범주에 속함)으로서 진단과 치료를 시행한다.
- 점액낭포(粘液囊胞)와 설하선낭포(舌下腺囊胞)는 두 가지 형(型)으로 크게 나누어지며, 4가지의 병증(病證) 타입에 기반하여 증후를 감별하고, 각각에 맞는 한방약을 사용하여 이들 질환에 대응한다.

172) ranula를 의미한다. 이는 입 아래에서 발견되는 점액낭종인데 침샘관이 막혀 mucin이 모여서 결합조직이 부풀어 오른 상태를 이른다.

점액낭포(粘液囊胞)와 설하선낭포(舌下腺囊胞)의 형(型)과 병증(病證) 타입

조체형(阻滯型)

· 음주·자극이 강한 음식을 너무 많이 먹으면 악화·터질 때 나오는 점액은 황색이다.
· 하마종에서는 붓는 것이 심하고 동통(疼痛)이 있어 혀 운동에 영향을 준다. 말을 하거나 식사 시 장애가 된다.

담화(痰火) 타입

☆ 비교적 발병이 빠르다.
☆ 발적(發赤)이 심하고 열감(熱感)을 동반한다.

담화(痰火) + 어혈(瘀血) 타입

☆ 담화(痰火) 타입이 재발을 반복하면 증상이 나타난다.
☆ 청자색이다.
☆ 반흔(瘢痕)이 잘 형성된다.
☆ 낭포 부위를 건드려보면 조금 딱딱하다.
☆ 잘못해서 씹는 사람이 많다.

B

허약형(虛弱型)

· 발적(發赤)이나 열감(熱感)이 적다.
· 피로하면 잘 악화된다.
· 터질 때 나오는 점액은 투명하다.

비허(脾虛) 타입

☆ 비교적 발병이 완만하다.

C

비허(脾虛) + 어혈(瘀血) 타입

☆ 비허(脾虛) 타입이 재발을 반복하면 증상이 나타난다.
☆ 청자색이다,
☆ 반흔(瘢痕)이 잘 형성된다.
☆ 낭포 부위를 건드려보면 조금 딱딱하다.

「혀 아래 부위가 부풀어 오른 느낌이 난다.」

발적(發赤)이나 열감(熱感)의 감소	➡ 허약형(虛弱型)의 특성
최근 식욕이 저하되고, 피로와 권태가 있으며, 혀는 반대설(胖大舌)	➡ 비허(脾虛) 타입의 증후
부종, 식후에 위(胃)가 당긴다.	➡ 담습(痰濕)의 증후

【증례1】환자: 여성 연령: 51세 기혼 전업주부 중간 체격

[초 진] 2004년 8월 24일

현병력: 2주 전부터 구강 아래쪽이 부어오른 것을 느꼈다. 이때가 처음이었으나 며칠 지나도 나을 기미가 안보여서 대학의 구강외과를 찾아갔는데 「하마종(腫)」이라고 진단받고 외과적 처치를 권유받았다. 외과적 처치라는 말에 깜짝 놀라 다른 방법이 없나 찾아본 끝에 한방 치료에 기대를 걸고 내원하였다.

과거력: 특별히 없음.

현재의 증(症): 발적(發赤)이나 열감(熱感)은 적으나 평소에 피로 권태감이나 부종이 있었고, 최근에는 식욕도 좀 저하되었으며, 식후에는 위(胃)가 당기는 것을 느낀다. 편식은 적게 하는 편이며, 음주량도 문제없다.

설진(舌診) 소견: 설질(舌質)은 담홍색(淡紅色)이고 반대설(胖大舌)이며, 설태(舌苔)는 박백태(薄白苔)이다.

맥진(脈診) 소견: 활맥(滑脈)

변증(辨證): 허약형(虛弱型)-비허(脾虛) 타입

처방: 육군자탕(六君子湯) 7.5g/3번 나누어 투여 7일분.

[재 진] 2004년 9월 1일

　　「하마종(腫)」이 현저하게 작아졌다.

처방: 이전과 동일

[3 진] 2004년 9월 8일

　　치유되었다. 이후 5년간 재발되지 않았음을 확인하였다.

허약형(虛弱型)—C. 비허(脾虛) 타입

육군자탕(六君子湯)

증례1의 처방 해설

변증에서 「허약형(虛弱型) - C. 비허(脾虛) 타입」이라고 판단하여, 육군자탕(六君子湯)을 처방하여 「하마종(腫)」을 제거하였다. 이런 허약(虛弱) 체질의 환자에게는 체력 강화가 중요하며 식사를 절제하는 등의 방법으로 재발을 예방하기가 어렵다. 몸 상태가 나빠지면 육군자탕(六君子湯)을 되도록 빨리 복용하면 재발을 예방할 수 있다고 조언하는 것이 좋다. 또한 육군자탕(六君子湯)은 비위(脾胃)의 허약(虛弱)을 개선하는 사군자탕(四君子湯)을 기반으로, 담습(痰濕)을 없애는 이진탕(二陳湯)을 가미한 방제이며, 체질 개선에도 사용할 수 있다. 환자가 희망하는 경우에는 이대로 복용을 계속 해도 좋지만 장기간 복용하여 변이나 입과 코가 너무 건조하게 되면 사군자탕(四君子湯)으로 다시 바꾸도록 한다.

【조성】

육군자탕(六君子湯): 백출(白朮), 인삼(人蔘), 반하(半夏), 복령(茯苓), 대조(大棗), 진피(陳皮), 감초(甘草), 생강(生薑)

증례1의 분석

설질(舌質)은 담홍색(淡紅色)으로 정상에 가깝지만 평소에 피로 권태감과 부종 등이 있었으며, 혀도 반대설(胖大舌)이었으므로 원래부터 체질적으로 비허습성(脾虛濕盛)한 환자였다. 또한 활맥(滑脈)은 담습(痰濕)의 정체(停滯)를 나타낸다. 여기에 더하여 최근에 식욕 저하나 식후에 위(胃)가 당기는 증상이 있었으므로, 증상으로는 피로 때문에 생긴 비위(脾胃) 기능의 감퇴와 그와 함께 나타난 담습(痰濕)의 형성이라고 생각할 수 있겠다.

「혀 아래에 위화감이 있다.」

낭포(囊胞) 주위의 발적(發赤) ➡	담화(痰火) 타입의 특성
설태는 황색 ➡	실열(實熱)의 증후

【증례2】 환자: 남성 연령: 65세 마른 타입

[초 진] 2003년 6월 18일

현병력: 4일 전부터 입 아래쪽에 위화감이 있으며 음식을 먹을 때 통증이 있다.

과거력: 특별히 없음.

현재의 증(症): 오른쪽 혀 아래 침샘 입구 부위 근처에 직경 10mm 정도의 종창(腫脹)이 있고, 주위에 발적(發赤)이 있는 것을 확인할 수 있다. 병이 악화된 원인은 불명이다.

설진(舌診) 소견: 설질(舌質)은 담홍색(淡紅色)이고, 설태(舌苔)는 조금 두꺼우며, 색은 노릇노릇하다.

맥진(脈診) 소견: 맥침실(脈沈實)

변증(辨證): 조체형(阻滯型)-담화(痰火) 타입

처방: 이진탕(二陳湯)과 황련해독탕(黃連解毒湯) 각 7.5g/3번 나누어 투여 7일분.

[재 진] 2003년 6월 27일

종창(腫脹)과 발적(發赤)이 모두 사라졌다.

조체형(阻滯型)—A. 담화(痰火) 타입

이진탕(二陳湯) + 황련해독탕(黃連解毒湯)

증례2의 처방 해설

변증에서 외습(外濕)이 침습(侵襲)하여 일어난 담화(痰火) 타입이라고 판단하였다. 담습(痰濕)을 제거하는 이진탕(二陳湯)에, 건조시키면서 열(熱)을 없애는 작용이 있는 황련해독탕(黃連解毒湯)을 더하여 종창(腫脹)을 제거하였다.

【조성】
이진탕(二陳湯): 반하(半夏), 복령(茯苓), 진피(陳皮), 감초(甘草), 생강(生薑)
황련해독탕(黃連解毒湯): 황금(黃芩), 산치자(山梔子), 황련(黃連), 황백(黃栢)

증례2의 분석

우측 혀 아래 침샘의 입구 부위 부근에 직경 10mm 정도의 종창(腫脹)과 발적(發赤)이 관찰된 것으로부터 「조체형(阻滯型) - A. 담화(痰火) 타입」이라고 쉽게 추측할 수 있다. 그러나 전신 소견을 보면 설질(舌質)이 홍색(紅色)이라든가, 입이 마르다거나, 황색 소변 등의 열증상(熱症狀), 그리고 니태(膩苔), 부종, 니상변(泥狀便) 등의 담습(痰濕) 증상 중 그 어느 것도 현저하게 나타나지 않고 있다. 이런 타입의 환자는 체질적인 소인이 적고, 조기에 대응하면 치료가 쉬우며, 일시적인 증상으로 끝내는 것이 가능하다.

「혀 아래가 붉은 색으로 부풀어있다.」

낭포(囊胞) 주위의 발적(發赤)	→	담화(痰火) 타입의 특성
혀끝이 홍색(紅色)	→	실열(實熱)의 증후
혀에 치흔(齒痕)	→	담습(痰濕)의 증후

【증례3】환자: 여성 연령: 36세 중간 체격

[초 진] 2005년 12월 13일

현병력: 3주 전부터 혀 아래가 부풀어 올랐다.

과거력: 특별히 없음.

현재의 증(症): 농포의 직경은 4mm 정도. 발적(發赤)은 있지만 통증은 없다. 악화된 원인은 불명
이다.

설진(舌診) 소견: 혀끝은 홍색(紅色)이고, 혀에 치흔(齒痕)이 있으며, 설태(舌苔)는 박백태(薄白苔)
이다.

맥진(脈診) 소견: 맥세약(脈細弱)

변증(辨證): 조체형(阻滯型)-담화(痰火) 타입

처방: 이진탕(二陳湯) 7.5g/3번 나누어, 황금(黃芩) 가루와 황련(黃連) 가루 각 1.0g(황련해독탕(黃
連解毒湯)으로 대용 가능)/3번 나누어 투여 7일분.

[재 진] 2005년 12월 20일

발적(發赤)은 사라졌으며, 종창(腫脹)도 현저하게 감소하였다.

처방: 이진탕(二陳湯), 배농산급탕(排膿散及湯) 각 7.5g/3번 나누어 투여 7일분

조체형(阻滯型)—A. 담화(痰火) 타입

처방

이진탕(二陳湯) + 황금(黃芩) 가루, 황련(黃連) 가루

이진탕(二陳湯) + 황련해독탕(黃連解毒湯) (발적(發赤)이 심한 시기)

이진탕(二陳湯) + 배농산급탕(排膿散及湯) (발적(發赤)이 사라진 이후)

증례3의 처방 해설

　변증에서 습열(濕熱)이 상초(上焦)(신체 상부)를 침범했다고 판단하여 담습(痰濕)을 제거하는 이진탕(二陳湯)에, 황련해독탕(黃連解毒湯)의 성분 중 상초(上焦)의 열(熱)을 쉽게 없애주는 황금(黃芩) 가루와 황련(黃連) 가루를 배합하여 열(熱)을 제거하고 발적(發赤)을 현저하게 개선시킬 수 있었다. 재진에서는 발적(發赤)은 사라졌으므로 황금(黃芩) 가루와 황련(黃連) 가루의 투여는 중지하고, 이진탕(二陳湯)에 배농산급탕(排膿散及湯)을 더하여 담습(痰濕)에 대한 대처를 강화하여 좋은 결과를 얻었다.

　일반적으로 치료가 좋은 방향으로 가고 있는 경우에는 같은 처방을 사용하기 쉽지만, 중의학에서는 「사법(瀉法)은 사(邪)를 제거하거든 멈추어라」는 철칙이 있다. 원래 전신 소견에서 현저한 열증상(熱症狀)은 보이지 않았으므로, 재진 이후에 열(熱)을 잡았음에도 불구하고 차게 하는 작용이 강한 성분을 계속 사용하는 것은 위험하다. 차게 하면 비위(脾胃)가 차가워져서, 수액(水液)을 운반하는 기능도 감퇴되어 버리고, 담습(痰濕)이 쉽게 형성될 위험이 있다.

【조성】
이진탕(二陳湯): 반하(半夏), 복령(茯苓), 진피(陳皮), 감초(甘草), 생강(生薑)
황련해독탕(黃連解毒湯): 황금(黃芩), 산치자(山梔子), 황련(黃連), 황백(黃栢)
배농산급탕(排膿散及湯): 길경(桔梗), 감초(甘草), 지실(枳實), 작약(芍藥), 대조(大棗), 생강(生薑)

증례3의 분석

　구강 아래쪽에 직경 4mm 정도의 종창(腫脹)이 있으며, 그곳이 발적(發赤)되어 있는 것, 혀끝이 붉은 것으로부터, 몸의 상부에 열(熱)이 울적(鬱積)해 있음을 알 수 있다. 이외에 특기할 만한 전신적 증상이 없다는 점은 「증례2」와 같다. 다른 점이라면 「증례2」가 증상이 나타난 지 4일 째인 것에 반해, 이 증례는 이미 3주 정도가 지났다는 점이다. 담화(痰火) 타입은 열사(熱邪)와 담습(痰濕)이라는 2종류의 사기(邪氣)가 합쳐진 것이지만, 담습(痰濕)은 반복되어 치유되기 어려운 「점체(粘滯)」라는 성질을 가지고 있으므로 증상이 나타나고 한동안 경과한 경우에는 발적(發赤)이 사라진 것을 통해 열사(熱邪)가 사라졌다는 것을 확인하였어도 담습(痰濕)이 남아 있다면 재발되기 쉬우며, 종창(腫脹)이 충분히 제거될 때까지 상태를 살펴볼 필요가 있다. 그래서 재진에서는 발적(發赤)이 사라졌지만 담습(痰濕)에 대한 치료를 계속 하였다.

「아랫입술의 안쪽에 수포(水疱)가 생겼다.」

| 낭포(囊胞)의 발적(發赤) | ➡️ | 담화(痰火) 타입의 특성 |

| 가슴이 쓰리고,
설태는 황색이다. | ➡️ | 위열(胃熱)의 증후 |

| 수포(水疱)가 있고, 음주 기회가
많으며, 반복해서 증상이 나타난다. | ➡️ | 담습(痰濕)의 증후 |

【증례4】환자: 여성 연령: 26세 회사원 중간 체격

[초 진] 2005년 11월 8일

현병력: 금년 들어 아랫입술 안쪽에 수포(水疱)가 생겼으며, 1개월 후 사라졌으나 바로 재발하였다. 그런 과정을 반복하다가 2주전에 3번째로 재발되었다.

과거력: 특별히 없음.

현재의 증(症): 수포(水疱)의 직경은 2~3mm이고 발적(發赤)이 있다. 접촉 시 통증이 있지만 환부가 딱딱하지는 않다. 술을 마실 기회가 많으며 평소에 가슴이 잘 쓰리다.

설진(舌診) 소견: 설질(舌質)은 담홍색(淡紅色)이고, 설태(舌苔)는 황색이다.

맥진(脈診) 소견: 맥현세(脈弦細)

변증(辨證): 조체형(阻滯型)-담화(痰火) 타입

처방: 이진탕(二陳湯) 7.5g/3번 나누어, 황금(黃芩) 가루와 황련(黃連) 가루 각 1.0g(황련해독탕(黃連解毒湯)으로 대용 가능)/3번 나누어 투여 7일분.

[재 진] 2005년 11월 15일

종창(腫脹)과 발적(發赤) 모두 경감되었다. 설태는 아직 조금 황색이다.

처방: 이전과 동일. 투여 7일분

[3 진] 2005년 11월 22일

농포는 사라졌으며 경과 관찰 중이다.

조체형(阻滯型) —A. 담화(痰火) 타입

이진탕(二陳湯) + 황금(黃芩) 가루, 황련(黃連) 가루
이진탕(二陳湯) + 황련해독탕(黃連解毒湯)

증례4의 처방 해설

담습(痰濕)을 제거하는 이진탕(二陳湯)에, 열(熱)을 제거하는 황금(黃芩) 가루와 황련(黃連) 가루를 더하여 대처하였다. 재진에서는 발적(發赤)이 개선되었지만 설태가 여전히 황색이었으므로 처방은 초진과 동일하게 하였다.

주의점으로는 「증례3」과 같이 열(熱)에 해당하는 소견이 모두 사라졌어도 여전히 수포(水疱)가 남아있는 상황이라면 비위(脾胃)를 너무 차갑게 하지 않도록 황금(黃芩) 가루와 황련(黃連) 가루 또는 황련해독탕(黃連解毒湯)의 복용량을 줄이는 것이다.

【조성】
이진탕(二陳湯): 반하(半夏), 복령(茯苓), 진피(陳皮), 감초(甘草), 생강(生薑)
황련해독탕(黃連解毒湯): 황금(黃芩), 산치자(山梔子), 황련(黃連), 황백(黃栢)

증례4의 분석

아랫입술 안쪽에 반복적으로 발생하는 수포(水疱)는 그 자체로 담습(痰濕)이 있다는 것을 알게 해준다. 또한 반복적인 재발은 유발 요인이 음주라고 생각할 수 있겠지만, 혈어조락(血瘀阻絡) 타입으로 진전될 가능성도 있으므로 감별에는 주의가 필요하다. 그래서 국소적으로 보면 발적(發赤)이 있고, 청자색은 관찰되지 않으며, 환부가 딱딱하지 않은 것으로부터 「조체형(阻滯型) - A. 담화(痰火) 타입」이라고 판단하였다.

증례3과 비교해보면 전신소견은 삭맥(數脈), 입의 갈증 등의 열증상(熱症狀)이 적은 것으로부터 담습(痰濕)과 열(熱) 중 담습(痰濕) 쪽 비중이 더 크다는 것은 동일한 점이지만, 처음 투약 후 재진 때가 되어서도 설태가 아직 황색인 것은 이 증례가 어느 정도 열(熱)이 더 강한 타입이라고 생각된다.

각 타입의 기본적인 증후와 처방 정리

조체형(阻滯型) – 담화(痰火) 타입

증후: 이 타입의 발병은 비교적 급하고 피로에 의한 악화는 현저하지 않다. 낭포(囊胞)는 발적(發赤)이나 열감(熱感)을 동반하기 쉬우며, 맛이 자극적인 음식이나 맵거나 뜨거운 음식을 먹으면 악화되기 쉽다. 낭포는 일반적으로 물렁물렁하지만 반복적으로 어혈(瘀血)을 동반하게 되면 환부는 청자색을 띠게 되고 조금 딱딱해진다. 전신소견은 몸이 무거우면서 나른하고, 부종이 잘 생긴다. 니상변(泥狀便)에 냄새가 심한 등 담습(痰濕)에 의한 증후를 보이며, 또한 열(熱)의 특성이 더해지므로 가래나 소변, 대하(帶下)의 색이 황색이 되고, 열(熱)이 심하면 변비가 된다. 그 외에 목이 마른 등의 증후를 호소하기도 하지만 아래의 비허형(脾虛型)에서 보이는 것과 같은 만성적인 권태감이나 식욕 감퇴 등의 증후는 현저하지 않다. 혀는 홍색(紅色)이고, 설태는 황니태(黃膩苔)가 보인다. 아래의 비허형(脾虛型)과 마찬가지로 혀는 반대설(胖大舌)이고, 혀 주변부에 치흔(齒痕)이 보이므로, 혀로 감별하지는 못한다. 맥(脈)은 활삭맥(滑數脈) 또는 유삭맥(濡數脈)이 나타난다.

처방: 담습(痰濕)을 건조시키고 제거하는 이진탕(二陳湯)과 열(熱)을 제거하는 황련해독탕(黃連解毒湯)을 합방하여 사용한다. 환자에 따라 황련해독탕(黃連解毒湯) 대신에 「황금(黃芩) 또는 황련(黃連) 그리고 산귀래(山歸來)[173]」도 효과가 있다.

허약형(虛弱型) – C. 비허(脾虛) 타입

증후: 이 타입의 발병은 비교적 완만하고, 피로하면 악화되기 쉽다. 낭포는 담화(痰火) 타입과는 다르게 발적(發赤)이나 열감(熱感)은 보이지 않지만, 담화(痰火) 타입과 같이 물렁물렁하다. 전신소견은 만성적으로 일어나는 권태감과, 숨이 차고, 의욕이 안생기고, 쉽게 지치며, 부종이 잘 생기고, 투명한 가래가 잘 나오고, 여성에서는 대하(帶下)의 양이 많은 등의 담습(痰濕)의 정체(停滯)에 의한 증후가 섞여서 나탄난다. 이런 증후는 중의변증에서 「비허습성(脾虛濕盛)」이라고 한다. 이들 증후 중 담습(痰濕)의 정체(停滯)에 의한 것은 담화형(痰火型)이나 어혈형(瘀血型)에서도 보이므로 감별 요점은 되기 힘들다. 설질(舌質)의 색은 담(淡)하고 설태는 백니태(白膩苔)이다. 맥(脈)은 완약맥(緩弱脈)이 잘 나타나며, 환자의 상황에 따라서는 활맥(滑脈)이나 유맥(濡脈) 등도 나타난다.

처방: 육군자탕(六君子湯)은 비위(脾胃)의 허약(虛弱)에 사용하는 사군자탕(四君子湯)에 담습(痰濕)을 건조하고 제거하는 이진탕(二陣湯)의 주요 성분을 더한 것으로, 이 타입에서 효과가 있다.

조체형(阻滯型) – B. 담화(痰火) + 어혈(瘀血) 타입   허약형(虛弱型) – 비허(脾虛) + 어혈(瘀血) 타입

증후: 환부는 청자색을 나타내고 조금 딱딱하다. 이 타입은 조체형(阻滯型)-담화(痰火) 타입이나 허약형(虛弱型)-비허(脾虛) 타입이 재발을 반복하여 일어나므로, 전신소견이나 맥(脈)은 원래의 담화(痰火) 타입이나 비허(脾虛) 타입과 같다. 단, 설질(舌質)은 자암색(紫暗色)이며 설하정맥(舌下靜脈)이 검고 노장(怒張)되기 쉽다.

처방: 조체형(阻滯型)-담화(痰火) 타입이나 허약형(虛弱型)-비허(脾虛) 타입의 처방에서 단삼(丹參)이나 홍화(紅花) 등의 활혈약(活血藥)을 더한다. 활혈약(活血藥)은 만약 사용한다면 유향(乳香)이나 몰약(沒藥)이 있다면 더 좋다.

---

173) 토복령(土茯苓)의 이명(異名)이다.

병리기전

중의학에서는 체내의 분비물을 수액(水液)으로 총칭한다. 점액낭포(粘液囊胞)와 설하선낭포(舌下腺囊胞) 또는 하마종은 둘 모두 구강 내에 있는 분비선에 분비물이 정류(停留)하여 일어나므로「담습(痰濕)」이라는 수액대사 이상에 따른 병증(病證)으로 다룬다.

수액 대사를 수행하는 중심적인 장기에는 폐(肺), 비(脾), 신(腎)의 3개의 장(臟)이 있지만, 이 중 비(脾)는「입(口)으로 개규(開竅)」하므로 구강 내의 수액 대사에 크게 관여한다. 또한 비(脾)는 위(胃)와 함께 기능하므로, 이 병에 관련된 중심적인 장부(臟腑)는 비위(脾胃)로 하였다.

비위(脾胃)가 관계된 담습(痰濕)이 형성되는 원인은 자극적인 맛의 음식이나 기름기 있는 음식을 편식하고, 과도한 음주 등 한쪽으로 치우친 식사가 중심이 되며, 평소에 비위(脾胃)가 허약하고 수액운반기능(운화수액(運化水液)이라고 함)이 저하된 경우가 있다. 이 가운데 편식에 의한 것은 담습(痰濕)이 더욱 열화(熱化)를 동반하므로 담화(痰火) 또는 습열(濕熱)이라고 한다. 이에 대해 비위(脾胃)의 허약(虛弱)에 의한 것은 비허(脾虛) 또는 비허습성(脾虛濕盛)이라고 한다.

일반적으로 담습(痰濕)이 정체(停滯)되어 있는 부위는 다른 부위보다 종창(腫脹)이 더 잘 생기지만, 열(熱)에도 종(腫)을 부풀게 하는 작용이 있으므로, 굳이 말하자면 담화(痰火) 타입 쪽이 국부적인 종창(腫脹)을 동반하는 경우가 더 많다.

이 외에 반복적으로 재발하거나, 원래 어혈(瘀血) 체질인 환자는 낭포가 청자색을 띠고, 촉진해보면 조금 딱딱한 경우가 있다. 이는 혈행(血行)이 저해되고 있다는 것을 나타내며「혈어조락(血瘀阻絡)」이라고 부른다. 이것이 발견되는 경우는 담화(痰火) 타입으로부터 발전된 담화어혈(痰火瘀血) 타입과 비허(脾虛) 타입으로부터 발전된 비허어혈(脾虛瘀血) 타입이다.

구각염(口角炎)

- 중의학에서 구각염에 상당하는 병증(病證)에 구문창(口吻瘡)이 있다.
- 그 증상은 구각(口角), 즉, 입아귀에 희고 습(濕)한 미란(糜爛)과 균열(龜裂)이 생기고, 국부적으로 작열성(灼熱性)의 통증이 있으며, 입술을 열고 닫는데 지장이 있고, 경우에 따라 출혈을 동반한다.
- 구문창(口吻瘡)의 이명(異名)으로 연구창(燕口瘡), 전구창(煎口瘡), 구각창(口角瘡) 등이 있으며 속명(俗名)으로 구아창(口丫瘡)[174]이라고 불린다.
- 이 병은 소아에게서 비교적 많이 나타나지만, 성인에게서도 나타나는 경우가 있으며, 특히 쇼그렌 증후군(Sjögren syndrome) 환자에게서 잘 발생한다.
- 이 병을 한방약으로 치료하는 경우에는 다음의 2가지 형(型)으로 분류하여 대응한다.
- 첫째, 위장(胃腸)에 울적(鬱積)한 열(熱)이 구각(口角)을 상하게 하는 실열형(實熱型). (전문적으로는 비위적열(脾胃積熱)이라고 함)
- 둘째, 비위(脾胃)가 허약하여 수액대사 기능이 저하되었으므로 구각(口角)에 수습(水濕)이 정체(停滯)되어 일어나는 조체형(阻滯型)으로, 이는 또한 일반적으로 담습(痰濕) 타입(전문적으로는 습곤비토(濕困脾土)라고 함)과, 열화(熱化)를 동반하는 습열(濕熱) 타입(전문적으로 비위습열(脾胃濕熱)이라고 함)으로 나눌 수 있다.

7.

174) 일본어로 코우아소우(こうあそう)라고 읽는다. 이 병은 주로 비위(脾胃)에 열(熱)이 쌓이는 데서 발생한다. 한쪽 혹은 양쪽 입아귀가 트고 헐어서 입을 벌리면 통증을 느낀다.

구각염(口角炎)의 형(型)과 병증(病證) 타입

실열형(實熱型)

- 구각(口角)은 조홍(潮紅)이 나타난다.
- 작은 알갱이 모양의 작은 부스럼(소창(小瘡))이 나타난다.

위장(胃腸) 타입

☆ 구각(口角)이 건조하다.
☆ 균열이 나타난다.
☆ 출혈이 일어나는 경우가 있다.
☆ 삼출액(滲出液)은 황색이다.

A

조체형(阻滯型)

- 구각(口角)에 종창(腫脹)이 있다.
- 표면은 흰색이다.

담습(痰濕) 타입

☆ 구각(口角)이 습(濕)하다.
☆ 잠잘 때 침이 흘러 나온다.

B

습열(濕熱) 타입

☆ 미란(糜爛)이 잘 생긴다.
☆ 붉게 침윤된다.

C

「입아귀가 터서 낫지 않는다.」

구각(口角)에 종창(腫脹)이 있으며, 입이 끈적인다.	→ 조체형(阻滯型)의 특성
구각(口角)에 미란(糜爛)이 있고, 설태는 황니태(黃膩苔)이다.	→ 습열(濕熱) 타입의 특성
구각(口角)에 발적(發赤)이 있고, 목이 마르고, 변비가 있으며, 설질(舌質)은 홍색(紅色)이다.	→ 열(熱)의 증후

【증례1】환자: 남성 연령: 32세 미혼 회사원 신장: 174cm 체중 70kg

[초 진] 2007년 7월 18일
현병력: 이전부터 빈번하게 구각염이 생겼다. 이번에는 2주 전부터 오른쪽에 구각염이 나타났다.
과거력: 특별히 없다.
현재의 증(症): 입아귀가 발적(發赤)해 있고, 종창(腫脹)과 미란(糜爛)이 있으며, 통증이 심하다. 위장(胃腸)의 상태가 나쁘면 잘 재발한다. 일반 소견은 입이나 목이 마르고, 위트림이 있으며, 심하부(心下部)에 그득하고 답답한 느낌과 압통(壓痛)이 있고, 변비가 잘 생기며, 스트레스와 초조감이 있으며, 잠을 편하게 자지 못해 늘 졸리며, 자주 소변을 본다.
설진(舌診) 소견: 설질(舌質)은 홍색이고, 설태(舌苔)는 황니태(黃膩苔)이다.
맥진(脈診) 소견: 침현활맥(沈弦滑脈)
변증(辨證): 조체형(阻滯型)의 습열(濕熱) 타입 (단, 습(濕)보다 열(熱)이 더 강함)
처방: 황련해독탕(黃連解毒湯) 엑스제 7.5g/3번 나누어, 길경석고탕(桔梗石膏湯) 엑스제 6.0g/3번 나누어 투여 7일분.

[재 진] 2007년 7월 25일
　　증상은 경감되었으나, 변비를 호소한다.
처방: 황련해독탕(黃連解毒湯) 엑스제 7.5g/3번 나누어, 조위승기탕(調胃承氣湯) 엑스제 7.5g/3번 나누어 투여 7일분

[3 진] 2007년 8월 4일
　　재진 이후 구각염은 일단 사라졌으나, 그 후 감기에 의한 발열이 계속되어 다시 오른쪽에 재발하였다. 위트림이 있으며, 입이 끈적거리게 되었다.
처방: 황련해독탕(黃連解毒湯) 엑스제 7.5g/3번 나누어, 평위산(平胃散) 엑스제 7.5g/3번 나누어 투여 7일분

[4 진] 2007년 8월 20일
　　구각염이 사라졌다. 재발 예방을 위해 복약을 계속 하기를 희망하였다.
처방: 황련해독탕(黃連解毒湯) 엑스제 7.5g/3번 나누어, 평위산(平胃散) 엑스제 7.5g/3번 나누어 투여 14일분

[5 진] 2007년 10월 7일
　　지금까지 재발은 없었다.

조체형—C. 습열(濕熱) 타입

처방

황련해독탕(黃連解毒湯) + 길경석고탕(桔梗石膏湯) (열(熱)이 강한 기간)

황련해독탕(黃連解毒湯) + 조위승기탕(調胃承氣湯)

(변비가 강한 기간 / 길경석고탕(桔梗石膏湯) + 삼황사심탕(三黃瀉心湯))

황련해독탕(黃連解毒湯) + 평위산(平胃散) (온(溫) 증상이 강할 때) (재발 예방)

증례1의 처방 해설

습열(濕熱) 타입이지만 담습(痰濕) 타입보다 열(熱)이 강한 타입이므로 초진에서는 실열형(實熱型)에 사용하는 황련해독탕(黃連解毒湯)과 길경석고탕(桔梗石膏湯)의 합방을 처방하였다. 재진에서는 변비를 호소하였으므로 길경석고탕(桔梗石膏湯)을 조위승기탕(調胃承氣湯)으로 변경하였고, 이것에 의해 일단 구각염이 사라졌다. 3진에서 다시 재발하였으나 담습(痰濕)의 비중이 더 컸으므로 황련해독탕(黃連解毒湯)과 평위산(平胃散)의 합방을 처방하였다. 4진에서는 구각염은 이미 사라졌으나 담습(痰濕)을 완전히 없애기 위해 같은 처방을 투여하여 재발을 방지하였다.

【組成】
황련해독탕(黃連解毒湯): 황금(黃芩), 산치자(山梔子), 황련(黃連), 황백(黃栢)
길경석고탕(桔梗石膏湯): 길경(桔梗), 석고(石膏)
조위승기탕(調胃承氣湯): 대황(大黃), 감초(甘草), 무수망초(無水芒硝)[175]
평위산(平胃散): 창출(蒼朮), 후박(厚朴), 진피(陳皮), 대조(大棗), 감초(甘草), 생강(生薑)

증례1의 분석

습열(濕熱)은 담습(痰濕)과 화열(火熱)이 복잡하게 합쳐진 것이지만, 담습(痰濕) 쪽이 화열(火熱)보다 더 강한 것, 화열(火熱) 쪽이 담습(痰濕)보다 더 강한 것, 화열(火熱)과 담습(痰濕)의 정도가 같은 것의 3가지로 분류된다. 그래서 이 증례를 살펴보면, 구각의 종창(腫脹)과 미란(糜爛)이 있고, 설태는 황니태(黃膩苔)이며, 활맥(滑脈) 등의 습열(濕熱)을 나타내는 증후가 있는 한편, 입의 갈증이나 변비 등 위열(胃熱)에 의한 증후도 보인다. 이로부터 습열(濕熱)이지만 담습(痰濕)쪽 보다 열(熱) 쪽이 더 강한 타입이라는 것을 알 수 있다.

담습(痰濕)에는 반복되어 낫기 어렵다는 특징이 있지만, 위화(胃火)를 없애는 처방에 의해 재진 후에 한번 사라졌던 구각염이 간단하게 다시 재발한 것은 담습(痰濕)이 남아있었기 때문이라고 생각할 수 있다. 3진에서 입의 끈적거림을 호소하는 것도 담습(痰濕)의 비중이 커졌음을 나타내고 있다.

---

175) 무수황산나트륨(Sodium Sulfate Anhydrous)

구각염(口角炎) ② 증후(症候)의 정리와 처방 포인트

「한 달에 한 번 오른쪽 입아귀에 구각염이 생긴다.」

구각(口角)의 건조와 균열은 없다.	→	실열형(實熱型)이 아님.
구각(口角)에 미란(糜爛)이 있고, 설태는 황니태(黃膩苔)이다.	→	습열(濕熱) 타입의 특성
음주에 의한 복부팽만이 있고 설사가 잘 나온다.	→	습(濕)의 증후

【증례2】 환자: 남성 연령: 56세 신장: 173cm 체중 65kg

[초 진] 2005년 6월 20일

현병력: 위암(胃癌) 수술을 한 후부터 1개월에 1번 정도의 페이스로 오른쪽에 구각염이 생기게 되었다.

과거력: 위암(胃癌) 절제

현재의 증(症): 환부에 미란(糜爛)이 있다. 건조 증상은 없다. 균열이나 출혈도 없다. 일반 소견은 매일 밤에 술을 마시는데, 일정량 이상을 마시게 되면 복부에 가벼운 팽만감이 생기고, 설사가 잘 나오게 된다.

설진(舌診) 소견: 설질(舌質)은 홍색이고, 설태(舌苔)는 황니태(黃膩苔)이다.

맥진(脈診) 소견: 맥침세(脈沈細)

변증(辨證): 조체형(阻滯型)의 습열(濕熱) 타입

처방: 평위산(平胃散) 엑스제 7.5g/3번 나누어, 반하사심탕(半夏瀉心湯) 엑스제 7.5g/3번 나누어 투여 7일분.

[재 진] 2005년 6월 27일

구각염이 사라졌다.

처방: 평위산(平胃散) 엑스제 5.0g/2번 나누어, 반하사심탕(半夏瀉心湯) 엑스제 5.0g/2번 나누어 투여 14일분.

[3 진] 2005년 7월 11일

지금까지 재발되지 않았다.

조체형—C. 습열(濕熱) 타입 (습(濕) > 열(熱))

평위산(平胃散) + 반하사심탕(半夏瀉心湯)

증례2의 처방 해설

　습열(濕熱) 타입에는 평위산(平胃散)에 황련해독탕(黃連解毒湯) 또는 반하사심탕(半夏瀉心湯)을 합방하여 사용하지만 음주에 의해 일어나는 복부의 팽만과 설사에 대처하기 쉽도록 평위산(平胃散)과 반하사심탕(半夏瀉心湯)의 합방을 처방하였다. 반하사심탕(半夏瀉心湯)은 황련해독탕(黃連解毒湯)보다 청열(淸熱) 작용은 약하지만 심하부(心下部)의 답답함이나 오심(惡心)을 개선하는 작용이 있어 설사에도 효과가 있다.

【組成】
평위산(平胃散): 　창출(蒼朮), 후박(厚朴), 진피(陳皮), 대조(大棗), 감초(甘草), 생강(生薑)
반하사심탕(半夏瀉心湯): 　반하(半夏), 황금(黃芩), 건강(乾薑), 인삼(人蔘), 감초(甘草), 대조(大棗), 황련(黃連)

증례2의 분석

　환부에 건조 증상이나 균열이 없고, 반복되어 잘 낫기 어려운 점으로부터 조체형(阻滯型)에 속한다고 생각할 수 있겠다. 수반 증상 중 복부의 팽만이나 설사가 잘 나온다는 것도 이 타입의 특징이다. 또한 환부에 미란(糜爛)이 잘 생기고, 설질(舌質)은 홍색이고, 설태가 황니태(黃膩苔)라는 점은 습열(濕熱)의 특징이며, 음주도 습열(濕熱)의 원인이 되므로 「조체형-C. 습열(濕熱) 타입」이라고 할 수 있겠다. 이 환자는 위(胃) 수술로 위(胃)의 움직임이 쇠퇴했음에도 불구하고 일상적으로 음주를 계속 해 왔기에 습열(濕熱)이 울적(鬱積)하고 이것이 족양명위경(足陽明胃經)을 통해서 입아귀에 영향을 주어 반복해서 재발된 것이라고 생각할 수 있겠다.

각 타입의 기본적인 증후와 처방 정리

실열형(實熱型)

증후: 구각(口角)이 붉어지고 미세한 알갱이 모양의 작은 부스럼(소창(小瘡))이 생기거나 또는 구각(口角)이 건조하고 균열이 생겨 출혈된다. 또한 때때로 황색 삼출액(滲出液)이 흐르는 경우가 있다. 위장(胃腸)에 열(熱)이 쌓이기 쉬운 체질인 사람은 매운 음식이나 맛이 자극적인 음식을 너무 많이 먹으면 유발되거나 또는 악화된다. 일반 소견은 입이 말라 찬 것을 마시고 싶어 하고, 입 냄새가 나고, 소변의 양은 적고, 소변색이 진하며, 변비 증상 등이 나타난다. 설질(舌質)은 홍색이고, 설태는 황색이다. 맥(脈)은 활삭맥(滑數脈)이 나타난다.

처방: 본래는 청위산(淸胃散)을 처방하지만, 일본에는 제품화되어 있지 않으므로, 백호가인삼탕(白虎加人蔘湯) 또는 길경석고탕(桔梗石膏湯)에 삼물황금탕(三物黃芩湯) 또는 황련해독탕(黃連解毒湯)을 합방하여 사용한다. 만약 변비가 심한 경우에는 삼물황금탕(三物黃芩湯)을 삼황사심탕(三黃瀉心湯)으로 바꾼다.

조체형(阻滯型)

증후: 구각(口角)은 습(濕)하고, 종창(腫脹)이 생기며, 표면은 흰색이다. 일단 증상이 나타나면 잘 낫기 어렵다. 또한 잘 때 침이 잘 나오고, 그것이 입아귀를 거쳐 흐른다. 습열(濕熱) 타입은 미란(糜爛)이 잘 생기고, 그 부분이 붉게 침윤되어 있다. 평소 위장(胃腸)이 약한 사람이 찬 물을 너무 많이 마시는 등의 폭음폭식으로 비기(脾氣)가 손상되면(위에 피로가 쌓임) 유발되거나 악화된다. 또한 습열(濕熱) 타입은 음주에 의해서도 유발된다. 이밖에 구강 내의 소견은 입이 끈적끈적해지거나, 경우에 따라 미각이 감퇴되는 사람도 있다. 일반 소견은 식욕이 감퇴하고, 복부가 당기거나 위트림이 나오고, 평소에 무른 변이나 설사가 잘 나오고, 몸이 무겁고 나른하며, 권태감과 부종 등이 나타난다. 또한 습열(濕熱) 타입에서는 목의 갈증을 호소하는 경우가 있다. 설질(舌質)은 반대설(胖大舌)이며, 주위에 치흔(齒痕)이 보인다. 습곤비토(濕困脾土) 타입은 설질(舌質)이 담(淡)하고, 설태는 백니태(白膩苔)이며, 맥(脈)은 침세활(沈細滑)이다. 습열(濕熱) 타입에서는 설질(舌質)은 홍색이고, 설태는 황니태(黃膩苔)가 된다.

처방: 열화(熱化)되지 않은 담습(痰濕) 타입은 평위산(平胃散)과 삼령백출산(蔘苓白朮散) (또는 계비탕(啓脾湯))의 합방을 사용한다. 습(濕)이 울적(鬱積)해서 열화(熱化)된 습열(濕熱) 타입은 평위산(平胃散)에 황련해독탕(黃連解毒湯)을 합방하거나, 위(胃) 부위의 그득하고 답답함이나 오심(惡心)을 동반한 것에는 반하사심탕(半夏瀉心湯)을 합방하여 사용한다.

병리기전

「입술(脣)은 비(脾)의 화(華)」[176]라고 하며, 또한 족양명위경(足陽明胃經)은 「입의 양쪽 곁을 끼고 입술을 돈다.」고 하였다. 그래서 이 병은 비위(脾胃)와의 관련성이 깊고 대다수의 원인은 음식편기(飮食偏嗜), 즉, 편식이다. 음식편기(飮食偏嗜) 증 과식신랄(過食辛辣)[177]은 위(胃)에 열(熱)을 생기게 하고, 과식냉생(過食冷生)[178]이나 과식비감후미(過食肥甘厚味)[179], 그리고 과도한 음주는 비(脾)의 운화(運化)를 상하게 하여 습(濕)을 생기게 한다. 이상으로부터 이 병은 실열형(實熱型)과 습형(濕型)의 두 가지로 분류된다.

실열형(實熱型)

맵거나 뜨거운 음식을 즐겨 먹으면 비위(脾胃)에 열(熱)이 쌓이고, 이것이 족양명위경(足陽明胃經)을 따라서 입술까지 올라가면 이 병이 생긴다. 이밖에 감기의 중기에 외사(外邪)가 양명(陽明)으로 들어와 열화(熱化)되면, 이것이 손의 수양명대장경(手陽明大腸經)과 발의 족양명위경(足陽明胃經)을 통해 입술까지 올라가 이 병이 발생된다.

조체형(阻滯型)

이 타입에는 단순한 담습(痰濕) 타입과, 열화(熱化)에 의한 습열(濕熱) 타입이 있다.

조체형(阻滯型) - B.담습(痰濕) 타입

평소에 비위(脾胃)가 허약하고, 운화(運化) 기능이 감퇴되어 있는데, 찬 것이나 생 음식을 즐겨 먹으면 소화를 잘 시키지 못하고 담습(痰濕)이 내생(內生)한다. 이것이 입술로 올라가 강탁(降濁)되지 못하면 이 병이 발생한다.

조체형(阻滯型) - C.습열(濕熱) 타입

기름진 것, 단 것, 맛이 자극적인 것 등을 즐겨 먹거나, 또는 과도한 음주를 하면 습열(濕熱)이 비위(脾胃)에 내생(內生)한다. 또한 담습(痰濕) 타입의 사람도 그 습(濕)이 울적(鬱積)하게 되면 열화(熱化)되어 습열(濕熱)로 변한다. 이렇게 하여 내생(內生)한 습열(濕熱)이 족양명위경(足陽明胃經)을 따라서 입술까지 올라가면 이 병이 생긴다.

---

176) 소문(素問)의 육절장상론(六節藏象論) 제9(第九)에서 「비는 ... 그 영화는 순사백에 반영된다. (脾者, ... 其華在脣四白)」라고 하였다.
177) 맵거나 뜨거운 음식을 편식하는 것.
178) 생 음식이나 찬 음식을 편식하는 것.
179) 기름진 것, 단 것, 맛이 자극적인 음식을 편식하는 것.

한방약(漢方藥)의 사용법에 대하여

1) 한방약의 효과

한방약은 의약품이다. 한방적으로 가벼운 병태(病態)는 치료도 쉽지만 그렇지 않은 경우도 있다. 모든 사람에게 효과가 있다고 과도한 기대를 하면 안 된다.

2) 복용 기간

일반적으로 한방약은 「오래 먹지 않으면 효과가 없다」라고들 한다. 그러나 급성기(急性期)에 대응하는 한방약에는 즉효성(卽效性)이 있다. 그래서 특히 급성기인 환자에게는 1~2주 사용해 보고 아무 효과가 없는 경우 타입 판별을 다시 확인해 보는 것도 필요하다.

3) 급성기(急性期)와 그렇지 않은 때의 처방 변경

급성기(急性期)에 사용하는 한방약은 효능이 좋고 증상이 경감된다. 병태(病態)가 변화된 경우에는 처방을 다시 하는 것이 필요하다.

처음에 효과가 좋다면 「이 한방약이 잘 맞네.」라고 생각해 같은 약을 계속 처방하기 쉬운데 그것은 잘못된 것이다. 증상이 경감된 단계에서 전신 상황을 확인하고, 변화가 생긴 경우에는 근본 치료나 예방에 사용하는 처방으로 변경하는 것이 바람직하다. 그러나 전신 상황에 개선이 없는 경우에는, 증상이 다시 나빠질 위험도 있으므로 다시 같은 약을 사용할 필요가 있다.

4) 병증(病證) 타입에 따라 사용도 가려서

한방약은 같은 질환에도 병증(病證) 타입 별로 사용하는 약이 다르다. 처음에는 타입 감별에 맞추어 가려 쓰는 것이 망설여지지만, 반복해서 이 책의 예진표 체크 시트를 사용해서 익숙해지면, 증례의 많은 질환에서 체크시트를 굳이 사용하지 않고서도 감별할 수 있게 된다.

5) 한방약을 복용하는 시간대, 양약과 함께 복용하는 경우

한방약과 양약을 함께 복용하는 것에 따른 트러블은 비교적 적다. 그러나 트러블을 회피하기 위해서는 복용하는 시간대를 동일하게 하지 않도록 궁리할 필요가 있다.

통상적으로 한방약은 공복 시에 복용하므로 식전 또는 식사와 식사 사이에 복용하지만, 많은 양약은 식사 직후에 복용하는 경우가 많다. 양약을 복용하고 있는 환자에게는 한방약 복용을 식사 30분 전에 하라고 권유하지만, 양약 가운데 식전에 복용해야 하는 것이 있다면 식후 2시간 이후를 추천한다.

비보험약 상품명, 판매점 리스트

방제명(方劑名) [ ] 안은 상품명	우치다 (內田)	토치모토 (栃本)	마츠우라 한방 (松浦漢方)	야츠메 제약 (八ツ目製藥)	이스쿠라 산업 (イスクラ 産業)
관심이호방(冠心二號方) [관원(冠元)과립, 관원활혈환(冠源活血丸)]	환제(丸劑)		환제 (丸劑)		과립(顆粒)
은교산(銀翹散) [은교해독산(銀翹解毒散), 은교정(銀繞錠), 은교해독환(銀繞解毒丸)]	정제(錠劑) 환제(丸劑)	환제(丸劑)	정제(錠劑) 환제(丸劑)	정제(錠劑) 환제(丸劑)	
혈부축어탕(血府逐瘀湯) [혈부축어환(血府逐瘀丸)]	환제(丸劑)		환제(丸劑)	환제(丸劑) 엑스제	환제(丸劑)
지백지황환(知栢地黃丸) [사화신기환(瀉火腎氣丸)]					환제(丸劑)
육신환(六神丸)			환제(丸劑)		
기국지황환(杞菊地黃丸)			환제(丸劑)	환제(丸劑) 엑스제	

지백지황환(知栢地黃丸)은 육미지황환(六味地黃丸) 엑스제 + 지모(知母) 엑스제, 황백(黃柏) 가루로 대용이 가능하다. 이스쿠라 산업의 제품은 회원에게만 판매한다. 마츠우라 한방의 제품은 우치다나 토치모토에서도 입수가 가능하다.

방제명(方劑名) [ ] 안은 제조회사	우치다 (內田)	토치모토 (栃本)	마츠우라 (松浦)
황기(黃芪) 가루[각 회사]	○		
황금(黃芩) 엑스제[나가쿠라(長倉)]	○	○	
황금(黃芩) 가루[각 회사]	○	○	○
황백(黃柏) 가루[각 회사]	○	○	○
황련(黃連) 가루[각 회사]	○	○	○
갈근(葛根) 엑스제[나가쿠라(長倉)]	○	○	
감초(甘草) 가루[각 회사]	○		
금은화(金銀花) 가루[요시미(吉見) 제약]	○		
계피(桂皮) 가루[각 회사]	○		
계지(桂枝) 가루[요시미(吉見) 제약]	○		
홍화(紅花) 가루[각 회사]	○		
향부자(香附子) 가루	○		
후박(厚朴) 엑스제[나가쿠라(長倉)]	○		
후박(厚朴) 가루[각 회사]	○		
시호(柴胡) 엑스제[나가쿠라(長倉)]	○		
시호(柴胡) 가루	○		
산귀래(山歸來) 가루	○		
작약(芍藥) 엑스제[나가쿠라(長倉)]	○	○	
작약(芍藥) 가루	○	○	

같은 이름의 분말이나 엑스제는 어떤 것을 사용해도 좋다.

방제명(方劑名) [ ] 안은 제조회사	우치다 (內田)	토치모토 (栃本)	마츠우라 (松浦)
사삼(沙參) 가루[요시미(吉見) 제약]		○	
지황(地黃) 엑스제[나가쿠라(長倉)]	○	○	
지황(地黃) 가루[각 회사]			○
석고(石膏) 가루[각 회사]	○	○	○
천궁(川芎) 엑스제[나가쿠라(長倉)]	○	○	
천궁(川芎) 가루[요시미(吉見) 제약]			○
단삼(丹參) 가루			
지모(知母) 엑스제[나가쿠라(長倉)]	○	○	
진피(陳皮) 가루[각 회사]	○		
당귀(當歸) 가루[각 회사]	○		
도인(桃仁) 가루[요시미(吉見) 제약]			○
천문동(天門冬) 가루[요시미(吉見) 제약]			
반하(半夏) 엑스제[나가쿠라(長倉)]	○	○	
반하(半夏) 가루[각 회사]	○		
판람근(板藍根) 엑스제			
포공영(蒲公英) 가루[요시미(吉見) 제약]			
목단피(牧丹皮) 엑스제[나가쿠라(長倉)]	○	○	
목단피(牧丹皮) 가루[각 회사]	○	○	○
모려(牡蠣) 가루[각 회사]	○		○

우황(牛黃)은 모든 회사에서 판매한다. 우황(牛黃) 10배산(倍散)(유당(乳糖) 등으로 희석시킨 것)은 판매하지 않으므로 독자적으로 조제해야 한다.

○판매점 연락처

주식회사 우치다화한약(內田和漢藥)
　동경(東京) 영업소 03-3806-1251
　오사카(大阪) 영업소 06-6877-8222
　큐슈(九州) 영업소 0940-33-1692

주식회사 토치모토천해당(栃本天海堂)
　본사 06-6312-8425
　동경(東京) 영업소 03-3254-8161
　후쿠오카(福岡) 영업소 092-881-3128

마츠우라(松浦) 한방 주식회사
　본사 052-883-5131
　동경(東京) 영업소 03-3254-7477
야츠메 제약 (八ツ目製藥)
　　03-3841-4391

○ 문의처 치료에 관하여: 후쿠시마 아츠시(福島 厚) info@fdc-toyo.jp 처방에 관하여: 세키구치 젠타(関口善太) zenta-chuuido@dtn.ne.jp

※위 내용은 일본 국내에서의 구입에 대한 내용입니다. 한국 내에서의 구입 및 처방은 한의사와 상담하시기 바랍니다.

한방 용어 해설

ㄱ

간기(肝氣)	간(肝)에 이른 기(氣)가 간(肝)을 구성하고 그 기능을 발휘하게 하는 물질로 변화한 것.
간비부조(肝脾不調)	정식 명칭은 간비부조증(肝脾不調證). 간(肝)의 소설(疏泄) 실조가 비(脾)로 전해져서 운화(運化) 작용이 감퇴한 병증.
간신부족(肝腎不足)	정식 명칭은 간신부족증(肝腎不足證). 간(肝)이 장(藏)하는 간혈(肝血)과 신(腎)이 장(藏)하는 신정(腎精)은 서로 변화하여 부족해지지 않도록 보(補)하고 있지만, 한쪽의 소모가 심해지고, 이것이 다른 쪽으로도 파급되어 둘 모두 부족 상태에 빠져 회복되지 못하는 상태에 있는 병증(病證)
간신(肝腎)의 부족(不足)	간신부족(肝腎不足)과 동의어.
간신음허(肝腎陰虛)	정식 명칭은 간신음허증(肝腎陰虛證). 간신부족증(肝腎不足證)이 발전하여 허열(虛熱)을 동반하게 된 병증.
간양(肝陽)	간(肝)의 양기(陽氣). 간신(肝腎)의 음(陰) 부족이나, 봄에 양기(陽氣)가 높아짐과 함께 병적(病的)으로 항진(亢進)되는 경우가 있으며 이를 간양(肝陽)이 항진(亢進)되었다고 한다. 또한 이로 인해 일어나는 병증(病證)은 간양상항증(肝陽上亢證)이라고 한다.
간울(肝鬱)	정식 명칭은 간기울결증(肝氣鬱結證). 간(肝)의 기(氣)를 촉진하는 소설(疏泄) 작용이 실조되어 일어나는 병증. 기울(氣鬱) 또는 간기울결(肝氣鬱結)이라고도 한다.
간위불화(肝胃不和)	정식 명칭은 간위불화증(肝胃不和證). 간울(肝鬱)에 의한 기체(氣滯)가 위(胃)에 영향을 주어 위기(胃氣)가 조체(阻滯)되어 위통(胃痛) 등을 일으키는 병증을 가리킨다.
간혈(肝血)	기혈진액(氣血津液)은 인체를 구성하는 물질이다. 1) 간(肝)에 도달한 혈(血)이 간(肝)을 구성하고 이것을 영양(營養)하는 물질로 변화한 것. 2) 간(肝)에 저장되어 있는 혈(血)
간혈허(肝血虛)	간혈(肝血)이 부족해져서 일어나는 병증(病證). 정식 명칭은 간혈허증(肝血虛證)
간화(肝火)	간울화화(肝鬱化火)에 의해 발생한 간(肝)의 내열(內熱). 간기(肝氣)가 울결(鬱結)하고 이것이 열화(熱化)되는 것을 기울화화(氣鬱化火)라고 한다.
간화상염(肝火上炎)	정식 명칭은 간화상염증(肝火上炎證). 화열(火熱)에는 위로 치솟아 오르는 성질이 있으므로 간화(肝火)가 발생하면 간담(肝膽)의 경락(經絡)을 타고 올라가 눈을 충혈시키고, 안면홍조, 이명(耳鳴), 입 마름, 불면(不眠) 등의 증후를 가진 병증이 된다.
강화(降火)	인체 상부의 열증상(熱症狀)이 강할 때 그 화열(火熱)을 하강시켜 치료하는 방법. 화열(火熱)은 위로 타오르는 성질이 있는데 그 타오르는 것에 대해 시행한다.

개규(開竅)	상규(上竅, 신명(神明)이나 뇌(腦)를 가리킴)가 막혀 의식이 몽롱하거나 또는 인사불성인 상황에서 막힌 것을 뚫어 각성(覺醒)시키는 치료방법. 성뇌(醒腦) 또는 성신(醒神)과 동의어.
거담(祛痰)	가래를 없애는 치료방법.
거풍(祛風)	풍사(風邪)를 없애는 치료방법.
건비(健脾)	비(脾)가 가진 운화(運化) 작용을 건전하게 하는 치료방법.
경근(經筋)	경락(經絡) 조직의 하나로 인체의 운동을 주(主)하는 근육 계통의 총칭. 십이경맥(十二經脈)에 부속하여 분포하므로 십이경근(十二經筋)이라고 한다.
경기(經氣)	경락(經絡)을 흐르는 기(氣). 예를 들어 소양경기(少陽經氣)는 소양경(少陽經)을 흐르는 기(氣)를 가리킨다.
교회혈(交會穴)	여러 개의 경락(經絡)이 교차하는 경혈(經穴).
구병입락(久病入絡)	병(病)이 길어지고, 실조(失調)가 경락(經絡) 중 주요 간선(幹線)인 경(經)에서, 가느다란 지맥(支脈)인 락(絡)까지에 걸쳐 경락(經絡)의 조체(阻滯)가 더욱 심해지고 어혈(瘀血)을 형성한 것.
기기(氣機)	기(氣)의 기능(機能) 활동 그리고 「승강출입(昇降出入)」이라는 기(氣)의 운동형식. 기(氣)의 활동이 평온하지 못하고 실조(失調)되는 것을 기기불창(氣機不暢)이라고 한다.
기단(氣短)	숨이 차는 것.
기분(氣分)	1) 기(氣)의 범위에 속하는 기능활동, 또는 그 병변을 말하는 것. 일반적으로 혈분(血分)에 상대해서 말한다. 2) 온열병(溫熱病)에서 위기영혈(衛氣營血) 변증에서 실열(實熱)이 있는 단계.
기울(氣鬱)	기(氣)가 울결(鬱結)하여 기(氣)의 기능이 충분히 발휘되지 못하는 병태이다. 일반적으로 스트레스로 간(肝)의 소설(疏泄) 작용이 실조되어 일어나는 간기울결(肝氣鬱結)을 이르는 말이다.
기울화화(氣鬱化火)	기울(氣鬱)이 심해지고 열화(熱化)되어 울열(鬱熱)로 변화하는 것이다. 또한 그로 인해 일어나는 병증이다.
기음양허(氣陰兩虛)	정식 명칭은 기음양허증(氣陰兩虛證). 기허증(氣虛證)과 음허증(陰虛證)이 함께 나타나 일어나는 병증이다.
기체(氣滯)	기(氣)가 막혀서 그 운행이 부드럽게 잘 되지 못하는 병태. 기울(氣鬱)과 동반하여 일어나는 경우도 많다. 증상으로는 그득한 느낌이나 통증이 나타난다.
기체혈어(氣滯血瘀)	병증(病證)의 경우, 정식 명칭은 기체혈어증(氣滯血瘀證). 기체(氣滯)와 어혈(瘀血)이 동시에 일어나는 병증(病證) 또는 그 메커니즘. 일반적으로 기체(氣滯)가 오래되어 혈행(血行)에도 영향을 미치게 되면 일어난다.
기혈조체(氣血阻滯)	기(氣)와 혈(血)이 동시에 조체(阻滯)되어 있는 병증(病證) 또는 그 메커니즘. 기체혈어(氣滯血瘀)와 동의어이다.
기혈진액학설(氣血津液學說)	기(氣), 혈(血), 진액(津液)의 개념이나 생리작용 등을 설명하는 학설

기화(氣化)	어떤 물질을 다른 물질로 바꾸는 작용. 예를 들어 「신(腎)의 기화(氣化)」는 신(腎)으로 운반해 온 오염된 진액을 소변으로 기화(氣化)하여 방광을 통해 배설하는 작용을 이른다.

ㄴ

내생(內生)의 오사(五邪)	체내의 실조(失調)로 일어났음에도 불구하고 외사(外邪)로 이환(罹患)된 경우와 유사한 병리 특성을 가진 병증(病證) 상태. 체외로부터 침입해 온 병사(病邪)를 외사(外邪)라고 부른다.
내열(內熱)	내생(內生)의 오사(五邪) 중 하나. 체내의 실조(失調)로 일어난 화열성(火熱性)의 병증(病證) 상태를 가리킨다. 내생(內生)의 오사(五邪) 참조. 내화(內火)와 동의어.
내풍(內風)	p142의 이갈이 챕터 참조. 내생(內生)의 오사(五邪) 중 하나. 체내의 실조(失調)로 일어나지만 외풍(外風)의 특성과 유사한 성질을 가진 증상(떨림이나 어지럼증 등)을 나타내는 병증 상태.
노신과도(勞身過度)	과한 정신 피로. 발병 요인의 하나.

ㄷ

담습(痰濕)	담(痰)과 내습(內濕)을 함께 이르는 말이다. 담(痰)과 내습(內濕)은 원래 그 성질이 약간 다른 병리 산물이지만 병리 기전은 공통적이다. 둘 다 수액(水液)이 정체(停滯)하여 발생하므로 이와 같이 불린다.
담화(痰火)	담(痰)이 열화(熱化)된 병리 산물.
도한(盜汗)	밤에 자면서 땀을 흘리는 증상.
동병이치(同病異治)	동일한 현대 의학의 병명에 해당하는 병에 걸린 환자가 있더라도 병증(病證) 타입이 다르면 서로 다른 치료(한방약)가 필요하다는 것을 의미.

ㅁ

목극토(木剋土)	오행론(五行論)의 상극(相剋) 관계의 하나. 목(木)이 토(土)를 극(剋)하는 관계를 말한다. 이것이 오장(五臟)에 반영된 것이 간비부조증(肝脾不調證)이다.
목적(目赤)	눈이 붉게 충혈되는 증상.

ㅂ

방어작용(防禦作用)	체외로부터 침습(侵襲)해 온 병사(病邪)에 저항하는 작용. 위기(衛氣)항 참조.
방제(方劑)	○○탕(湯), ××산(散), △△환(丸) 등과 같이 여러 개의 중약(中藥)으로부터 만들어진 한방 처방의 원형. 중국에서는 이것을 다시 환자의 체질에 맞추어 양(量)을 조절하거나 몇 개의 중약(中藥)을 바꾸거나, 또는 추가하거나 빼거나 하는 「가감(加減)」을 처방(處方)이라고 한다. 일본에서는 그대로의 형태로 환자에게 내어주는 경우가 많으므로 「방제 = 처방」이라고 잘못 해석되는 경우가 많다.
배혈(配穴)	여러 개의 경혈(經穴)을 조합하는 것. 상승(相承) 효과를 내기 위한 방법.

비(痺)	막혀서 통하지 않는다는 의미. 일반적으로 경락이 병사(病邪) 등의 영향을 받아 그 속을 흐르는 기혈(氣血)이 막혀 통하지 않게 되는 것을 가리킨다. 증상은 통증을 중심으로 그에 동반되는 관절의 굴신(屈伸) 불리(不利)라든지, 종창(腫脹) 등이 나타난다. 전신적으로 일어나는 병기(病氣)는 관절 류머티스가 대표적이고, 이를 비증(痺證)이라고 한다.
비(脾)	오장(五臟)의 하나. 현대 의학에서의 비장(Spleen)과는 다르다. 그 중심적인 작용은 「운화(運化) 작용」이며 음식물의 소화와 흡수한 영양분의 운반을 담당하고 있다. 이는 위(胃)와 함께 작용하므로 소화 흡수를 수행하는 중심적인 장부(臟腑)를 비위(脾胃)라고 한다.
비기(脾氣)	전신을 도는 기(氣)가 비(脾)에 이르러서 비(脾)를 구성하는 기(氣)로 변화한 것. 비기(脾氣)는 비(脾) 고유의 작용을 발휘하기 위한 활동의 원천.
비기허(脾氣虛)	비기(脾氣)가 부족하므로 비(脾)의 생리 작용이 감퇴된 병증(病證). 정식 명칭은 비기허증(脾氣虛證).
비위(脾胃)	비(脾) 항목 참조.
비위기허(脾胃氣虛)	비기허(脾氣虛)와 거의 같지만 추가적으로 위(胃)의 기능 저하를 동반한다. 정식 명칭은 비위기허증(脾胃氣虛證).
비위(脾胃)의 승강(昇降)	위(胃)의 화강(和降) 작용과 비(脾)의 승청(昇淸) 작용을 가리킨다. 이 둘은 상대적으로 작용하므로 합쳐서 승강(昇降)이라고 표현한다.
비증(痺證)	비(痺) 항목 참조.
비허습성(脾虛濕盛)	비기허(脾氣虛)로 인해 수액(水液)의 운반 기능이 감퇴되고, 이로 인해 담습(痰濕)이 왕성해진 병증(病證). 정식 명칭은 비허습성증(脾虛濕盛證).
ㅅ	
사법(瀉法)	실증(實證)에 대한 침구 조작 방법의 총칭.
사총혈(四總穴)	얼굴, 복부, 등, 머리와 목의 4군데 부위에 효과가 높은 4개의 경혈(합곡(合谷), 족삼리(足三里), 위중(委中), 열결(列缺))의 총칭.
사화(瀉火)	실열(實熱)이 있을 때, 사법(瀉法)으로 실사(實邪)를 식히는 치료방법.
생화(生化)	만들어지거나 생겨나는 작용. 대표적인 것은 「비(脾)의 생화(生化)」. 이는 흡수한 음식물의 영양분으로부터 기혈진액(氣血津液) 등을 만들어내는 작용이다.
서근활락(舒筋活絡)	근육을 이완시키고, 경락(經絡)의 흐름을 활성화시키는 치료방법.
소간(疏肝)	울결(鬱結)된 간기(肝氣)를 소통시키는 치료방법.
소변청장(小便淸長)	투명한 소변이 많이 또는 자주 나오는 것. 한증(寒證)에서 보이는 증상.
소설작용(疏泄作用)	간(肝)이 가진 분산 배설 작용. 정신적인 릴랙스, 비위(脾胃)나 담(膽) 등의 소화 기능 촉진, 기기(氣機)의 운행(運行)의 세 방면으로 작용. 간(肝)의 기혈(氣血)이 조화되어서 정상을 유지한다. 스트레스가 심하고 간기(肝氣)가 울결(鬱結)되어서 정상적인 소설(疏泄)을 행하지 못하게 되면 세 방면에 영향을 주어 초조함, 정신억울(精神抑鬱), 위통(胃痛), 오심(惡心), 흉협창통(胸脇脹痛), 월경불순, 월경통 등의 증상이 나타난다. 이를 간기울결증(肝氣鬱結證) 또는 간울증(肝鬱證)이라고 한다.

소양경기(少陽經氣)	「경기(經氣)」 참조
소양추기(少陽樞氣)	소양경(少陽經)은 추축(樞軸)이라고도 하며 소양추기(少陽樞氣)는 그 기능을 가리킨다. 인체의 회선운동(回旋運動)에 크게 관여한다.
소장실열(小腸實熱)	정식 명칭은 소장실열증(小腸實熱證). 심화(心火)에 의한 내열(內熱)이 수소음심경(手少陰心經)과 표리관계에 있는 수태양소장경(手太陽小腸經)으로 전해져서, 소장의 소변과 대변을 분별하는 작용을 실조(失調)함으로서 일어난다. 방광염 등의 배뇨 장해를 동반하는 병증.
수풍(搜風)	숨어있는 풍사(風邪)를 찾아서 없애는 치료방법.
순경배혈(循經配穴)	배혈(配穴) 방법 중 하나. 동일한 경락(經絡) 상에 있는 경혈(經穴)들을 조합하는 방법.
습(濕)	습사(濕邪). 습사(濕邪)에는 외습(外濕)과 내습(內濕)이 있다. 외습(外濕)은 육음(六淫)의 하나로 비나 이슬 등에 노출되거나 습도가 높은 장마철 등의 영향으로 체외로부터 침입한 병사(病邪). 내습(內濕)은 진액(津液)이 정체(停滯)되어 있는 병리산물이나 또는 그에 의한 병리상태. 비(脾), 폐(肺), 신(腎) 등의 수액 대사에 관계하는 장부 기능의 실조(失調)나 편식 등에 의해 형성된다.
습열(濕熱)	습사(濕邪)와 열사(熱邪)가 복합되거나 또는 내습(內濕)이 열화(熱化)된 병리산물.
승청(昇淸)	비(脾)의 생리작용 중 하나. 1) 위(胃)에서 소화한 음식물 중에 영양분(營養分)인 수곡정미(水穀精微)를 폐(肺)나 인체의 상부로 상승시키는 작용. 비기허(脾氣虛)에 의해 영양분이 승청(昇淸)되지 못하면 두면부 등의 영양 부족으로 인한 두통, 어지럼증, 맛을 느낄 수 없는 증상 등이 나타난다. 2) 내장 하수(下垂)가 일어나지 않도록 그 위치를 유지시키는 작용. 비기허(脾氣虛)에 의해 내장 하수(下垂)가 일어나는 병증(病證)을 비기하함증(脾氣下陷證)이라고 한다.
식체(食滯)	과식 때문에 소화를 완전히 시키지 못한 음식물의 여기(余氣), 즉, 남은 기운이 정체(停滯)한 것. 또는 그로 인해 일어나는 병증(病證).
식풍(熄風)	내풍(內風)을 불어서 끄는 치료방법.
신명(神明)	사고 활동이나 감정 등의 정신활동을 수행하는 물질.
신음허(腎陰虛)	정식 명칭은 신음허증(腎陰虛證). 신(腎)의 음정(陰精)이 부족하여 일어나는 병증.
실중협허증(實中挾虛證)	「허실협잡증(虛實挾雜證)」 가운데 「실증(實證)」의 부분이 더 큰 것. 허실협잡증(虛實挾雜證)이란 실증(實證)과 허증(虛症)이 동시에 일어나는 것을 이른다.
실증(實證)	병사(病邪)가 항진(亢進)하여 성(盛)해서 일어나는 병증(病證). 또한 인체 내부의 기능 장해에 의해 기혈 진액이 막혀서 일어나는 기체(氣滯), 어혈(瘀血), 담습(痰濕) 등의 병리 산물이 일으키는 병증.
심간화왕증(心肝火旺證)	심화항성증(心火亢盛證)과 간화상염증(肝火上炎證)이 복합된 병증.
심비양허(心脾兩虛)	정식 명칭은 심비양허증(心脾兩虛證). 비기허증(脾氣虛證)과 심혈허증(心血虛證)이 복합된 병증.

심신불교(心身不交)	정식 명칭은 심신불교증(心身不交證). 넓은 의미로는 오행(五行)의 화(火) 성질에 속하는 심(心)과, 수(水) 성질에 속하는 신(腎)의 상호간의 교통(交通)이 실조(失調)되고 이로 인해 출현하는 냉(冷)이나 열(熱)을 동반하는 음양(陰陽) 실조 병증 전반. 좁은 의미로는 신(腎)의 음정(陰精)이 부족하여 심화(心火)를 억제하지 못해 일어나는 신음허(腎陰虛)와 심화항성(心火亢盛)이 복합된 병증.
심하비(心下痞)	심하부(心下部)에 답답함과 그득함을 느끼는 증상.
심혈허(心血虛)	정식 명칭은 심혈허증(心血虛證). 심(心)의 허증(虛證) 중 혈(血) 부족에 의해 일어나는 병증. 일반적으로 혈허(血虛) 증후가 더해져서 동계(動悸), 가슴이 메고, 불면(不眠), 허의 이상 등이 나타난다.
심화(心火)	감정이 항진(亢進)하여 열화(熱化)되거나 (이를 오지화화(五志化火)라 부름) 열사(熱邪)가 깊이 침입하여 심(心)에 이르는 것. 심(心)에 발생한 내열(內熱) 또는 이로 인해 일어나는 병증을 심화항성증(心火亢盛證)이라고 한다.
○	
야간조열(夜間潮熱)	저녁부터 밤에 걸쳐 나타나는 조열(潮熱). 조열(潮熱)이란 하루 중 정해진 시간마다 나타나는 열(熱)을 가리킨다. 많은 경우 음허증(陰虛證)에서 보인다.
양기(陽氣)	인체의 기(氣) 중에서 따뜻하게 하는 작용(온조작용(溫照作用)이라고 함)이 뛰어난 것. 장부(臟腑)의 양기(陽氣)에는 신(腎)의 양기(陽氣)를 신양(腎陽), 비(脾)의 양기(陽氣)를 비양(脾陽)이라고 부른다. 또한 양기(陽氣)가 부족한 병증을 양허증(陽虛證)이라고 하므로 신(腎)이나 비(脾)의 양기(陽氣) 부족은 각각 신양허증(腎陽虛證), 그리고 비양허증(脾陽虛證)이라고 한다.
양혈(涼血 또는 凉血)	혈열증(血熱證)에서 혈분(血分)의 열(熱)을 차게 하는 치료 방법.
양혈(養血)	혈(血)을 보(補)하여 부족한 부위를 영양(營養)하는 치료 방법. 보혈(補血)과 동의어.
어혈(瘀血)	혈행(血行)이 나빠져서 막히거나 혈관 밖으로 빠져 나온 혈액(내출혈)이 흡수되지 못하고 굳어 생리적인 작용을 발휘하지 못하게 된 물질(이를 병리산물이라고 한다).
열부약(熱敷藥)	외용제(外用劑)의 일종. 몇가지의 중약(中藥)을 거즈로 싸서 그것을 쪄서 따뜻하게 하여 환부에 붙여 습열 작용과 약효 성분으로 국부를 치료하는 것.
영혈(營血)	1) 영(營)과 혈(血)을 함께 일컫는 것. 생리적으로는 혈액을 의미한다. 2) 온병(溫病) 변증의 경우 영분(營分)과 혈분(血分)의 두 단계 또는 병위(病位)를 말하는 것이다.
오심번열(五心煩熱)	인체의 오심(五心)에 달아오름이나 열감(熱感)을 느끼는 것. 오심(五心)이란 가슴의 심장부위와 양 손바닥 중심부, 그리고 양 발바닥 중심부의 다섯 부위를 합해 부르는 말이다.
온경활혈(溫經活血)	차가운 기운에 의해 형성되는 어혈(瘀血)에 대해, 경락(經絡)을 따뜻하게 함으로써 혈행(血行)을 활발하게 하는 치료 방법.
외사(外邪)	몸 밖에서 침입해 들어온 병사(病邪)를 총칭한다. 여기에는 풍(風), 한(寒), 서(署), 습(濕), 조(燥), 화(火)의 6종류가 있으며 육음(六淫)이라고도 한다.
운화(運化)	비(脾)의 작용 중 하나. 음식물의 소화와, 흡수한 양분을 운반하는 작용을 이른다.

운화수액(運化水液)	비(脾)의 운화(運化) 작용. 특히 수액(水液)의 운반 작용을 이른다.
울열(鬱熱)	조체(阻滯)되어 있는 물질이나 병사(病邪)가 열화(熱化)된 것. 기체(氣滯)가 열화(熱化)한 것이 가장 많으며 이로 인해 일어나는 병증(病證)이 울열증(鬱熱證)이다.
위기(胃氣)	1) 기(氣) 가운데 위(胃)에 분포하면서 위(胃)가 제 기능을 발휘할 수 있도록 해 주는 것. 2) 넓은 의미로는 위장(胃腸)의 소화 기능을 가리킴
위기(衛氣)	기(氣)의 종류 중 하나. 낮 동안 인체 외부의 표(表)에 많이 분포하고, 외사(外邪)의 침입에 대한 방어 기능을 담당한다.
위열(胃熱)	1) 위(胃)에 내성(內盛)한 열(熱)을 가리킨다. 위화(胃火)와 동의어. 2) 위(胃)에 열(熱)이 왕성해져서 일어나는 병증이다. 정식 명칭은 위열증(胃熱證)이라고 한다.
위음허(胃陰虛)	위(胃)의 음액(陰液), 즉, 위음(胃陰)이 부족하여 일어나는 병증(病證). 정식으로는 위음허증(胃陰虛證)이라고 한다.
유간(柔肝)	간혈(肝血)이나 간음(肝陰)을 자양(滋陽)함으로써 간(肝)을 부드럽게 하는 치료방법.
음액(陰液)	음(陰)에 속하는 진액(津液)을 가리킨다. 진액(津液)은 혈(血)과 마찬가지로 기(氣)와 함께 놓고 보면 음(陰)에 속하므로 한열(寒熱) 등의 음양(陰陽) 밸런스를 고려했을 때 진액(津液)을 표현할 때 사용되는 표현이다. 음진(陰津)과 동의어이다.
음양양허(陰陽兩虛)	정식 명칭은 음양양허증(陰陽兩虛證). 신(腎)의 음양(陰陽)은 서로 보(補)하는 특수한 관계이다. 그래서 한쪽이 과도하게 부족해지면 다른 한쪽이 함께 부족해지는 병증(病證)으로 발전하는 경우가 있으며 이를 음양양허증(陰陽兩虛證)이라고 한다.
음진(陰津)	음액(陰液) 참고
음허(陰虛)	정식 명칭은 음허증(陰虛證). 음혈(陰血)이나 음액(陰液) 부족에 의해 일어나는 병증이다. 단순한 혈허(血虛)나 진액 부족과 달리 그 증후에는 음양(陰陽)의 실조(失調)에 의한 허열(虛熱) 증상을 동반한다.
음허양항(陰虛陽亢)	정식 명칭은 음허양항증(陰虛陽亢證). 음혈(陰血)이나 음액(陰液)이 부족해지면 (이를 음허(陰虛)라 함) 음(陰)이 양(陽)을 억제하지 못하고 양(陽)이 항진(亢進)되어 버리는 병증(病證). 음허화왕(陰虛火旺)과 동의어이다.
음허화왕(陰虛火旺)	정식 명칭은 음허화왕증(陰虛火旺證). 음혈(陰血)이나 음액(陰液)이 부족해지면 (이를 음허(陰虛)라 함) 음(陰)이 양(陽)을 억제하지 못하여 음양 밸런스가 흐트러지고 화열(火熱)이 왕성해지는 병증. 심(心), 간(肝), 신(腎) 등의 장부(臟腑)에서 잘 나타난다.
음혈(陰血)	음(陰)에 속하는 혈(血). 혈(血)과 기(氣)를 놓고 보면 혈(血)은 음(陰)에 속하고 기(氣)는 양에 속하지만, 한열(寒熱) 등의 음양(陰陽) 밸런스를 고려했을 때 혈(血)을 표현할 때 사용되는 표현이다. 또한 음액(陰液)과 혈(血)의 총칭이다.
이감모(易感冒)	감기가 잘 걸림.
이병동치(異病同治)	병명이 서로 다른 환자라 할지라도 병증(病證) 타입이 서로 같다면 같은 치료(한방약)가 효과가 있다는 것을 의미.

일포조열(日晡潮熱)	오후부터 저역 사이에 걸쳐 나타나는 열. 대다수는 양명(陽明)의 실열증(實熱證)이나 위열증(胃熱證)에서 보인다. 하루 중 정해진 시간에 나타나는 열은 조열(潮熱).
ㅈ	
자음(滋陰)	음액(陰液)이나 음혈(音血)이 부족한 병증에 대하여 이를 자양(滋養)하는 치료 방법.
자음약(滋陰藥)	음허증(陰虛證)에 대해 사용하며 음액(陰液)을 자양(滋養)하는 작용이 있는 중약(中藥)의 분류. 보음약(補陰藥)과 동의어.
자한(自汗)	조금만 움직여도 금방 땀이 나는 증상.
정기(正氣)	사기(邪氣), 즉, 병사(病邪)에 대해 저항능력을 가진 물질. 기혈진액(氣血津液) 등으로부터 만들어진다.
조습(燥濕)	습사(濕邪)나 내습(內濕)의 병증에 대해 건조시켜 제거하는 치료방법.
중성약(中成藥)	후생노동성이 인가하여 사용할 수 있는 중국 처방. 일본의 약국(藥局) 제제(製劑)에는 포함되어 있지 않다. 대다수는 환제(丸劑)이고 일반약으로 분류되며 약의 가격이 없다.
중진안신(重鎭安神)	정신을 침정(沈靜)시키면서 안신(安神)시키는 것. 정신을 안정시키는 것을 안신(安神)이라고 부르며 그 안신 효과를 가진 중약(中藥)을 안신약(安神藥)이라고 한다. 이 안신약(安神藥)은 크게 2가지로 분류되는데 정신을 자양(滋養)시키면서 안신시키는 것은 양심안신약(養心安神藥)이라고 하고, 정신을 침정(沈靜)시키면서 안신(安神)시키는 것을 중진안신약(重鎭安神藥)이라고 한다.
진액(津液)	인체에 생리적으로 작용하는 액체의 총칭. 인체를 구성하는 물질을 기혈진액(氣血津液)이라고 한다.
진조음허(津燥陰虛)	진액(津液)이 건조되어 사라짐으로 인해 일어나는 음허.
ㅊ	
청사(淸瀉)	실열(實熱)의 사(邪)를 제거하고 열(熱)을 식히는 치료방법.
청심(淸心)	심화(心火)를 청열(淸熱)하는 치료방법.
청열(淸熱)	열사(熱邪)나 열(熱)의 병증(病證)에 대해 열(熱)을 식히는 치료방법.
치침(置鍼)	침(鍼)을 자입(刺入)하여 조작을 시행한 후 바로 빼지 않고 수 십분 정도 그대로 놔두는 것. 유침(留鍼)이라고도 한다.
ㅌ	
탁음(濁陰)	체내의 비교적 가볍고 맑은 기(氣)인 청양(淸陽)과 대비되는 물질. 비교적 무겁고 탁한 물질을 가리킨다. 담습(痰濕)에는 「중탁(重濁)」이라는 성질이 있으므로 일반적으로는 탁하고 오염된 담습(痰濕)을 탁음(濁陰)이라고 한다.
통경(通經)	경락(經絡)이 잘 통하게 하는 치료방법. 통락(通絡)과 동의어.
통조수도(通調水道)	폐(肺)가 수도(水道)를 통해 물이나 진액(津液)을 신(腎)까지 하행(下行)시키는 작용. 수도(水道)란 물이나 진액이 통하는 것을 말한다. 많은 경우 육부(六腑) 중 하나인 삼초(三焦)를 가리킨다. 폐(肺)는 인체의 상부에 위치하고 물이나 진액(津液)을 신(腎)까지 하행(下行)시키는 작용을 가진다.

평간(平肝)	간음(肝陰)이 부족해져서 간양(肝陽)이 항진(亢進)되는 병증(病證)에 대해 음양(陰陽)의 평형을 조절하는 치료방법.
평보평사법(平補平瀉法)	침(鍼)의 조작법 중 하나. 원래는 사법(瀉法)과 보법(補法)의 둘 다를 행하는 조작법이었으나 최근에는 사법이나 보법 모두 사용하지 않는 조작법에 대해서도 이 표현을 사용한다.
폐위열성(肺胃熱盛)	폐(肺)와 위(胃) 둘 다에 열사(熱邪)가 왕성하게 되어 일어나는 병증(病證). 정식 명칭은 폐위열성증(肺胃熱盛證)이라고 한다. 기분증(氣分證)에서 잘 나타난다.
표리관계(表裏關係)	육부(六腑)에 속하는 장기와 육장(六臟)에 속하는 장기의 특정한 것이 상대되어 있는 관계. 심(心)과 소장(小腸), 심포(心包)와 삼초(三焦), 간(肝)과 담(膽), 폐(肺)와 대장(大腸), 비(脾)와 위(胃), 신(腎)과 방광(膀胱)을 가리킨다. 이것은 육부(六腑)로부터 나오는 경락(經絡)이 체표의 양(陽)에 해당하는 부분을 흐르고, 육장(六臟)으로부터 나오는 경락(經絡)이 체표의 음(陰)에 해당하는 부분을 흐르며, 또한 서로 상대되어 있는 경락은 서로 지맥(支脈)을 통해 연결되어서 형성된다.
표치(標治)	중의학에서는 진단 치료에 있어서 병(病)의 본질을 밝혀내는 것을 중요시한다. 병기(病氣)에는 본질적인 부분과 그렇지 않은 부분이 있으며, 각각 본(本)과 표(標)라고 부른다. 본(本)과 표(標)는 상대적인 관계이며 그 항목에는 4가지가 있다. 그러나 실제로 치료할 때에 가장 중시되는 것은 사기(邪氣)와 정기(正氣)에 관한 표본(標本)이며, 정기(正氣)가 부족한 허(虛)를 본(本)이라고 하고, 사기(邪氣)나 기혈(氣血)의 조체(阻滯)가 심한 실(實)을 표(標)라고 한다. 일반적으로 병의 상태가 만성화되어 소강상태에 있을 때나 재발을 예방하고자 할 때에는 허(虛) 부분에 초점을 맞추어 치료를 행하는데 이를 가리켜 본치(本治)라 한다. 이에 대해 급격한 염증이나 동통(疼痛)이 심한 경우에는 본치(本治)에 앞서 먼저 실(實) 부분에 초점을 맞추어 대증요법(對症療法)적인 치료를 행할 필요가 있는데 이를 가리켜 표치(標治)라 한다. 이밖에도 표본(標本)을 동시에 병행 치료하는 것을 표본동치(標本同治)라 한다.
풍열습사(風熱濕邪)	비증(痺證)을 일으키는 풍사(風邪)와 습사(濕邪)가 합해져서 풍습(風濕)의 병사(病邪)가 되고, 또한 열사(熱邪)가 더해져서 열(熱)의 성질이 강해진 병사(病邪)의 복합체.
풍증상(風症狀)	어지럼증, 떨림, 경련 등의 증상. 외풍(外風)과 내풍(內風)에 범해짐으로써 나타난다. 그 특성에 풍(風)이 가진 「주동(主動)」, 즉, 움직이는 성질이 반영되어 있는 증상의 총칭.

한(寒)	1) 한사(寒邪)를 가리킨다. 여기에는 외한(外寒)과 내한(內寒)이 있다. 외한(外寒)은 육음(六淫)의 하나로 몸 밖에서 침입한 차가운 병사(病邪)이며, 내한(內寒)은 양기(陽氣) 부족 등의 원인으로 몸 안에서 발생한 차가운 기운을 이른다. 2) 한증(寒證)을 가리킨다. 한증(寒證)과 열증(熱證)이란, 병증(病證)의 성질이 차가운가, 뜨거운가라는 상대적 병증 관계에 있으며, 이를 감별하는 진단을 한열변증(寒熱辨證)이라고 한다.
해울(解鬱)	기울(氣鬱)을 풀어주는 치료 방법.

해표제(解表劑)	체표에서 땀을 내게 하여 표증(表證), 즉, 외사(外邪)에 의한 초기 병증을 치료하는 방제(方劑) 분류명이다.
행어(行瘀)	혈행(血行)을 촉진하여 어혈(瘀血)을 제거하는 치료방법.
허열(虛熱)	허화(虛火)와 동의어. 열증(熱證)은 또한 허실(虛實)의 차이가 있으며, 허증(虛證)이면서 열증(熱證)에 속하는 것을 허열(虛熱)이라 하고, 실증(實證)이면서 열증(熱證)에 속하는 것을 실열(實熱)이라 한다.
허중협실증(虛中挾實證)	「허실협잡증(虛實挾雜證)」 가운데 「허증(虛證)」의 부분이 더 큰 것. 실증(實證)과 허증(虛症)이 동시에 일어나는 것을 허실협잡증(虛實挾雜證)이라고 한다.
허증(虛證)	실증(實證)과 상대적인 병증(病證)으로 정기(正氣)가 부족한 것이 주된 원인으로 증상이 나타나는 병증(病證)
혈분(血分)	1) 온열병(溫熱病)의 위기영혈(衛氣營血) 변증에서 가장 깊이 사기(邪氣)가 들어간 단계 또는 병위(病位)로서 심(心), 간(肝), 신(腎) 등의 장기에 병사(病邪)를 받은 단계를 말한다. 2) 병증(病證)의 하나. 증상으로서 남자는 소변불리, 여자는 월경이 중단된 후 부종이 나타나는 것. 3) 병이 혈(血)에 있는 것. 기분(氣分)에 상대된다.
혈어(血瘀)	정식 명칭은 혈어증(血瘀證). 어혈(瘀血)에 의해 일어난 병증(病證).
혈열(血熱)	정식 명칭은 혈열증(血熱證). 열사(熱邪)가 혈분(血分)에 영향을 주어 일어나는 병증(病證). 이 병증(病證)의 가장 큰 특징은 출혈이 일어나기 쉽다는 점이다.
혈열혈어(血熱血瘀)	정식명칭은 혈열혈어증(血熱血瘀證). 혈열(血熱)에 의해 혈맥(血脈) 밖으로 출혈한 피가 흡수되지 않고 정체(停滯)되거나 또는 졸아들어 혈행(血行)이 나빠져서 어혈(瘀血)이 형성된 병증(病證).
혈허(血虛)	정식 명칭은 혈허증(血虛證). 혈(血)이 부족하여 일어난 병증. 부족한 혈(血)로 인해 영양(營養)되지 못하여 어지럼증이나, 눈이 침침해지거나, 생리가 늦어지거나, 동계(動悸), 세맥(細脈) 등의 증상이 일어난다.
화강(和降)	소화한 음식물을 소장(小腸) 등으로 하강(下降)시키는 작용. 위(胃)의 작용 중 하나.
화위(和胃)	위(胃)의 화강(和降) 작용을 개선시키는 치료 방법.
활락(活絡)	경락(經絡) 중의 기혈(氣血)의 흐름을 활발하게 하는 치료방법.
활혈(活血)	혈행(血行)을 활발하게 하여 어혈(瘀血)을 제거하는 치료방법.
활혈약(活血藥)	활혈(活血) 작용을 가진 중약(中藥)의 분류명.
활혈제(活血劑)	그 중심 작용이 활혈(活血)인 방제(方劑)의 분류명.
흉협창통(胸脇脹痛)	옆구리부터 옆 가슴 부위 그리고 배 옆 부위에 걸친 그득한 느낌과 그에 동반하는 통증을 자각하는 증상. 이 부위는 족궐음간경(足厥陰肝經)의 분포 범위이므로, 대다수는 간기울결증(肝氣鬱結證) 등의 간기(肝氣)의 울체(鬱滯)를 동반하는 병증(病證)으로 나타난다.
희냉음(喜冷飮)	찬 물을 마시고 싶어 하는 병의 상태.

설진(舌診) 해설

설질(舌質)	혀를 관찰하는 진찰을 설진(舌診)이라고 하지만, 그 내용은 혀 본체의 색과 형태 등을 관찰하는 것과, 혀의 표면에 부착되어 있는 단층의 태상물질(苔狀物質)의 색이나 성상(性狀)을 관찰하는 것으로 나누어진다. 그리고 표기할 때에는 혀 본체를 설질(舌質)이라 하고, 태상물질(苔狀物質)을 설태(舌苔)라 한다.
설질담홍(舌質淡紅)	정상에 가까운 색의 설질(舌質)
설질홍(舌質紅)	설질(舌質)의 색이 붉은 것. 일반적으로 열증(熱證)에서 나타난다.
설질(舌質)이 약간 홍색(紅色)	설질(舌質)의 색이 조금 붉은 것. 일반적으로 가벼운 열증(熱證)에서 나타난다.
설질담(舌質淡)	설질(舌質)의 색이 담백(淡白)하고 혈색이 없는 것. 대개 음허(陰虛) 이외의, 허증(虛證)에서 나타난다.
설질자암(舌質紫暗)	어두운 자주색의 설질(舌質). 혈어증(血瘀證)에서 잘 나타난다.
설첨홍(舌尖紅)	끝 부분이 붉은 설질(舌質). 인체 상부에 열증(熱證)이 있을 때 나타난다.
망자(芒刺)	혀 표면에서 관찰되는 붉은 점 모양의 미뢰(味蕾). 열증(熱證)이 심할 때 나타난다.
설체반대(舌體胖大)	혀 전체가 크게 부푼 것. 기허(氣虛)나 담습(痰濕)인 사람에게서 잘 나타난다.
설체열문(舌體裂紋)	혀 표면이 땅이 갈라지듯이 균열(龜裂)이 생긴 것. 일반적으로 혈허(血虛)나 음허(陰虛)인 사람에게서 나타난다.
설변치흔(舌边齒痕)	혀의 가쪽에 이빨이 닿아 눌러 생긴 요철이 나타나는 것. 기허(氣虛)나 담습(痰濕)인 사람에게서 잘 나타난다.
설태(舌苔)	「설질(舌質)」 참조
설태황(舌苔黃)	황색(黃色)의 설태(舌苔). 실열(實熱)이 있을 때 잘 나타난다.
설태황니(舌苔黃膩)	황색(黃色)의 끈적끈적한 설태(舌苔). 습열(濕熱)이나 담화(痰火) 또는 식체(食滯)가 있을 때 잘 나타난다.
설태백(舌苔白)	흰색의 설태(舌苔). 몸속에 찬 기운이 있을 때 잘 나타난다.
설태백니(舌苔白膩)	희고 끈적이는 설태(舌苔). 담습(痰濕)이 있을 때 잘 나타난다.
설태박백(舌苔薄白)	엷고 흰 설태(舌苔). 정상 상태에 가깝지만 기체(氣滯)가 있는 사람에게서도 나타난다.
설태소(舌苔少)	설태(舌苔)가 거의 없는 상태. 일반적으로 음허(陰虛)에서 나타난다.

맥진(脈診) 해설

활(滑)	구르는 듯이 매끄럽게 흐르는 맥(脈). 담습(痰濕)이나 식체(食滯)에서 나타난다.
활삭(滑數)	구르는 듯이 매끄럽게 흐르는 빠른 맥(脈). 습열(濕熱)이나 담화(痰火)에서 나타난다.
완(緩)	느슨하고 느린 맥(脈). 기허습성(氣虛濕盛)에서 나타난다.
현(弦)	당기는 느낌이 있고 탄력이 강한 맥(脈). 일반적으로 기체(氣滯)가 있는 사람이나 동통(疼痛)이 있을 때 나타난다.
현삭(弦數)	당기는 느낌이 있고 탄력이 강하면서 빠른 맥(脈). 울열(鬱熱)이나 간화(肝火)에서 나타난다.
현세(弦細)	가늘지만 당기면서 탄력이 있는 맥(脈). 기체(氣滯)와 간혈허(肝血虛) 등이 있는 경우에 나타난다.
현세삭(弦細數)	가늘고 당기면서 탄력이 있고 빠른 맥(脈). 기체(氣滯)와 간음허(肝陰虛)가 있는 경우에 나타난다.
현활(弦滑)	당기면서 탄력이 있고 또한 구르는 듯이 매끄럽게 흐르는 맥(脈). 기체(氣滯)와 담습(痰濕)이 있는 경우에 나타난다.
세약(細弱)	가늘고 약한 맥(脈). 허약(虛弱)한 사람에게서 나타난다.
유삭(濡數)	부(浮)하고, 가늘고, 부드럽고 또한 빠른 맥(脈). 습열(濕熱) 등이 있을 때 나타난다.
침세(沈細)	침(沈)하고 세(細)한 맥(脈). 혈허증(血虛證) 등에서 나타난다. 침세(沈細)하고 조금 현맥(弦脈) = 침(沈)하고 세(細)하지만 조금 당기는 탄력이 있는 맥(脈). 간혈허(肝血虛) 등에서 나타난다.
침실(沈實)	침(沈)하지만 강하게 느껴지는 맥(脈). 체내에 실사(實邪)가 쌓여 있는 경우에 나타난다.

기타 해설

외치법(外治法)	열부약(熱敷藥)을 환부의 관절과 근육 위에 붙여 따뜻하게 한 단계에서 입을 여닫는 운동을 시행한다. 1번에 15분간, 하루에 1~2회를 매일 시행한다.
열부약(熱敷藥)	당귀(當歸), 백지(白芷), 박하(薄荷), 유향(乳香), 몰약(沒藥), 삼칠(三七), 홍화(紅花), 향부(香附), 오두(烏頭), 세신(細辛), 녹과락(綠瓜絡) 등의 생약을 2개의 자루에 넣고 찬물에 1~2분간 담근 후 15분 동안 찐 것. (생약은 생약 제조사를 통해 주문해서 치과 의원에서 포장하거나 한방약국에 의뢰해서 조제한 것을 구입한다.)

[저자 약력]

● 감수　**이가라시 하루요시**(五十嵐治義)
2004년 오우(奥羽) 대학 치학부 치과약리학 교수 퇴직
저서: 「치과 의사를 위한 의약품 처방 매뉴얼」(의치약출판주식회사) 그 외 다수

　　　이케다 마사히로(池田正弘)
1976년 히로시마 대학 대학원 치학연구과 수료
1980년 이케다 치과의원 원장
저서: 「치과의원에서 사용하는 약의 안심 매뉴얼」(의치약출판주식회사) 그 외 다수

● 글　　**세키구치 젠타**(関口善太)
1980년 메이지 약과대학 약제학과 졸업
1985년 북경 중의약 대학 유학
1993년 중의당(中醫堂) 개국
2009년 일본통합의료학원 강사
저서: 「약의 완전 가이드」(의치약출판주식회사), 「동양의학의 짜임새」(나츠메사) 등

　　　후쿠시마 아츠시(福島 厚)
1987년 쇼와대학 대학원 치학연구과 졸업 치학박사
2003년 동경 위생학원 졸업
2003년 일본의과대학 동양의학과 입국
2005년 후쿠시마 치과의원, 침구치료원 개설
　　　　　동방대학 동양의학과 객원강사
저서: 「동양의학에 의한 구강질환 진료」(의치약출판주식회사)

[역자 · 감수자 약력]

● 역자　**이채원**
중앙대학교 전기전자공학부 졸업.
부산대학교 한의학전문대학원 졸업.
한의무석사 학위 및 한의사 면허 취득
(현) 목포요양병원 한방원장

● 감수자　**권정남**
부산대학교 한방병원 / 한방내과
전문진료분야: 중풍, 뇌경색, 뇌출혈, 중풍 예방(고혈압, 당뇨병, 동맥경화증) 두통, 어지럼증, 파킨슨병,
　　　　　　떨림증, 치매, 삼차신경통, 손발저림, 뇌종양
경희대학교 한의과대학 졸업
경희대학교 한의과대학 석사, 박사 학위 취득
한방내과 전문의
(현) 부산대학교 한의학전문대학원 교수
(현) 중풍학회 부회장
(전) 부산대학교 한방병원 내과 과장